▲ 1981 年访问日本

▲ 电影《如意》中的格格（郑振瑶饰）和石大爷（李仁堂饰）

▼ 法国·南特·三大洲电影节，《如意》在开幕式上映（1983 年）

刘 心 武　立体交叉桥

LITIJIAOCHAQIAO

▲ 中短篇小说集《立体交叉桥》（1986 年）封面

刘心武文存6

[1958—2010]

中篇小说 第一卷
立体交叉桥

刘心武◎著

江苏人民出版社

图书在版编目(CIP)数据

立体交叉桥 / 刘心武著. — 南京：江苏人民出版社，2012.11

(刘心武文存；6. 中篇小说. 第1卷)

ISBN 978-7-214-07985-5

I. ①立 … II. ①刘 … III. ①中篇小说-小说集-中国-当代　IV. ①I247.5

中国版本图书馆CIP数据核字（2012）第035199号

书　　　名	立体交叉桥
著　　　者	刘心武
责 任 编 辑	刘　焱
统 筹 编 辑	李　丹
特 约 编 辑	朱　鸿
文 字 校 对	陈晓丹　郭慧红
装 帧 设 计	门乃婷工作室
出 版 发 行	凤凰出版传媒股份有限公司
	江苏人民出版社
出版社地址	南京湖南路1号A楼　邮编：210009
出版社网址	http://www.book-wind.com
经　　　销	凤凰出版传媒股份有限公司
印　　　刷	三河市金元印装有限公司
开　　　本	700毫米×1000毫米　1/16
印　　　张	22
字　　　数	468千字
彩　　　插	4
版　　　次	2012年11月第1版　2012年11月第1次印刷
标 准 书 号	ISBN 978-7-214-07985-5
定　　　价	46.00元

（江苏人民出版社图书凡印装错误可向本社调换）

《刘心武文存》出版说明

　　《刘心武文存》收录刘心武自 1958 年 16 岁至 2010 年 68 岁公开发表的文字约 900 万字。《文存》共 40 卷，按文章门类收录，计有长篇小说 5 卷、中篇小说 4 卷、短篇小说 5 卷、小小说 1 卷、儿童文学 1 卷、建筑评论 2 卷、《红楼梦》研究 4 卷、散文随笔 11 卷、杂文 1 卷、海外游记 1 卷、多品种（图文交融文本、报告文学、诗歌、剧本、足球评论、译述）1 卷、创作谈 1 卷、理论批评 1 卷、早期（1958 年至 1976 年）作品 1 卷、自述 1 卷。因跨越时间达半个世纪以上，收录定有遗漏，但其此期间的主要作品，相信均已收入。

　　《刘心武文存》各卷均附有《刘心武文学活动大事记》及《刘心武著作书目》，可备检索。

　　编辑出版《刘心武文存》的目的，意在供各方面人士阅读欣赏、分析研究、批评批判、收藏保存。

刘心武文存
06

———

目录

如　意

零

　　编辑部的工间操时间照例无人做操。有人高声讲着一件什么趣闻，爆发出一阵快活的大笑。偏这时候我接到一个电话，在喧嚣中怎么也听不清话筒里的声音。

　　我朝大伙连嚷带摆手，他们总算减小了笑谈的音量。我才听出来，给我打电话的是老曹——我原来工作过的中学的党支部书记。自打三年前我调来出版社，我们很少联系，主要是因为双方都忙，其实我在学校工作时，和他称得上是难得的相知。

　　"老曹，什么事啊？"我贴近话筒，大声地问。

　　他性格不改，无论遇上什么大悲大喜的事，总能不动声色。我听见他慢悠悠却是单刀直入地说："学校里的石义海大爷死了，要开追悼会。想来想去，悼词还得请你写。"

　　我周围的聒噪声仿佛陡然飘向了远处，只觉得自己的心犹如铅砣般往下一坠，我紧紧地捏住话筒，喉咙那儿突突地跳，不由得变了嗓音地问："哪天死的？"

　　老曹简洁地报道说："前天。往医院送的半道上就咽气了，是心肌梗塞。收拾他的遗物，你知道他俭朴了一辈子，哪有什么像样的东西。可是从他那口唯一的木箱里，发现了一个严严实实的包裹，包了好几层……"

　　我迫不及待地问："里头是什么东西？"

　　老曹告诉我。我倒吸了一口气，心里就像有千百个琵琶在"大弦嘈嘈如急雨"，不禁喃喃自语："原来是这个！原来……"

我的心强烈地抖动着。石大爷的追悼会定于第二天下午开，我答应当晚便写好悼词，第二天请假送到学校去，并出席追悼会。

当晚，我坐在书桌前，忘记了别的一切，只想着石大爷。

秋夜是这般的静谧，静得仿佛能听出远处树叶飘落的声音。我提起笔来，满腔的哀思仿佛都汇涌到了笔尖，却又一时不知从何写起。

石大爷，您如果有灵，您应当驾着清风，趁着静夜，悄悄地来到我的身边，让我们像往昔一般促膝而坐，相见以诚……

石大爷，我想您，您大概也还在惦念着我吧？石大爷啊……

一

我是 1961 年到学校工作的。那时候我们不少青年教师住校，每天清晨，当我们洗漱既毕，或到操场跑圈，或到树下诵读，或赴办公室备课，总会从薄雾或霞光中，看见一位五十多岁的工友，在用大竹扫帚清扫校园。他个子不高，很宽的肩膀，很厚的身板，却长着一双很明显的罗圈腿；他总是默默无言地低头徐行，一下一下很匀实地扫着。每当看见他，我脑海中就飘过一个淡淡的念头："啊，石大爷又扫上了……"这念头犹如一根柔弱的游丝，他的身影一从我视网膜中消失，这游丝便也消融在空气之中了。别的住校教师，对他大体上也是这么个态度。

应当为我自己和同伴们剖白的是，这并不是因为我们看不起工友。管传达室的葛大爷比石大爷还老几岁，是个高瘦、嗫腮的老头，据说解放前当过道士，我们就常同他打趣。他知书识字，分发报纸信件汇款单认真负责，还很爱主动同我们谈论时事。石大爷大字不识一个，无法在传达室工作，似乎同我们缺乏一种自然的联系纽带，而他这人又极为沉默寡言，脸上表情很呆板，难怪引不起我们的注意。

直到 1962 年过"五一"节的时候，我同石大爷才有了一次颇不寻常的个别接触。那天我没去参加晚上的联欢活动，留在学校值班，任务是每一小时沿操场的大墙巡逻一回。石大爷的宿舍是位于操场一角的小平房，因此，不转悠时我就待在他的屋中。

开头，我只是坐在椅子上，管自看自己带去的小说，全然不注意坐在床上捻叶子烟的石大爷是何神态。但是，每当我坐下来看小说，石大爷就默默地往我面前的茶碗里倒茶水，这时，我就多少有点不好意思了。于是，当我第三次巡逻回来，便把小说搁到一边，搜索枯肠地同他闲聊起来。

我想到听校长说过，我们这所校址，几十年前是个贝勒府，当年的贝勒府总不会有这个操场吧，于是便漫不经心地问："石大爷，当年这操场是贝勒府的什么地方，您知道吗？"

"咋不知道？是花园。"

我脑海中立即浮现出《红楼梦》中的某些景致，不知为什么我想到了后四十回中的"大观园月夜警幽魂"。于是如同大多数青年人一样，在夜晚，面对着老人，忍不住提出了这样的问题："这花园里闹鬼吗？"

"咋不闹鬼？我就见过。"

石大爷说时，面部表情仍旧十分平板，叭嗒叭嗒地不紧不慢地吸着他那半尺长的烟袋锅。

"我不信。世界上哪有鬼呢？"

"咋不信？我亲眼见呢。"

"那一定是您看花眼了。鬼是没有的。"

"咋没有呢？我见着了嘛。"

于是像大多数青年人一样，遇到这种口吻，我便又想听又不想听他说："真的吗？您见着的鬼什么样呢？"

石大爷微微抬起脸，正对着我，他那略呈椭圆形的脸上，依然看不出什么特别的表情，语气平淡地说："那时候，我才你这么个岁数吧。这贝勒府的一多半，已经归了教会的学校。那时候操场没这么大，东半截是一排排的学生宿舍。学生晚上撒尿撒大木桶里头，木桶就搁在排房的尽头。我是管给学生倒尿桶的，有时候起五更就给倒。有一天，兴许也是今儿这么个气候吧，我起得早点，往排房那儿走。刚走拢，冷不丁见个白影儿一闪。我挺奇怪。那影儿像是个女的，穿着月白衫子，套着黑裙子。你知道咱们学校打那会儿到如今都是男校，只收男生不收女生，深更半夜的，咋会跑出来一个女的呢？"

我要表示不信，又为了壮胆，就胡乱解释说："个别胆大的女生也是有的，她准是翻墙进来的。"

石大爷的语调依旧平缓迟慢："不是。我走过去招呼：'甭藏，你出来吧！'她就从墙角出来了。乌黑的头发，雪白的脸，眼角耷拉着，嘴皮子红得像流着血……"

我插嘴说："这哪是鬼呀，这活生生是个人嘛。"

石大爷仿佛没听见我的话，愣愣地继续他的讲述："我跟她脸对脸地站着。我就问她：'你是人是鬼呀？说！'她给我鞠了一个躬，哭着说：'大哥，我是人，我不是鬼呀……'"石大爷说到这里，停顿了一下。我的心仿佛在收缩着，目不转睛地望着他。他吸了口烟，接下去说："……我正疑惑呢，只听她又添上一句：'我的命好苦哇！'说完就转身走了。我看见她光着脚，两脚好像离地一寸多，忽悠忽悠地，拐过屋角就没影儿了……"

我的头发根根都直竖起来，耳里响着自己放大了的心音，背部忽然有一种空虚和不安的感觉。想到下一次的出屋巡逻，我忽然胆怯了……

费了好几分钟，我才镇定下来，我想自己是青年团员，应当相信唯物主义，不能中迷信思想的毒素，便正色对石大爷说："您当时肯定是产生了幻觉。鬼是没有的，没有。"

但是石大爷非常顽固，他表情依旧毫无改变，继续吧嗒吧嗒地吸着烟，好几分钟以后才分辩说："我咋会看错呢？后来我想着她可怜，估摸着她准有冤情，就偷偷买了一双袜子，半夜里搁在那天遇上她的地方了。天亮时候我去看，袜子没了。那时辰学生们都没起床哩，不是她收走是谁收走了？打那以后她再没现过形，兴许是报了冤仇了吧。"

这回我连背上的汗毛也竖起来了。一时间说不出辩驳的话来。

"你歇歇吧。我替你转悠去。"石大爷站起来，拿起桌上的长筒手电，慢悠悠地走了出去。我把脊背抵住墙壁，努力克制着心中喷涌的恐怖。我又气恼石大爷的迷信和固执，又感谢他对我的体贴与照顾。

但是这一夜过去以后，当天光大亮时，我对他就只剩下了落后而顽固的坏印象。从此以后，我尽量少同石大爷接触。

二

我同石大爷再次建立关系，是 1964 年的秋天。那时候学校里已经时兴安排听忆苦报告、吃忆苦饭、访贫问苦一类的活动。

有天我找老曹去了。那时候他刚调到学校当党支部副书记不久，已经是现在这副又黑又瘦又出老的模样，其实他当时不过刚满三十八岁。

我见了老曹就诉苦说："还给学生们安排什么活动呀？忆苦饭都吃过两回了！……"

老曹沉吟地说："再安排一次访问活动吧……"

我提高嗓门说："近处的几个典型都访问过了，往远处跑，停课更得多，还让不让学生学文化呀？"

老曹把头一偏说："其实咱们学校就有可以访问的对象……"

我急不可耐地问："谁呀？"当我听到"石大爷"三个字的回答时，简直惊住了："他？"

老曹点点头说："我看过他的材料，也到他宿舍跟他谈过。他大约是辛亥革命前后出生的，是个育婴堂里的弃婴，父母想必是当年的城市贫民，养活不起，就把他扔了……他在育婴堂里能活下来，除了罗圈腿，没落下别的残疾，可真是不易呀。他长到十来岁，就被教会学校的神甫要去当了仆人，打小伺候洋鬼子，挨打受骂，干最粗最脏的活……就这么着一直熬到解放。直到 1952 年这学校被政府接管，外国神甫卷起铺盖滚了蛋，他才算过上了不受剥削、压迫的生活。我看你可以请他给同学们忆忆苦嘛。这样近在眼前的老校工现身说法，也许比外请的人忆苦，对孩子们触动更大。"

我倒不知道石大爷原来有这么典型的血泪史。听了老曹的建议，便去石大爷宿舍找他。进屋时，他正准备下面片儿，要煮片儿汤吃哩。我把来意说了，担心他会拒绝，最后特别强调："是支部让我来请您的。"

石大爷手里正捏着湿面团，听我说话时忘记了扯面片，任锅里的水沸腾着，脸上却看不出有什么特别的表情。出乎我的意料，他挺爽快地答应了下来："行呀，我就讲讲吧。"

他到班里来讲了。一开头，他讲的挺符合要求，虽说表情比较呆滞，语调里的感情还是很诚挚的："你们是身在福中不知福，哪知道当年那洋人欺压咱的苦处……"同学们聚精会神地望着他，倾听着，我十分满意。

但是，讲了十来分钟以后，就听得出来，石大爷对当年教会学校里的两个外国神甫，在评价和感情上都很不一致："……如今初三（二）班那教室里，地面不是还有块木头板，上着个锁吗？那木头板底下是个台阶，通到地窖子里头去。那时候洋人可享福了，打那欧罗巴国（他就是这么个说法）运来成箱的啤酒，就蹾在那里头。他们想喝酒了，就使唤我下去拿。越是大暑天越想灌啤酒不是？我一天不得下去十来趟才怪呢。那德老爷（他指的是'德太白'神甫，'德太白'是这位外国神甫给自己取的汉名），我们下人背地后给他取的外号叫'面包'，他白得像剥了皮的山药，胖得像个冬瓜。要说懒、剥削人，德老爷跟别的洋人一个德性。可他讲点子仁义，使唤我们的时候，说话透着客气：'义海呀，劳驾你再给我取瓶啤酒吧。'我给取来送上去了，他还冲我点个头：'谢谢啦！'遇上他顺心的时候，兴许还剩下小半瓶子啤酒，赏给我喝。那狗娘养的赫老爷（他指的是'赫爱尔'神甫，'赫爱尔'也是汉名），可就不是个玩意儿了，我们下人背地后叫他'胡萝卜'，他那酒糟鼻子真比胡萝卜还红！'胡萝卜'使唤人谱儿可大了。一声吆喝：'给我拿酒去！'咱就得颠颠地赶紧下地窖子。稍微慢点他就兴许扬手打人。有回我从地窖子上来，攥着酒瓶的手直打哆嗦，'胡萝卜'就跟我吹胡子瞪眼：'你他妈的怎么回事？抽的哪门子筋？'这小子北京话练得挺油，可不好对付了。我就说：'这大暑天一身的汗，冷不丁往地窖子里一钻，冷气激得受不住，咋不哆嗦呢。'他嫌我顶撞了他，非罚我到地窖子里蹲一个钟头不成，咱求情也没用，他连推带搡，愣把我推进去，'咔哒'锁上了木板门。我就穿着个单褂儿，在地窖子里冻得上牙直跟下牙掐架……多亏了人家'面包'仗义，不满一个钟头，就把我放出来了。我听见他一个劲地埋怨'胡萝卜'，说'胡萝卜'，心太狠，不合上帝的旨意；'胡萝卜'跟他吵，到了还是护着我……"

想想看，当我听见石大爷说出这么一连串大有问题的话语时，心里该多着急。同学们却听得津津有味，还不时地交头接耳。我实在耐不住了，便趁上去给他斟水的机会，似乎是很自然地插进去说："两个神甫本质一样，'面包'比'胡萝卜'更阴险，因为他具有欺骗性……天下乌鸦一般黑嘛！"

唉，糊涂的石大爷啊，他竟偏过头，望着我说："乌鸦也不尽是黑的，我就在这府后头的花园里，见着过灰脖白肚的山老鸹。"

同学们"哄"地全笑了，我气得脸都白了，往他茶杯里倒的开水溢了一桌。我心里暗暗埋怨老曹，千不该万不该出这样的馊主意，看他给荐了个什么样的报告人，竟然对"天下乌鸦一般黑"这样天经地义的话也提出异议，事后我的"消毒"工作多难做……

我怕他再往下说更"出轨"，便引导地说："您除了忆自己的苦，也可以把咱们学校原先是贝勒府时候的事儿说说，让我们知道知道府里奴仆受压迫的惨况……"

他嗽嗽嗓子，想了想便说："贝勒府里缺大德的事多了去！别的甭说，光是到花园子里填井的丫头，我就听说过一巴掌的数儿。活得好好的干吗往井里跳哇？还不是让贝勒给糟践了。后来花园子拆了，井也填了，可那冤魂儿还不散，我就见着过……"

我一听不妙，真怕他当着这么多个"祖国的花朵"，讲类似给我讲过的那种鬼故事，便立即打岔说："石大爷知道的事可真多。其实您不必限于讲贝勒府的事，也可以把咱们这个地区穷人在旧社会的苦诉诉……"

他一口喝下了半杯茶，接过我的话茬说："人一穷可不就得受欺。咱们这个地方过去受欺侮遭磨难的人可多啦……就好比咱们学校南边，竹叶胡同14号里的金家姐儿们，受的苦大呀。要不是她们姐俩互相照应得好，又赶上这新社会，早不知道撂在哪个旮旯里成了鬼啦……"

又是"鬼"！我看再不截住他，是非出辙不可了，便趁他停顿的当口宣布说："石大爷年岁大了，最近身体也不大好，今天就暂时讲到这儿吧。让我们以热烈的掌声，感谢石大爷给我们上了生动的一课！"于是，一阵噼噼啪啪的掌声，便把他欢送走了。

我说"生动的一课"，不过是例行的客套话，可是对于学生们来说，这仿佛的确是生动的一课；一连好多天里，同学们都议论着"面包"和"胡萝卜"，"金家姐儿俩"也引起了浓厚的兴趣。一周以后,班委会的小干部们来找我汇报说:"同学们纷纷提出建议,希望把竹叶胡同苦大仇深的金家姐儿俩请来忆苦。"

我正苦于教育活动不易安排,想了想,便同意了。开好介绍信,我就亲自出马去联系。我想这回得把"底"摸准,倘若这金家姐妹也是石大爷那般混沌,那么她们的家史即便苦得赛过黄连,我也不能请她们来讲。

三

我找到居委会,主任不在,于是便贸然跑到 14 号去了。

14 号是个只有六户人家的小杂院。1964 年那阵,北京的住房问题还没发展到爆炸性程度,自盖小房子的风气尚未蔓延开来,所以这个小杂院倒显得挺豁亮,各处都点缀着一些花儿草儿,房子虽旧,收拾得还比较干净利落。

敢情金家姐儿俩都是五十来岁的老太太了。两人分着过,一家住南屋,一家住北屋,都只有一间房。我先找到南屋,屋里坐着个黄壮的汉子,我认出他是附近煤铺里摇煤球的师傅;同他对了几句话,我意识到他是金家小点的那位妇女的丈夫,他说他"屋里的"在服装厂当熨衣工,现在上班去了。我便提出来要找他爱人的姐姐,他愣了愣,便领我朝北屋最偏东的一间小屋走去,在门口叫了声什么(我没听清),见门开了,指指我说:"找您的。"便离开了。

开门出来的老太太,看着有五十来岁了,瘦弱的身材,长方形的一张小脸,白里透黄的皮肤非但不显得粗糙,反而颇为细腻,但额头、眼角、嘴角都有了极细琐的皱纹。她花白的头发在脑后结成了一个元宝髻,淡得看不大出来的两弯眉毛下,一双挺大的眼睛先是惊疑地大睁着,随即又流露出一种饱经沧桑的倦怠神情。把我让进屋去以后,她上下打量着我,懒懒地问:"您是办事处的?"

我告诉她自己是什么人,为什么而来。她戒备地望着我,仿佛有点惶惑无措。

为了摆脱这尴尬的局面,我尽量先用热情的语调说点闲话:"您爱人上班去啦?"

她眉尖一抖,生硬地说:"他?他不是早就死了吗?"

我这才注意到,这间屋里只有一张单人床,而且比刚才我去过的那间南屋要凌乱得多。样样家具都是些陈旧的劣货——不，只有一样或许是个例外，那是靠在床头的一张紫檀木高脚茶几，这茶几上摆放的两样东西，也比屋中其他任何器物都更干净爽目：一件是一个颇为讲究的打火机，另一件是一只颇为古雅的细瓷盖碗。

我又搭讪说："您妹夫在煤厂工作吧？"

她略微一愣，点点头说："您是说秋芸她当家的？对。秋芸在服装厂做事。我在家糊纸盒子挣点钱。"说着她指指屋角，我注意到那里堆着一堆糊好和待糊的纸盒、纸片。

正当我想把话引到忆苦这个正题上去的时候，居委会主任突然找上门来了，说是刚才接到电话，学校打来的，让我马上回去，有急事。我只好告辞，走到胡同里，才知道这是主任大妈用的计。她激动地对我说："你们找这个人去忆苦可不合适。你知道她是谁吗？她就是你们校址原先那个贝勒府里的千金小姐，当年管她这样的小姐叫郡君，又叫多罗格格。清朝倒台以后，贝勒府的多一半卖给了外国教会，办起了学校；贝勒府的主子们窝在偏院里，过了一段昏天黑地的日子，坐吃山空。'七七'事变以前，贝勒把最后的一个偏院也卖给了教会学校，整个败落了。格格跟她哥哥分了家，搬进羊角灯胡同的一个四合院住，那是她最后的产业，她就靠吃房租过日子；可是临解放的时候，她的男人——男人是打小包办的，旧社会整天在外头吃喝嫖赌——背着她把房子卖掉，一个人卷款溜了，她才搬到这儿，直到解放后的头二年，全靠变卖残存的字画古玩瓷器墨砚过日子。后来才算揽了点活儿在家里干，剥云母片呀，折书页子呀，糊纸盒子呀，算是自食其力了。"

我大吃一惊，心里不住地怨恨石大爷，他怎么把个贵族小姐，当成贫苦市民来介绍呀？同时禁不住问："秋芸是她妹妹吗？"

主任大妈说："什么妹妹，是她的丫头。这秋芸阶级觉悟总提不高，跟格格感情特别好，划不清界限。格格名叫金绮纹，多少年来，总放不下她那多罗格格的臭架子，虽说后来穷得一个搪瓷盆儿又洗脸又和面，还是戒不了她那两样嗜好：抽好烟、喝好茶。秋芸解放前陪着她守活寡，解放后也一直照顾着她，到1956年秋芸跟煤铺王师傅结了婚，他们两口子也还是待金绮纹不错，依旧看不出个界限……这样的人，你们怎么想起来请去给学生们忆苦呢？"

我哑口无言，同时感到无比震惊。我万没有想到，就在我所熟悉的这些胡同街道里，还生活着这样的人物，他们是我在报纸上、小说里、报告中从未看见、听见过的，他们住的离我这么近，却又显得如此陌生……

瞧，扯远了，我们还是来说石大爷吧。可要说清楚石大爷，又不得不说到另外一些人。于是我想起了那我们宁愿忘掉而又不能忘掉的十年里的事……

四

我尤其不能忘掉1966年炎夏,政治龙卷风终于扫过我们那所小小中学的情景。

记得那天早上洗脸的时候，同宿舍的帅老师还跟我互相撩水逗乐。帅老师名叫帅谈，但是同事们都管他叫"蒜苔"。我们头两天下午都听到了关于"第一张马列主义大字报"的广播。震惊、疑惑、好奇，然而并未感到同我们自身有什么关联。当我们走出宿舍，往教学楼走去时，看见了我们学校的第一份大字报。那份大字报背面的糨糊还湿漉漉的，顺纸边冒热气儿，题目叫做《党支部休想蒙混过关!》。许多教师和同学围着看，个个表情都非常紧张、复杂，但古怪的是并无喧哗、争议之声。上课铃响了，头一堂课前半截还比较正常，后半截就不行了，先是从操场上传来了阵阵喊叫声，接着就有首批造反学生冲进每个教室，号召大家到操场去集会。我当时完全被搞懵了。冲进来的造反学生脸上肌肉跳动着，一腔热血似乎已经超出沸点之上，他非常真诚地发出呼吁，眼里甚至闪着晶莹的泪光。他当时喊出的话语我已经记不清了，大意是党内出了修正主义，你们怎能还温良恭俭让地坐在平静的教室里，而不冲出去"横扫一切牛鬼蛇神"？两分钟以后，我班的教室里就只剩下几个胆小的学生和我自己。而目瞪口呆的我，没过几分钟，也身不由己地走到了操场。操场上一片混乱，一群最激进的造反学生围住刚担任正书记不久的老曹，要他承认自己紧跟"黑市委"、"黑区委"，搞了修正主义。他似乎并没怎么开口，另有几个高中学生和青年教师在那里挺身而出为之辩护，其中就有"蒜苔"，他的高挑身材非常显眼，喷着唾沫星子，确乎是慷慨激昂。

到中午，我校第一份大字报周围，就出现了互相冲突的两种大字报，一种支持，另一种反击；"蒜苔"在宿舍疾书了一份保卫党支部的反击性大字报，让我签名，我犹豫了一下说："让我想想看吧……"他瞪了我一眼，噔噔噔跑出去张贴了。

傍晚时分，广播室用高音喇叭告知全校，团中央已派来了工作组，党支部靠边站了，工作组组长表态，支持革命学生们积极投入运动……"蒜苔"又立即在宿舍写上了大字报，不过这回他皱着眉头，写得很慢，但一写完就跑出去张贴，用新的大字报盖住了中午贴出的那一张，题目是《热烈欢迎工作组！》。劈头一句便是："党支部对我们的蒙骗是不可能长久的……"晚上他久久都没有回宿舍来，他跑到灯火通明的高三教室里，找造反学生们谈心，"向小将们学习"去了。

以后的两三天里，像我这样缺乏运动经验的庸人，简直不知道该怎么办。学校里的大字报越来越多，最后连操场厕所的墙上也贴得不剩空隙。大字报涉及的人和事也越来越广泛。终于，一份长达17张的专门为我写的大字报出现了，总标题呼吁着"揭开"我的"画皮"，小标题也很尖锐，诸如"宣扬封资修黑货"、"教唆学生走白专道路"、"恶毒攻击京剧改革"……我平生头一回看见针对自己的大字报，那滋味难以形容，只觉得我整个完蛋了，活在这个世界上是太难、太冤，也太没意思了。令我惊异的是其中有的"黑话"，似乎除了"蒜苔"别人不可能知道——那是我俩熄灯后躺在被窝里聊天时，随口说出来的……这天晚上我回到宿舍，"蒜苔"阴沉着个脸，不再同我说话，也不再同我的目光接触，我知道，他已经在同我划清界限了。失眠一夜以后，早晨起来，我发现脸盆架上的肥皂盒空了，原来我们一贯是合用一只我的肥皂盒，香皂轮流买，那个月的"绿宝香皂"是他买的，他取走了。这打击，比他将我聊天中的"黑话"提供给"小将"们更大，我禁不住身子一软，坐到床上发呆，几乎流出眼泪——人啊人啊，你为什么几天之间，就能有这般大的变化？……

尔后的变化更加令人目不暇接，更加莫名其妙——一会儿"工作组"宣布造反的学生是"右派"、"游鱼"；一会儿造反的学生又欢呼"中央文革"战胜了"工作组路线"；一会儿工作组组长和老曹一齐被揪斗；一会儿造反派之间又互相开除、攻讦；最后"蒜苔"搬出了我们合住的宿舍，到造反学生其中一派的"勤务组"里安了家，当上了"小将"的秘书，在他每日摇动笔杆的桌子上方，挂上了大幅的江青画像……

跟着出现的事态越来越带血腥味，"红八月"到了，到处在破"四旧"，搞"横扫"。有一天下午，造反的"小将"们拖来个资本家，在操场上一边打一边斗，两个钟头以后把他打死了。快打死时天上已经开始打雷，打死后便下起雨来。"小将"们一哄而散，操场上阒无人影。我坐在宿舍里，心里像堵着块铅。我脑中没有思想，只是充满了生理上的恶感。一意识到我那窗外几十米的地方有具尸体，被越来越紧最后成倾盆之势的大雨淋着，我就想呕吐。

第二天清晨，我勉强洗漱了一下，到教学楼去参加"天天读"，忽然，一个镜头映进我的眼帘，令我顿生异样而复杂的感触。我看见什么了呢？在教学楼侧面，毫无表情的石大爷，挽起裤子，裸露着罗圈腿，正站在潴留的大片积水中，固执地掏着被堵塞的下水道泄水孔。那是一个完整的画面。背景上的几株槐树被雨水冲刷得格外清爽，叶片在晴阳下闪着滋润的光泽，叶尖上时不时滚落下亮晶晶的水珠，在倒映着碧蓝天空的积水中，激起柔美的涟漪；槐树下的几棵蜀葵，不知为什么并未被破"四旧"的勇士们拔去，生长得粗壮、恣意、烂漫，开着一串由大而小的粉得浑厚的花朵……这一角的景色中没有语录，没有大字报，显得纯洁而清幽；在这种背景前活动的石大爷，仿佛并没有经历和目睹过这些天的狂乱，显得单纯而朴拙。我很惊异于他对掏通那被落叶残花堵塞住的泄水孔的韧性，因为当时的我，恐怕还不止我，甚至很大的一部分人，都已经觉得眼前的生活失去了色泽、乐趣、希望……既然连珍贵的文物古迹都可以"格砸勿论"，又何必非掏通这泄水孔，让积水流泻干净呢？一个变成以一切秩序与纪律为敌的学校，还需要什么清扫与整洁呢？

当我拖着脚步登楼时，我不禁为石大爷灵魂的麻木不仁与颠顶混沌而叹息。

这天的"天天读"，一开始气氛就很不平常。主持教研组"天天读"的"蒜苔"，一遍又一遍地高声领读着"在拿枪的敌人被消灭以后，不拿枪的敌人依然存在……"，当大家紧张得连声音都打颤时，他便陡地宣布："今天凌晨，我校发生了一起现行反革命案件——火葬场来收尸时，发现那死有余辜的混蛋王八蛋资本家的狗尸上，竟然盖着一块塑料布！这不仅是对牛鬼蛇神的露骨支持，也是对革命小将的猖狂反抗！我们必须把盖塑料布的现行反革命揪出来！从现在起，大家人人都要提供线索，检举揭发！如果这反革命就在屋中，希望他想一想顽抗到底的后果！……"他一边说着，一边用他那颇为俊俏的面庞上那双相当秀气的眼睛，恶狠狠地挨个儿瞪视我们在座的人。我感到他瞪视到我时，似乎滞留的时间格外地长……

"天天读"完毕得下楼去看大字报，刚出楼门，便看见人们围成一圈，在紧张地看着什么，原来是已经把那"现行反革命"使用过的塑料布，挂到了绳子上，示众兼征求检举。我走拢过去一看，脑子里就仿佛"嗡"的一声，两腿禁不住一抖——我绝对没有看错，而且也只有我一个教师能够认出来：那块塑料布是石大爷平时用来盖床铺的，边上有两个被烟灰烧出的"吕"字形窟窿！

我费了整个灵魂的力量，才掩饰住了自己的心情。当我终于又能回到宿舍中，敞开心灵同自己交谈时，我不禁絮絮不绝地问着：石大爷为什么要这么做？石大爷现在会怎么想？倘若查出是他，他会遭到什么命运？当厄运向他袭来时他将如何对付？我应当怎样理解石大爷这个人？给死尸盖塑料布与若无其事地掏泄水孔，这两件事怎么会统一到石大爷这同一个人身上？……

下午造反组织开始检查每一位教职工的宿舍，由"蒜苔"带着，重点检查原来床上盖有塑料布的人是否仍有那块塑料布。我一直为石大爷揪着心，可又不敢朝他宿舍那边张望。

傍晚，校园里的高音喇叭哇啦哇啦叫嚷着："一定要揪出为反动资本家张目的现行反革命分子……"我隔窗望去，啊，甬路上又晃动着石大爷用大竹扫帚清扫路面的身影，我心里坠着的铅块，这才倏地落了地。我意识到，"蒜苔"他们很可能唯独没有去检查石大爷的小屋，因为在"蒜苔"的心目中，似乎根本不存在石大爷这么个人，他那顶上瓦松长得老高的小屋，也算不上什么宿舍……

我隔窗久久地偷觑石大爷。奇怪，他依旧是仿佛石雕般没有表情的一张面孔。

五

那时候的"现行反革命事件"未免太多,所以势必难以一一破案。"盖尸事件"闹腾了一阵,也就不了了之。这事凉下去以后,我对石大爷的态度,由为他担心渐渐变为了嫌他糊涂。一个资本家,剥削者,死了就死了,你石大爷属"红五类",干吗要冒险办这样的事?这算是什么性质的阶级感情呢?

当我几乎已经断定石大爷是个毫无政治头脑和阶级觉悟的糊涂人时,有件事却又改变了我的看法。

那是在两大派造反组织联合批斗"走资派"老曹的大会上。会前我已知道,"蒜苔"专门找石大爷做了动员工作。1966年上半年,教育局要求学校安排一批55岁的男教职工和50岁的女教职工提前退休,以便在不增加编制的情况下补充新人。石大爷当时已够55岁,但在他的退休问题上,学校领导之间有所争执:一种意见是一定要安排他退休,好使学校能多补充一名新职工;老曹却不同意让他退休,认为石大爷孤身一人,以校为家,即便宣布他退休,他也不会停止几十年如一日的清扫工作,而一旦宣布退休,他每月却要减少40%的收入,他工资本来就低,这样一来生活就更困难了……最后双方达成折中意见:给石大爷办理退休手续,但向教育局申请保留他的原薪。经过老曹一番奔走交涉,这个方案落实了。现在,"蒜苔"他们找到石大爷,说老曹的这一手叫做对工人阶级实行"经济主义的腐蚀",为的是"收买人心,麻痹斗志,以利疯狂地推行修正主义教育路线"。据说,"蒜苔"他们在动员石大爷到批斗老曹的会上发言时,石大爷照例面无表情,一声不吭。"蒜苔"他们一再给石大爷交代政策:"至于你每月拿钱,该拿多少还拿多少,不是说你这么一控诉,下月就按60%发你了。咱们为的不是钱多钱少,为的是批走资派嘛。"这样好说歹说,到最后,石大爷点点头道:"好,我说两句。"

这次的批斗会规模搞得比较大,因为"批判修正主义教育路线人人有责",把附近街道上的居民也叫来了;操场上黑压压地坐满了人,台两侧依次排列着"走资派"的"黑干将",一律挂着黑牌、弯着腰陪斗;老曹被押到了台当中,脖子上挂着个举重杠铃上最重的铁饼……在"蒜苔"他们组织的发言中,石大爷自然并不是"重炮",但他们安排石大爷上台"控诉",也自有他们的深意,就是要让台下的"革命群众"们意识到:连石义海这号角色都站出来控诉了,你们对曹某人应当定性为走资派,还有什么疑问呢?

当"蒜苔"用尖嗓门宣布完"现在由石义海同志控诉"!我在台下人丛中,目睹石大爷似乎是没心没肺地迈着罗圈腿登台时,不知为什么,心里就像有个锉子在锉似的,说不出地难过。

石大爷走到扩音器前,他的面部仍然看不出有什么明显的表情,只听他用家常谈心般的口气说:"共产党从来没亏待过我呀。"这句话一出来,使台上台下的人都有点意外,特别是他说完这句话以后,把头转向了几乎被大铁饼坠得昏倒的老曹,台下的群众就更为之一震了。接着出现了轰动全场的镜头,石大爷不紧不慢地走过去,在众目睽视中取下了坠在老曹脖子上的铁饼,然后转过身去,仍用家常谈心般的口气对"蒜苔"他们说:"共产党哪点亏待你们啦?犯得着上这么重的刑法?"说完弯腰把铁饼往台上轻轻一放,便大摇大摆地走下了台。

台下先是静得连咳嗽的声音也没有,尔后就"嗡嗡嗡"地骚动起来。台上几个主持批斗会的造反派头头气急败坏而又意见不一,一定是有的主张立即把石大爷揪上去陪斗,有的又觉得这样做对自己未必有利……到底"蒜苔"脑瓜灵活,他冲到扩音器前头,紧攥着喇叭筒说:"石义海的这种表现,我们要进行……研究!这说明保皇派对他的腐蚀很深!我们也希望石义海本人悬崖勒马,如果坚持这种反动立场,一切后果由他负责!勿谓言之不预也!"但他说到最后一句时,石大爷已经回到操场一角自己的小屋,并且关上了门。

"蒜苔"正要宣布下一个发言,忽然,台下一角传出一声音量不大但音调很凄厉的呻吟,接着就有人站起来,扶着另一个人往会场外走。原来是一位老太太被眼前发生的事吓晕了,当然,也许还因为受不住烈日那么久地当头暴晒……我在匆匆的一瞥中看出来,那被扶着往外走的老太太不是别人,正是与我有一面之缘的金绮纹,那扶住她的敢是秋芸?因为跟在后面的汉子,分明是煤铺的王师傅……

关于这个批斗会,我不想再说什么了;石大爷很幸运,"蒜苔"他们后来顾不上去报复他,学校里的局势更频繁地戏剧性地变化着,一会儿这派夺权,一会儿那派反夺权,一会儿掌了权的又一分为二;而"工宣队"一进校,几派又都没有了权,但第二批"工宣队"又否定了第一批"工宣队"的"大方向"。不知怎么搞的,"蒜苔"也成了被带上台批斗的角色,罪名是参加了什么"五一六反革命阴谋集团"。望着他痛苦地被撅着"坐飞机"的姿态,又使我生出了不多不少的怜悯情绪……

戏剧性变化的高潮,是有一天"工宣队"开宽严大会。"蒜苔"因为坦白交代好,"既往不咎"从宽了;而根据他的揭发和"专案组"核实,抗拒者要立即从严,我正像猜谜语般琢磨着该从严的究竟是谁时,忽听得一声大吼,却是把我揪上台去的命令。原来,哈哈,我竟是"隐藏得很深的五一六骨干分子"!

在这种情况下,我哪还有心思研究石大爷其人,除非我也效尤"蒜苔",去揭发石大爷竟是"五·一六"的核心人物!

六

据说是"庙小神灵大,池浅王八多","清队"阶段,我们这所小小的中学,被"群众专政"的教职工竟有 21 人,占全数的 19.3% 强;除了写检查、挨批斗,便是进行劳动改造。最重的活就是刨树根。学校附近的竹叶胡同里,不知为什么锯掉了 5 棵洋槐,于是我同另外 9 个"牛鬼蛇神",便被指派去刨那深纠在地里的树根,而同我编到一组、被勒令刨出胡同尽头一个最硕大的树根的,是前面提到过的传达室的葛大爷。

头天去刨时,我和葛大爷只是埋头干活,没怎么交谈。我们不交谈,并非有人监视我们,而是彼此都不大摸对方的"底"。葛大爷之所以被揪出来,罪名是"反动会道门骨干",正如他不知我是否真的参与了神秘离奇的"五·一六"组织一样,我也不知他这位当年的"火居道士"是否真的恶贯满盈。但我们毕竟都是人,是一种社会动物,因此哪怕只有两个人在一起,也不可能永久地视而不见,以孤独和沉默为满足。第二天继续去刨树根,在打歇的时间里,我们终于忍不住谈起话来。

我坦率地对葛大爷说:"说我是'五·一六'分子,天大的笑话!他们亮出来的最大的'罪证',就是我曾经给肖华写过一封信。现在说肖华是'五·一六'的后台,所以我就成了'五·一六'骨干。其实我那封信从头到尾都是同他探讨《长征组歌》的用韵和节奏问题。"

葛大爷只穿着背心，瘦骨伶仃地蹲在我面前，布满老斑、皱巴巴的皮肤被汗水浸泡着，细长胳膊上的动脉，像发蓝的死蚯蚓鼓起老高。他见我没同他见外，便也诚挚地说："我打小在道观里当道士，后来道观房产荡尽了，天师也蹬腿去了，我就带着四个师弟，逢上白事跑去给阔主儿打醮、送殡，骗点钱吃饭。要说宣扬迷信、奉承阔主儿这号事，我是干过的，有罪该罚；可说我仇恨新社会，罪该万死，就想不通了。"

我俩对望着，我俩都觉得无须再"内查外调"，各自从对方的眼睛里看出了真诚。这交接的目光，缔造了相互的同情与信任。于是，当我俩挥镐再刨树根时，就有了更多的相互照顾与配合。

那是个多么炎热的夏季啊！我们的热汗如同水过纱布般地从皮肤里不停地沁出来，衬衣上的汗碱渍了一层又添一层。但是学校并不给我们供水，渴了，只好到附近院里找个自来水龙头灌一气凉水。这对我来说简直如饮甘霖，可是像葛大爷及别的几位患有胃病的"牛鬼蛇神"，他们的日子可就难过了！特别是葛大爷，他的胃溃疡极为严重，不喝水，胃里像揣着热炭；灌自来水吧，胃里又像掉进了冰碴。看着他紧嗫腮帮、抿着干裂的嘴唇，尖突的喉结痛苦地一上一下搐动着、忍耐住干渴的模样，我的心就像被热沙子烫了般难过……

第二天下午，正是热浪最狂的时候，忽然，我看见石大爷推着个手推车，车里露出一只铁镐的镐头，脸上表情沉重地越来越近。我招呼葛大爷说："看，他也给揪出来了！"葛大爷痛苦地点着头说："我就知道他也躲不过。他平时轻易不说话，可冷不丁一说，兴许就能当上个'现行'……"

石大爷的手推车在我们的树坑前停住了。这时我才看出来，那车里还搁着一只水桶，上头盖着块湿布；他掀开湿布，一股绿豆汤的热气扑进了我们的鼻腔。我和葛大爷正发愣呢，他已经用搪瓷缸舀出了一缸子绿豆汤，先递给葛大爷，仍像素常一样平淡地说："喝吧，不够再来。"

我看见，当葛大爷仰脖喝着、顺嘴角淌着温热的绿豆汤时，他的眼睛潮湿了……

很快我们就弄明白，石大爷并没有被"揪出来"，也并没有人命令他给我们送水，是他用自己的绿豆，在自己的火上为我们熬的汤。我惊讶地注意到，对一个确实犯有"恶攻"罪行、连我同葛大爷都不能谅解的"现行反革命分子",石大爷也一视同仁地递送着绿豆汤。一缸子不够,那人似乎不敢再讨第二缸,畏缩着,舔着嘴唇,石大爷便毫不犹豫又舀出一缸子,递给了他……

更令人惊讶的是,供应完了绿豆汤,石大爷又操起镐来,轮流帮我们刨树根。当他来到我们这里,挥手让葛大爷到墙根歇歇,同我一起向那顽固的树根下镐时,我不禁问他:"石大爷,您这么样……不会惹出事来吗?"

他停下抡镐,望定我说:"没事儿。你们老的老,病的病,要么就是读书人。帮你们一把也应该。"

我心里很感激,可又总觉得这事还得"一分为二",我朝那边的"现行反革命分子"努努嘴说:"他可真的恶毒攻击了伟大领袖,您可别去帮他……"

谁知石大爷干脆地说:"他有罪,该让他受罚,可也得善待他。越把他当人,兴许他改得越快。"

我心里一震。

第三天上午天阴,石大爷没来送水。歇工时,我同葛大爷不由得议论上了他。我说石大爷这人真怪,葛大爷赞同地点着头。他四面望望,压低嗓门,深陷的腮肉一抖一抖,用嘶哑的声音说:"老石这人是有点费琢磨,有档子事我一直闷在心里头,不敢往外掏。好在你也信得过他是好人,不会去揭发买好,我就跟你说说。你知道大破'四旧'那阵,红卫兵还把我当'工人阶级'看待,所以他们在这左近抄了家,就把东西扔进传达室隔壁的空房里,让我晚上帮他们看管。当然他们给屋门上了老大的铁锁,钥匙他们攥着。记得是个下着雨的半夜里,我听见有人用手轻轻敲传达室的门。开门一看,是老石!我问他:'咋啦?你深更半夜的这是干什么呀?'他说:'老葛,白天他们是抄竹叶胡同了吗?'我说:'可不。这回抄来的东西,比哪回都多,屋子都快堆满啦。'我一边这么说,一边瞅着他,心里直纳闷。老石无亲无故,竹叶胡同跟他有什么瓜葛呢?他问这个干什么呀?从他脸上也看不出他心里在想什么。他闭着嘴木了那么几分钟,忽然,单刀直入地提出来:'你把这中间的门弄开,让我进去看看。'我一听吓傻了。传达室跟隔壁的仓库之间,确实有一扇门,可多年那门都用木条钉着,封上了。我哆哆嗦嗦地对他说:'你自己活腻了,还想连累别人呀!'他见我这样,也就不再说服我,自已走上前去，拿出早已准备好的钳子，几下把钉门的木条拆掉，推开门就进了仓库。我赶紧跟了进去，心里就像有几百条蚰蜒在爬，不知怎么办好。老石进去以后先看家具，我留神地盯着他，见他瞅到一样家具时，眼睛'刷'地亮了，他上前用大手摸着，自言自语地说：'果真也给抄了！'那家具是一件硬木雕的茶几，其实我看着也挺平常，因为抄来的好家具海了去啦。后来，他就仔细地到古玩堆去掏腾，看一件撇一件，撇一件再看一件……最后他满头是黄豆大的汗珠，眼里那个神情儿好怪，倒好像有几分高兴似的。他什么也没拿，就出了仓库，又把那门按原样用木条钉好。只听他跟我道了声谢，眨眼就没影儿了。我被他闹得再没敢睡，第二天见了人心里就打小鼓。可是后来红卫兵没发觉这事，我只能说老石这人命大，该着不挨揪……"

听完葛大爷的讲述，我顿觉石大爷身上的神秘气息更浓。这是怎样的一个人呢？大概靠领袖的语录、靠查档案、靠"阶级分析"、靠内查外调、靠"坦白从宽，抗拒从严"的政策、靠逼供信……你都不能了解到他的内心。原来我曾以为石大爷是一个最简单最落后最不屑人们一顾的、最无味乃至最无价值的角色，然而在这混乱疯狂、离奇反常的世态中，他却独能保持自我，不为汹涌恣肆的狂潮左右……

历时三天近三十小时的艰辛劳动，我们终于把那章鱼般的树根刨出来了。当我们推着手推车，把刨出的树根运回学校时，由于劳累过度，我推的那辆车在胡同中间歪倒了，车里的泥土与根屑撒了一地。葛大爷忙帮我把车搬正，弯下腰去，用手把泥土和根屑往车里捧。我对他说："这是何苦，反正这胡同有人扫。"葛大爷继续清理着泥土与根屑，鬓边闪着汗光，叹着气说："这胡同罚扫街的是当年的格格，如今五十好几了，一身都是病，咱们还是替她省把子力气吧！"

我脑中浮现出金绮纹的形象来，不过并未产生同情的共鸣，仍旧说："咳，她每天扫这么长一条胡同，不也扫下来了吗？"葛大爷站起来，筋络暴突的手扶到车帮上，喘着气，悄悄地对我说："我听到个说法，每天后半夜，有人帮着她扫，只留下这三十来步的一段，天蒙蒙亮的时候她来划拉划拉，要不，她早吐血玩完了！"

我吃了一惊。恰好这时，迎面来了个平板三轮车，是满脸煤末的王师傅在运蜂窝煤。我想到秋芸和王师傅对金绮纹的愚忠，心里顿时明白了几分，便没再说什么，推起手推车朝学校而去。

七

又是一个炎热的溽暑。这一天校园显得出奇的整洁美丽。乍看外表，似乎校园这只轮船，已载着它上面的生存者，由惊涛骇浪中驶入了静谧的港湾。

朝阳把校门口的语录牌坊照得红处格外鲜艳，金字格外耀眼。牌坊下是两溜摆成半圆形的盆花，天冬草拖下长长的绿枝，一串红挺着小铃般的花蕾；牌坊两侧甚至摆上了两株栽在桶里的棕榈树。不必惊讶，只要朝通往教学楼的甬路前行，看看路侧竖立的彩绘黑板，便会明白这是为什么了。那黑板上用水粉颜料画着一束盛开的玫瑰，横过玫瑰的是中、英两种文字的口号："热烈欢迎 × 国外宾访问我校！"

这已是 1973 年。"工宣队"的队长已几易其人，不过始终兼着校党支部书记的职务；老曹终于被"解放"出来，当着党支部副书记。随着 1972 年中美关系的解冻，外国人又开始来我们国家访问，并且从六年前随时可能被红卫兵揪住辱骂的处境，变为了具有每到一处，便能使该处事前改颜换貌的法力。

早上七点半左右，有三个人在布置得颇为堂皇富丽的"接待室"里争论了起来。这三个人是谁呢？

一位是老曹。他穿着家常服装，敞开的衣领里露出黝黑而结实的脖颈，浓眉微微朝下撇着，显见心情不怎么舒畅。他是不赞成为迎接这么一位外宾来访而大造其假的——特意从区里运来了沙发、茶几、地毯、抽纱窗帘一类的"道具"，布置出这间"接待室"；还特意从附近公园借来了棕榈、天冬草、一串红这些"政治用花"；接待外宾听课的课堂特意喷过浆，补齐了打破的玻璃，把木头黑板换成了玻璃黑板，又集中了全校最好的桌椅；甚至连学生也是从各年级里经过"政审"、"貌审"、"口试"三环挑选出来的，女学生还规定她们一定要穿花裙子。这很使那些被选中参加"外事活动"的学生家长们为难，因为家中原有的花裙子早已由于"破四旧"改作他用了，还得买布现做……总之，老曹想到这一切便有种反胃的感觉。可是当时学校真正当家的是"工宣队"的樊队长，他将在八点左右穿着"接待服"到校，在由我们布置安排妥帖的"布景"中出面接待尊贵的外宾。他是一切实际事务工作概不沾手的，但倘若接待中出了纰漏，责任却需要我们——首先是老曹——来负。

站在老曹对面的是"蒜苔"，他穿着簇新的"接待服"：深灰的"三合一"混纺上衣、裤线挺括的黑色弹力"的确良"长裤、光可鉴人的"三截头"黑皮鞋。自从他被"工宣队""从宽"以后，经过他一而再、再而三地深入"工宣队"队部接受"再教育"，早已达到了能同樊队长他们围桌通宵打扑克的融洽境界。他被樊队长指定为"接待小组"的成员，上面讲到的种种安排布置，都是他奔走努力的结果。现在他心情愉快而意犹未足，为"防止到时候出现漏洞"，他忽然想到，应当告诉石大爷，外宾来时不要露面，"当然在老石面前，咱们只说是省得外宾找他问话他不好答。我的考虑是老石的形象不大好，他那个罗圈腿……"

老曹脸色铁青，脖子上的筋直蹦，打断"蒜苔"的话说："罗圈腿怎么啦？老石是堂堂正正的中国人，中国人在中国的土地上倒要躲着外国人，这算个什么道理？"

我站在一旁也气得直哆嗦。我在"九一三"事件后不久也被"解放"了，这时已经恢复了教学工作，并且因为我毕竟是全校最好的外语教员，所以安排了外宾听我给学生们上外语课。我也尽可能穿出了自己最好的衣服，但我同老曹一样，对如此弄虚作假十分反感；更没想到"蒜苔"竟说出了要去通知石大爷"回避"的话，这真是太过分了！我接着老曹的话说："石大爷的罗圈腿，是帝国主义的压迫造成的，并不是中国人的耻辱；而且，我以为石大爷在这几年的反复里，始终没有给别人使过坏，他的灵魂和形象，比有些人美得多！"

"蒜苔"见老曹和我动了肝火，忽然莞尔一笑，满脸天真地自责说："算了吧，算了吧，怪我多事……其实外宾来的时候，老石也扫完地回屋了，压根儿就遇不上……""蒜苔"就有这个本事，在你对他意见最大的时候，能以最天真无邪的表情，来赢得你的谅解。记得老曹"官复原职"以后，他既不是痛哭流涕，也不是满脸羞愧，而是走到老曹面前，肩膀一耸，以天真到烂漫程度的表情、语气说："我过

去斗你斗错啦，上当受骗嘛！这么大个运动，我这算个什么问题呢？"老曹能说
什么呢？自然是："算不了什么问题……"

且说我压抑住内心的烦怨，勉为其难地随着樊队长和"蒜苔"等人，完成了
那次的"接待任务"。其实来的外宾不过是个二十多岁的小伙子。他是随着一个
什么访问团集体来华的，他个人提出希望访问一所大学和一所中学，以了解中国
"教育革命"的成果，回去好撰文介绍——他来华前已答应了向某家杂志提供这
类文章。出乎打扮得油光水滑的樊队长和"蒜苔"意外，这位外宾推个平头，穿
一身中式蓝布裤褂，着一双橡筋口布懒鞋，而且自称得过小儿麻痹症，双腿看上
去不大顺眼——我认为他也是罗圈腿，只不过他是呈 X 形的内罗圈。他被我们哄
得不住地点头称赞。唉，他哪知道许多美丽的事物都是临时摆布出来的……临走
的时候，他感动得热泪涔涔，紧紧地握住樊队长的手说："文化大革命好！教育革
命好！我回去一定要写文章，驳斥那种诬蔑中国毁坏了教育的谰言！"翻译译着
这些话时，似乎也颇激动，樊队长脸上放着光，看得出他内心充满了真诚的感谢
与由衷的喜悦；"蒜苔"笑得双眼眯成了两道缝。我望着那位外国小伙子，心里嘀
咕着：我多么希望，您看见的这些都是真实的啊……

"外事活动"刚一结束，"蒜苔"就忙于去布置人搬走棕榈、盆花……搞"复
原"，以免师生们中花草之毒；我憋着一肚子闷气，想来想去无处发泄，便爽性跑
到石大爷宿舍去。推门一看，老曹正同他面对面坐着抽烟，他俩脚下扔满了自卷
的叶子烟烟头。我生平第一次伸出手去说："给我卷上一支……"

这以后，每当烦闷袭上我心头时，我就跑到石大爷宿舍里去。开头，石大爷
话很少，主要是我向他倾诉。可以在一个人面前不设防地尽情倾诉，这在生活中
该是多么惬意的一件事。我向他说到了葛大爷之死。葛大爷没等到"九一三"事
件出来，就在"群专"中死去了。他撇下了一个在百货公司门口看管自行车的老伴，
还有一个在农村插队的闺女，那寡妇孤女今后将生活得更加艰难……

我对石大爷说："也许葛大爷以前确实干过不好的事，可从我跟他的接触中，
我觉着他是个好人。"石大爷平静地说："是呀，谁也不是圣人。不存心害人的人
就是好人。"

渐渐地，我开始向他提出一些问题："您信上帝吗？"我知道他从小受外国神

甫支配，肯定入过教。谁知他坦率地说："说不上信不信，因为我没见过。我只信我亲眼见过的东西。"我抬杠说："人眼睛看东西的能力有限。比如磁场、电流、隔着墙的东西……肉眼都看不见。有时候由于心理作用，人眼睛会产生错觉、幻觉，比如您以前给我讲过的那个女鬼，想必就是您的幻觉。"他想了想说："看错的时候兴许是有的。可人不能没看见就说瞎话啊，那叫昧良心。"

他这话乍听平平常常，可搁到心里一咂味儿，就觉得饱含着哲理。联想起那年夏天在刨树根时他讲过的话，我感觉石大爷一定是有自己的人生哲学。于是，我终于忍不住问道："破'四旧'那阵，学生们打死的资本家，是您给盖的塑料布。我认出那块塑料布了，当然至今我没跟任何人露过。我不懂，您是受苦出身，为什么要同情一个资本家呢？"他望了望我，扔掉手上的烟头，老老实实地回答说："他们打死的那个主儿姓孙，他们家解放前就在街面上开杂货铺，这主儿人缘最次，是个'抠门儿大仙'，家里人剪手指甲，他都让拿纸接着，完了攒在一块儿，拿去卖给药铺，就那么爱财！可他没有死罪啊，既然遇上这一劫，给活活打死了，也不该让他尸身任雨淋着啊。他也是人。人对人不能狠得过了限。解放那阵，我为什么佩服共产党？就是觉得共产党不糟践人。地痞恶霸他们逮去了，为民除害，一个枪子儿毙了算，不像猫拿耗子似的，先玩上一阵，搓搓烂了再吃。我也不知道这几年是怎么啦，时兴人整治人、人糟践人。咱们学校一开批斗会，拉出人来给挂牌子、戴高帽子、撅着揪着，剃什么'阴阳头'，逼着唱什么'嚎歌'……我就觉着不是味儿。跟你说实在话吧，就算那人真是坏蛋，你这么一弄，我的心也软了，我还是可怜那让别人不当人待的人。你们常说阶级斗争，阶级斗争是人跟人斗，不是人跟狗斗，是不？那就该有个分寸，不要弄得这么不像人样儿……"

从石大爷那散发着陈旧被褥和劣质烟叶味儿的小屋里出来，我久久地沿操场上的跑道漫步着，不愿马上回到自己的宿舍。我仰望着银河微颤的夜空，不知为什么，多次激动得不能自已。像上面那些听来朴拙而内涵深刻的话语，在那苦闷而紊乱的艰难岁月里，对我起着实实在在的振聋发聩的启蒙作用。

渐渐地，我每晚不去石大爷那间小屋就会难熬难过，而我感觉到，石大爷也对我有了相应的感情。有一天晚上，天气热得连树上的叶子也喘气，知了在夕阳落山后还久久地聒噪着，空气中仿佛流荡着炉膛的气息。我去石大爷屋中，意外地发现煤铺的王师傅同他面对面地坐在一起，仿佛已谈了许久。

因为天气灼热，石大爷和王师傅都打赤膊。我惊讶地发现，石大爷的身躯竟是那般地苗壮。他已经年过六十了，比王师傅怎么说也要大两三岁，王师傅固然体魄魁伟，但浑厚的肌肉已多少有点松弛，而石大爷那厚实的大胸肌还绷得紧紧的。不幸的童年虽然使他的腿骨失去了美感，但长年的劳动却铸就了他健美的胸脯。石大爷和王师傅盘腿坐在床铺上，他们中间的炕桌上摆着一只已经喝干的酒瓶，一盘下酒菜也吃得精光，屋中弥漫着一股子酒味。王师傅那宽大的脸盘上布满酒后的红晕，颊上深陷的皱纹里煤灰似乎已经长进了肉里，这使他显得有点像古典小说中的猛汉。石大爷颧骨处微微泛红；他眼睛闪闪放光，却是平时很少见的。王师傅见我来了便披衣下床，告别而去，石大爷并无一句挽留的言辞。我坐到了王师傅坐过的一边，可我一贯不会盘腿，就坐在床沿上。

石大爷望着我，提议说："你今晚就别回你屋去了。我有事想跟你商议，咱爷儿俩兴许得说个通宵。"

我受宠若惊。以往总是我找话同石大爷说，他主要是担任听和答的角色。今天是怎么啦？

于是，我经历了终生难忘的一夜。

八

请想象一座废园的景象。

亭榭的油漆已然黯淡以至剥落，小小的池塘干涸得犹如长了白翳的盲眼，小桥上的石栏倒坍了一半，井台上锈满了绿苔；园中的树有的败死了却无人砍除，狰狞的枝桠刺向青天，而另一些疯长的乔木竟同树下无人修剪的灌木纠结在一起，堵塞了昔日的甬路；芦苇和杂草一直长到石阶上，石缝中长出的小树使作为桥面和石阶的石板翘了起来，各类小爬虫在阴暗的角落出出进进，鸟儿在树上和苇丛中筑下了巢，灰白的鸟屎溅在了廊柱上、栏杆上和石阶上；一阵风吹过，萧飒之声四起，伴着数声鸦噪……

是初秋的一个傍午，废园的井台边出现了一个古怪的画面：一个十七八岁的小厮，两手被绳子拴成了"苏秦背剑"的模样，两脚却不停地踩着脚下的黄泥。这小厮便是当年的石大爷。废园当时还算贝勒的产业，但外国神甫正同贝勒的管家谈判买园子的事。事实上，从神甫把持的教会学校通向这废园的葫芦门早已开放，赫爱尔神甫不待收购事宜谈妥，已视废园为己有。他听说园中的黄黏土最适宜制作泥人，已特地从天津请来泥塑匠人，准备定制一批泥人，好在初冬返回欧洲述职时，带去分赠亲友。为了使掘出的黄黏土增加黏性，他命令石义海用脚去踩上整整一天。鉴于石义海平时不够驯服，将石义海带进园中井台旁黄土堆边时，他把石义海一只胳膊扭到腰后，另一只胳膊扭到脑后，然后用一根皮鞋带牢牢拴住了他的两个大拇指，这就成了"苏秦背剑"的姿势。

再没有一种处罚像"苏秦背剑"这样令石义海痛苦了。主要不是肉体的痛苦，鞭笞和靴踢远比这样更加疼痛；这是一种屈辱，它使你感到自己仿佛不是人，甚至不是牲口，而是任人蹂躏的玩物，就像老猫爪下的小耗子。初秋的阳光依旧不减其炎威，石义海站了一小会儿就汗流浃背了，井台离他只有咫尺之远，他却不能用双手打水来喝。他真想冲出这废园去同赫爱尔拼命，但他知道那样干不会有什么好结果；另一位在他看来相当仁义的神甫德太白到外地去了，没有人会给予他庇护。他胸中也涌动着逃走的念头，但纵使他跑得出这个地方，那"背剑"的姿势也立即会让人们知道他是一个逃犯。欲反抗而不能，他的双脚出于一种惯性机械地踩着浇过水的黄泥，不久就陷于麻木状态了……

也不知过了多久，一阵阵妇女的呜咽声渐渐揪住了他的心。这是一个什么女子？是天上的圣母下了凡，还是人间的媳妇遭了难？他用眼睛四处搜寻着，最后确认了那呜咽声的方位，是从荆榛长到窗台上的西房中传来的。那破落的卷棚顶房屋的门上，一方"怡文轩"的匾额沾满了燕泥和蝙蝠粪，石义海虽不认得匾上的文字，却知道那原是贝勒府的一所书房。

在书房中呜咽的是金绮纹。她那时正在妙龄，虽是素旧衣衫、满面泪痕，容貌也堪与府中仕女画上的人物媲美。

现在的年轻人大概以为，1911 年辛亥革命一起，清朝贵族便灰飞烟灭。其实宣统皇帝拖到 1912 年 2 月才下了"退位诏"，而退位后的溥仪依旧住在紫禁城中，

照样按皇帝的排场生活；到 1917 年还有过一次张勋复辟，复辟前后的北京街头，
朝服顶戴摇摆而过的遗老遗少大有人在。溥仪直到 1926 年即民国十五年，才被
迫迁出紫禁城。跑到天津"张园"当寓公以后，他还以皇上自居，继续封赐效忠
者爵位、谥号。明乎此，对贝勒府"百足之虫，死而不僵"的局面，就不会大惊
小怪了。金绮纹落生在这样一个家庭之中，她的母亲是贝勒的第二个妾，生下她
不久便得产褥热死去了。金绮纹从小便被灌输着复辟意识，贝勒和福晋（贝勒的
嫡配妻子）一再提醒着她的格格身份。她的塾师除教她读《列女传》，也一再对
她讲述着清朝的发祥和盛衰史，以培养她天潢贵胄的自尊和复仇心理。但是贝勒
府的高墙拦不住时代潮流的冲击。金绮纹的大舅偏是个革命党，后来在北洋政府
中任职；三个哥哥里也有两个后来冲向了社会，变成了同老贝勒完全不一样的人
物。他们穿上了西装、学会了洋文，最后干脆改名易姓，浮沉于万花筒般变化不
定的世事之中。金绮纹一天天长大起来，越来越多地了解到墙外的世界。现在她
提出了到洋学堂读书的要求，被贝勒当成忤逆，在那个视她为遗产争夺者、必须
摈弃之而后快的哥哥挑动下，贝勒激怒中把她打入了"冷宫"——锁进了废园中
的书房，声言她若不放弃上学读书的想法，就不把她放出来。

　　金绮纹在悲痛地哭泣，泪水滴湿了她那滚着黑镶边的藕荷色旗袍的袖口。
她额上的刘海乱了，头上的两个团髻也已蓬松。有一阵她哭得也处于麻木状态了。

　　也许是在石义海听出了她的呜咽声同时，金绮纹也听到了石义海足踩黄泥的
吧唧声。她抬起头来，一双泪眼透过卍字连环窗棂上那破败的窗纸，朝窗外园子
里望去。透过秋阳映照下飘曳的芦穗和野生的蔷薇丛，她看出三四十步远的井台
旁，有那么个小伙子，正以奇怪的姿势站着，两条不够直的腿在一上一下地踩着
黄泥……以她的聪慧，她很快就猜出了那是隔壁学校神甫的小厮，现在踩着的是
用来塑泥像的黄泥（她听管家说起过有关的事）；她也看出来石义海正受着刑罚
的煎熬，她想起了"同是天涯沦落人，相逢何必曾相识"的诗句，刹那间对那小
厮充满怜惜，忍不住捂住脸，呜咽得更加凄楚了……

　　这时候出现了浓眉大眼的秋芸。她是这个贝勒府最后一茬的家生丫头。这个
走向败落的贝勒府，充分地榨取着她的使用价值，她被命令主要伺候两个女主人，
兼顾格格；但她在心里却作了相反的安排：敷衍两个女主人，尽心尽意地陪伴、

照顾格格。她为格格偷来了《红楼梦》的石印本,格格读完又悄悄向她讲述着《红楼梦》里的故事。她们两个以紫鹃、黛玉相比。每当夜阑人静,一灯如豆,冷雨敲窗,耗子在纸顶棚上跑来跑去,她俩就紧偎在一起叹息、流泪,相互怜惜、安慰。现在秋芸偷了书房的钥匙,她放出了格格,给格格出着主意,建议她逃出去投奔舅舅。

金绮纹在秋芸扶持下,走出了那尘埃厚积的书房,正要拐出废园、回到闺房时,她忽然要秋芸停住脚步。她指着井台的方向,对秋芸说:"不能那么糟践人。你去把那拴他的绳儿解开吧!"秋芸弄明白了是怎么回事后,走过去照办了。

那是一个静悄悄的秋日的中午。对于我们的宇宙和地球来说,那是极其渺小的一瞬;从现代史的角度来看,那一天的那一个时辰没有任何值得记载、分析、研究的事件;然而对于石义海,那却是神奇到极点的一幕,他终生不忘,梦里常温。他永远记得秋芸是怎样一下子走到他的身边,果断地为他解下缚住他的那根鞋带。他在惊讶中慌忙道谢,而秋芸一指前方说:"你谢她!"他透过一株垂柳微曳的绿丝望去,只见金绮纹站在一丛紫蔷薇前,两眼湿漉漉地望定他,满脸怜悯……两只蝴蝶围着她藕荷色的腰肢翩飞,几扇银杏叶儿袅袅落到她的肩头……他定在那里,不知该如何表示自己的感激与景仰。

然而正恍惚中,秋芸已挽着金绮纹消失了。那一天下午赫爱尔神甫喝得酩酊大醉,第二天中午才醒来,而德太白神甫已经归来,对石义海的自我解脱,赫爱尔也就不再追究;但石义海回到自己小小的下处时,心里如煎似焚,他担心格格后来遭到了更不幸的命运,因为他懂得,格格的行为是一种非同小可的叛逆……

现在需要再想象的,是后来贝勒府侧门前的景象。府门上的铜钉能够抵御住刀剑的进攻,却阻挡不住历史脚步的踢踏。贝勒和他的两个妻妾都已经在绝望中死去。金绮纹的哥哥把包括废园在内的全部剩余房产,都卖给了教会学校,赫爱尔神甫还买下了他们正房中的全堂硬木家具。于是这一天贝勒府侧门前一片混乱。三辆马车是为金绮纹那恶兄拉家什的,一辆马车是已经出嫁的金绮纹来拉分配到的遗产的,另一辆排子车是赫爱尔神甫派石义海来拉硬木家具的……金绮纹那除了精于躺在家里吸鸦片、逛前门八大胡同而别无一技之长的丈夫,拽住大舅子马车的车门不撒手,因为他嫌细软分配得不均匀,一群路人挂下下巴,愣愣地在那里围观；大舅子躲到别处去了，大舅奶奶从马车里探出头来，大声撒泼詈骂着；闹了一阵，大舅子那三辆马车终于跑掉了，金绮纹的丈夫也便不再照顾自家雇来的马车，径自奔酒楼而去；金绮纹在马车中暗泣着，以不无依恋的泪眼望着露出在高墙上的树冠，与度过童年和少女时代的府第默默地告别；马车的车轮开始滚动了，秋芸这才跨上踏板，她手里抱着一个硬木茶几，那本是应当算在赫神甫购下的家具总数之中的，是拉排子车的石义海偷偷从车上撤下来，递给她的；石义海对秋芸说："格格命苦，给格格留下吧。"秋芸答谢不迭："这是格格在娘家时候，一直搁在床前的东西。可怜她一辈子没个人疼，有了这件东西，她能知道世上还有好人，今后也活得顺气点……"马车车轮在硬邦邦的黄土地上滚过，留下两道浅浅的轨迹；石义海望着远去的马车，也不知道为什么心里头空空的，仿佛被人掏走了什么要紧的东西……

于是，我们接着想象庙会中的场面。

这里在拉洋片，洋片上画着些穿燕尾服的洋男和穿撑着鲸鱼骨大裙子的夷女，他们在逛被画得花红柳绿走了样的西湖景，拉洋片的人扯着嘶哑的喉咙唱着嚷着；那里支着卖面茶的架子车，硕大的铜壶和车帮上的铜钉都闪闪发光；而旁边打了花补丁的布篷下，卖三鲜肉火烧的胖老头，正用锅铲在平底锅的锅沿上敲出一串子节奏急促的花点儿；走过耍猴儿、卖膏药的圈子，穿过卖小百货和估衣的摊子，看一看花儿匠挑来的旱金莲和四季海棠，赏一赏卖鸟的带来的一笼子虎皮鹦鹉和卖金鱼的那一缸子墨龙睛；然后我们接近了庙中的正殿，在斗拱的阴影下，看见了一串子地摊，这里出卖各种古玩瓷器和字画墨砚。

多少年过去了？往事不堪回首。在一个地摊旁我们看到了秋芸。她已经发胖，从穿着上已看不出丝毫昔日"紫鹃"的痕迹。她坐在小马扎上，一边纳着鞋底，一边照顾着摊上的几件瓷器和玉镯。这时我们看见了石义海，他已经三十五六岁了，肥大的掁腰裤子遮住了他那罗圈腿的弧形，因而那精壮的身板显得颇为健美。他是上街为两位神甫买东西的，他走向了秋芸所摆的摊子。秋芸抬起眼，不无警惕地望着他。

"你买哪一件？"

"我买那个细瓷盖碗。"

"少了不卖。你先说个价吧！"

石义海从手里搁下一把汗湿的钱："就这么多。算我买下了存在你们那儿吧。"秋芸默默不语，收起了钱。

"格格她好点了吗？"

"好点了。咳嗽少点了。"

"先生有信儿吗？"

"没有。也甭指望他了。"说着秋芸又添上一句，"他颠了也好，省得祸害。"

秋芸和石义海这么说话时，离他们十来步的地方冷不丁站出一个壮汉来，光着膀子，双手叉腰，腰上缠着好粗好鼓的红布裤带；他紧闭着嘴，眯着眼打量石义海，随时准备几步跨上去。这人当时靠耍钢叉卖蛇药为业，后来到煤铺摇上了煤球，并且同秋芸结了婚。

星移斗转，人世沧桑。再想象，我们就看见了春意盎然的天坛公园。

不必在祈年殿和回音壁流连，隐秘的感情不会到那里去交流。于是我们看到了柏树林深处的一隅。这里有一方石桌，桌旁四只石凳坏掉了一只，因此这里坐着三个、站着一个。对面而坐的是金绮纹和石义海。那已是 1958 年。他们用了整整 30 年，才终于坐到了一张桌子的两边。他们的欢乐是渺小的，哀痛是卑微的，然而，他们的生死歌哭，也应当在人类的文明史中占据应有的位置。

金绮纹坐到这里来是不容易的。直到几个月以前，虽然她切齿痛恨那卷逃的丈夫，却始终认为自己应当承担一种义务，即作为他的妻子而生存下去。秋芸的成家给予她一个很大的刺激。那王师傅曾为她所不齿，那毕竟是个卖蛇药出身的"煤黑子"，她实心实意地劝过秋芸"三思而行"，"紫鹃"再没落也不该下嫁"醉金刚"。可是，事实证明王师傅并不是"醉金刚"，在同一个院里居住，金绮纹渐渐羡慕起秋芸来，原来傻大粗黑的王师傅竟是那么善良、温驯、憨厚、纯朴，在生活中的艰难时刻，他宽厚的肩膀和铁铲似的双手，真是担得起、握得住。秋芸的儿子诞生了，金绮纹视同己出，抱着、吻着、逗着，泪水时时涌上她的眼眶，她总是扭过头偷偷用手帕揩掉。她也需要这样的人生乐趣！

是秋芸主动向她提出建议的：大着胆子迈出一步去，找个主儿成个家！金绮纹动了心，秋芸替她跑法院，很容易地就办了同原来丈夫的离婚手续。秋芸向她提出了石义海，金绮纹低头一想，自己现在还挑剔什么？王师傅的身上就有那石义海的影子，心好是头一条。秋芸让王师傅去找石义海通了话，石义海自然是一说就愿意。于是约定了到这里来相会。金绮纹的这个行动尽管安排得非常之隐蔽，终究还是在胡同中引起了不大不小的波澜。秋芸和王师傅在她出发前一小时先行一步，免得邻里们怀疑，但是当她略事装扮，提着骨环布袋走出院门，往胡同外的车站而去时，在她背后努嘴儿、戳脊梁、挤眼冷笑的已不乏其人，更有故意迎上去高声询问的："格格这是到哪儿串门子去呀？""格格今儿个拾掇得够利索的，是什么好日子呀？"走到胡同口，她几乎要拐进副食店，心想还是买包味精折回去算了，后来眼前浮现出相依为命的秋芸那严厉的眼光，这才抖着一颗心，走拢了开往天坛的公共汽车站……

石义海的出行却完全是另一种境遇。他难得花五毛钱上理发馆理了发、刮了脸，又穿上了做好后几乎从未穿过的新制服，头天晚上还特意去买了一双新布鞋。他连续三天晚上都到澡堂去洗了澡，并且减少了吸烟的数量。他希望学校里的人们能注意到他的喜悦，并且向他询问、打趣乃至起哄。然而谁也没有注意他的显著变化。当天早上他走出校门去赴约时，迎面正碰上骑车上班的"蒜苔"，他老远就微笑着想招呼声"帅老师！"谁知"蒜苔"眼光虽然扫到他的身上，却仿佛视而不见，竟一阵风地蹬车而过。

现在两位对象隔桌而坐。男的已经四十七岁，女的也四十四五，他们却像一对初恋的少男少女一般，竟至于手足无措，不知该怎么开口说话。打横而坐的秋芸来回扫视了他们几遍，以权威的口吻嘱咐说："你们好好聊聊，我跟老王逛逛就来。我们不回来，你们可别散！"王师傅侍立在秋芸身后，憨笑着，似乎有意展览着他们的幸福，以启发坐着的一对。

秋芸和王师傅走了。石义海抬眼望着他渴望已久的人。这天她脸上的皱纹仿佛平展了许多，眉毛格外秀媚，眼睛如秋水般澄净，以旧翻新的紫地细碎黑花夹袄，映衬得她的脸庞和脖颈格外粉白。王师傅教给石义海要首先开口，他讷讷地发话了："当年您救过我，我多少年一直没忘您的恩德。"

金绮纹瞥了石义海一眼，他的四方脸庞绝不秀气，眉不算浓，眼也不算大，鼻翅边弯下两道长纹，把阔大结实的嘴唇衬托得分外引人注目。一目了然：这是个文盲,是个粗人;但是他的厚道、他的精力、他的可靠性也是毕露无遗的。她淡淡地一笑,接过他的话茬说:"您后来没少关照我。甭提这个了。我这辈子遇上的歹人太多,遇上的好人有数。我的心,早硬得能划洋火了。我没指望着还能交什么好运……"说到这儿她心慌了,她忘记了秋芸教给她的一切,她不明白自己的这些话是怎么迸出来的……

春风慷慨地朝他们那个角落传送着盛开的海棠花的清香;啄木鸟自觉地离开他们身旁的古柏,飞到别处去敲击树干;反映着晴阳虹彩的游丝,飘到半途便挂在了柏枝上;成团的柳絮知趣地从他们脚下静悄悄地滚过。他们还说了些什么,连秋芸也不清楚了。唯一可知的细节,是最后金绮纹递给了石义海一个尺把长的布包袱,告诉他那东西本是一对,现在她给了他一半,另一半暂留身边,觉得这就不需要再解释什么了……石义海激动得心要撞破胸腔滚出来,他悔恨自己竟没有带见面礼来,他只买了两斤蜜柑,用一方手帕包着;他递过了那包蜜柑,想到蜜柑吃掉了便不会再有,他和金绮纹都不禁笑了,他笑得咬牙,金绮纹笑得低头用手帕捂嘴……

事情到了这个地步,仿佛底下的事就会顺遂到枯燥乏味的程度。不然。先是金绮纹病了,除了不死,一切内科症状似乎都有。石义海急得恨不能上天去讨仙丹,倒是王师傅有天来告诉他:不用怕,死不了;这是妇女闹更年期,闹过去便会好的。于是石义海等到了1962年。又起了新的波澜。这时候金绮纹已经接近五十,街道上传出了种种关于她的流言飞语。最甚者干脆说,前两年她秘密地作了一次人工流产。为保持做人的尊严,她觉得还是保持独身的好,免得人们在婚后怪笑着说:"瞧,果不其然,毕竟是格格出身,哪有不寻痛快的……"秋芸找她好说了多少回,也歹说了多少次;王师傅又去督促石义海开证明信以便登记,他说:"你开了她准也开,她不会让你那么为难的。"

是一个降雪的日子,鸡爪雪给校园织成了一幅抖动的网幕。老曹穿着棉大衣,戴着栽绒帽,忙匆匆地要到区里去开个什么会,忽然迎面遇上石大爷,让他给叫住了。

老曹哪里想得到,石大爷是经过了好多天的思想斗争,才终于定下了这么个方案,在僻静的甬路上堵住他,来提出那对自己一生起决定性作用的要求。石大爷不愿向学校里别的领导开口,他觉得这个黑老曹相对而言比较通人情,也许能理解他,帮他办理并代他保密。

"老石,天冷,你怎么不在屋里暖和着?"老曹看见石大爷棉袄两肩上的雪足有寸把厚,惊讶地问。

"我有话跟你说……"石大爷两眼望着别处。

"我要开会去哩,"老曹解释地说,"天冷,你别站在这儿受冻。有工夫我到你屋里去,听你慢慢说。"

"我有个急事……"石大爷忽然瞪住老曹,仿佛生气了。

"你说吧你说吧。"老曹在内心里检讨着自己刚才的态度,主动地揣想着:他会有什么急事呢?

石大爷却又不言语了。老曹便蔼然地询问着:"你那屋里的炉子太小了吧?赶明儿我让总务科发你个高腰的花盆炉。学生踢球老打碎你那玻璃窗是不?我让体育组帮你安上铁丝网。你咳嗽好点了吗?医务室的'嗽喘宁'没有了,你自己先去药房买几瓶吃着,我让校医给你报销……"

石大爷鼻孔里喷气了:"我不要这些玩意儿了,我要……我要开封介绍信!"

这回老曹总算听明白了,他爽快地说:"你怎么不早说!开完会回来我就给你开。你那棉被胎子也是该换换了,你单身一人的棉花票,哪够一床胎子?开个介绍信补助你一下。"老曹想起半个月前石大爷提过的话茬:他那棉被胎子该换换了。

谁知石大爷仿佛被老曹扇了一记耳光,他跺一下脚,一声不吭地绕过老曹的身子,走了。老曹耸耸肩膀,心想得原谅他的孤僻,也便管自去开他的会了。

天黑了。石大爷回到屋里,久久地没有开灯,愣愣地坐在床头,沉思着。连学校里最能接近他的人,也不懂得他最迫切需要的是什么。在人们的眼里,他也许是一个优秀的工友、一个值得表扬的工会会员、一个"以校为家"的模范、一个任劳任怨的典型……然而人们竟全然忘记了,他也是一个需要女人的男人!他需要一个小小的家庭!一种最普通最琐屑的人生乐趣!

这一冬石大爷得了急性肺炎,住了院。人们注意到煤铺的王师傅常来看他,给他带来灌满热鸡汤的暖瓶。这种鸡汤的味道,那些日子里也常飘溢在金绮纹炉子的周围,并且引出了同院某些邻居的闲言碎语……

正当石大爷重新鼓起勇气，要找老曹开证明结婚的当口，席卷十年的大运动起来了。石大爷听说金绮纹以"封建余孽"的罪名被抄被斗以后，忧心如焚。他说动葛大爷，到堆藏查抄物资的仓库去寻觅了一次，没有发现那与他收藏的信物相应的另一半信物。后来王师傅告诉他，那另一半信物被金绮纹妥善地埋藏起来了，其可靠性如同埋藏在她的心房之中，这令他非常感动。后来，每当夜深人静，石大爷就扛着扫帚来到竹叶胡同，替金绮纹清扫那罚她清扫的地面，只留下一小段由她天亮后自己去应付……

九

这一切都是在那个难忘的夜晚，石大爷讲给我听的。当然他讲述时用的是另一种方式，另一种口吻。

在他讲述中，我曾追问过："格格给您的那样东西，究竟是什么？"

他脸上的酒色尚未褪尽，听我一再好奇地追问，忍不住打开了他那唯一的木箱，取出了那一尺来长的布包袱。他脖子上的血管有力地起伏着，满脸焕发着幸福的光彩："这儿哩，这儿哩……"但是当他那粗大的手指触到包袱的结扣时，他犹豫了。他低下头，微微地喘着气，仿佛在摔跤场上进行决斗，这说明他内心里斗争很激烈。终于，他抬起头来，吁出口气，诚恳地对我说："我起过誓，不给别的人看……我得对得起格格。"说完，他几下把包袱放回了木箱中，使劲地扣上了锁，额上沁出一溜黄豆大的汗珠，抱歉地对我憨笑着……

石大爷讲完他的爱情经历后，时间已经是下半夜。整个校园乃至整个城市似乎都已进入酣睡，唯有夜风如醉汉般地游荡着，送来远近唧唧吱吱的虫声。

一听完，我便激动地建议说："石大爷，我明天就找老曹他们，让他们赶紧开介绍信，成全您们的好事！"

石大爷点头说："我今儿个叫着你，也是想借你一把力气。如今街道上也给格格落实了政策，她还算人民内部，我想着这回我俩的事儿，总该能上谱儿了吧。"可他又郑重地嘱咐我，"今儿个我把心掏给了你，你可得替我兜着。你也不用忙着明儿就找老曹去说。哪天我们合计好了，我再求你，你再去说。没说之前，你务必得没事人似的，别给我露了。你依不依我？"

我说："就依您的。"

他两眼闪闪地望定我："你给我起誓。"

我心甘情愿地起了誓，他笑了。我从没见他那般舒畅地笑过，他没有笑出声来，但是眼睛弯成月牙儿了，脸上的笑纹展得很开，咧开嘴露出整齐、结实的牙齿，我头一回觉得他的面容是美丽的。也许这是一个规律吧，幸福能使每一个人变得美丽而和善。

然而两天以后，我发现街道居委会主任大妈来学校找老曹，老曹跟她说了没几句话，就让她找"蒜苔"去了。我走过去问老曹："她来有什么事呀？"老曹皱着眉头说："说是他们街道上也要接待外宾，找我们取经……问我们有什么经验，咱们那经验能往外端吗？……"

我好奇地打听："什么外宾要到胡同里参观？"老曹淡淡地说："是那格格的丈夫回来了。听说如今入了加拿大籍，在那边是个挺拔份儿的资本家，这回是来参加交易会，参观游览……"

我一听差点蹦了起来，老曹吃惊地望着我，我连忙掩饰了过去。一上午我讲课都心神不定，中午吃完饭，我就跑到石大爷宿舍去了。

王师傅刚从他那儿出去。果不其然，他已经知道这意外的消息。我说："怎么半道上又杀出个程咬金来……"石大爷正色截住我说："兴许我才是那个程咬金。咱们别再提这档子事好不好？"

我利用到竹叶胡同访问学生家长的机会，搜集着有关的消息。金绮纹本是坚决不愿同过去的丈夫见面的，她强调已履行过离婚手续。但"有关部门"一再通过街道办事处和居委会，动员她"贯彻革命外交路线"，她才勉强同意了。为欢迎这位贵宾的来临，竹叶胡同掀起了大扫除的高潮，"查抄物资清理办公室"主动送还了全部属于金绮纹的东西，包括那只高脚硬木茶几。那位……怎么称呼好呢？姑且称为商人吧，本是一位眠花宿柳的恶少，他对金绮纹毫无感情，竟至于在1948年背着她卖掉了房产，卷款而逃。大概世界上可变性最大的莫过于人。他先逃到香港，后跑到加拿大，以那笔钱为资本，七搞八弄，居然发了财；在生存竞争中，他戒掉了一些生活上的恶习，增添了一些经营上的狠毒；他娶了外国妻子，养了几个混血儿，终于抵达了功成身退的境界；如今他已成为商业巨子，洋妻子一病呜呼，大儿子执钥秉财，他忽然似大梦初醒，深疚于以往的荒唐，遂吃斋供佛；他如饥似渴地寻阅关于祖国大陆的报道文章，他乡思悠悠，金绮纹的哀怨面容时时侵入他的梦境，于是他带着大儿子回来了。不是出于虚伪，乃是出于忏悔，他见到接待人员便盛赞共产党的功德和社会主义的成就，他恨不能剖心立誓，要为增进祖国的繁荣富强"竭尽绵薄之力"。

据说那位归来的商人，见到金绮纹独居一室时，不禁老泪纵横。他以为金绮纹是在二十几年如一日地"夜夜盼郎归"。他郑重地提出，要将金绮纹接到加拿大去颐养天年，以赎他早年之罪。陪同会见的人们都以为，一则中加友谊的佳话就要诞生了，特别是当那商人命令自己的混血儿子向金绮纹行鞠躬礼，而那长发洋服的青年听命俯身时，人们竟至拍起了巴掌。

但金绮纹的态度使对方极度失望，她冷冷地说："不可能了。我一个人过惯了。说起来，我还得谢谢你。你当年卷包一走，倒让我成了个自食其力的人。在新社会里，我懂得了为人民服务的道理。一开头，我剥云母片儿，糊纸盒子，贡献太小；如今我学会了画蛋壳，你瞧，这桌上摆着的都是；再瞧墙上这奖状，是头年工艺美术公司发给我的；这山水彩蛋也运到你们加拿大去，能为我们的国家挣外汇、增光；这样的日子我过着心里头挺自在。你这次回国来看了我，为以前的罪过道了歉，我也就不再记恨你了。祝你今后多做好事吧。"那加拿大商人并不灰心，留下话说："你再考虑考虑吧。到底年岁不饶人，就是为人民服务，你也该退休了。我随时准备着回来接你。"

于是，街巷胡同里开始流传着关于格格不日启程赴加的种种说法。

夏末的一日，夕阳西下时，我去石大爷宿舍找他。他那宿舍从来不锁门，找他的人也无须敲门。我如往常一般推门而进，室中空无一人，石大爷不知到哪儿去了。我闷闷地踱出他那小屋，走出学校，顺僻静的街道散起步来。天空弥散着金红的棉朵般的云块，晚风中挟带着马缨花的醉人的芬芳。拐了个弯，前面路边出现了几株高大的国槐，我看见一个梳双辫的少女，正弯腰扫着树下稠密的槐豆。我正奇怪这树上的槐豆怎么掉落得这般多时，从粗干后闪出一个人来，他举着顶端带拉钩的大竹竿,专心地绞着树上的槐豆。啊,这不是石大爷吗?我走上前去,叫了一声。

石大爷看见是我,遂放下竿子,拉起敞开的衣襟擦了擦额上的汗,指指那少女说:"老葛的闺女。"又对那少女指指我说,"学校的老师,你叫叔叔吧!"

那少女长得瘦瘦高高的,眉眼儿使我想起了活着时的葛大爷。她叫了我。我问她:"你上调回城啦?"

她脸红了,不好意思地说:"没。我妈一个人生活困难,石大爷帮我绑了这么个竹竿,教给我打树籽。树籽卖到药铺去,多少是点补助。"

其实以往我常在街上遇见打树籽的人,我从未考究过他们是为了什么,还朦胧地以为那都是园林局的工人。现在我才懂得,在我们这个城市里,还有着一些这样的平民百姓,打树籽、逮土鳖、捡烂纸、拾西瓜籽……为的是补助一下他们那匮乏的物质生活。

我帮着石大爷为她打了一阵,看她把满筐树籽搁到小轱辘车上,推着走远了,我才同石大爷走回学校,来到他的宿舍之中。

我提起了格格的事。我劝他干脆这就提出来开证明登记结婚。

石大爷平静地坐着。他又恢复了用多年前的烟袋锅,吧嗒吧嗒地吸着,诚恳地对我说:"老王来传了话,格格也有这个意思。可我眼下不能。我得凉一凉,得容格格多想想。"

他没话了,我也无话。我俩就那么默默地坐着。

起初,我并没有面对石大爷,我两眼直望过去,映入我眼帘的是靠放在门背后的大竹扫帚。这竹扫帚的把手部分已经磨得焦黄发亮,帚尾已经发灰。我平生第一回对一把扫帚产生了丰富的联想和浓烈的感情。我想到这扫帚每天牺牲着自己,为使世界清洁而美丽,它孜孜不倦地留下它所喜欢的、除掉它所不喜欢的;当道路和地面变得整洁爽目时,它却必须躲藏到不被人们所见的角落里去……

当一派柔情荡漾在我的心头,并逐渐增强为奔放的激情时,我把眼光转向了石大爷。石大爷的侧影有如一尊充满了爱与力的石像。

这里没有小提琴在演奏婉妙的旋律,没有吉他或曼陀林的和弦,没有人朗诵象征派的诗歌,没有米开朗琪罗的壁画与罗丹的雕塑,没有盛开的玫瑰与含苞的素馨，没有泉水叮咚也没有松涛呼啸，没有檀香的氤氲也没有古筝的清韵，这里只坐着一个六十岁出头的没有文化的不引人注意的童贞男，一个质朴到极点的厚实晶澈的灵魂；但正是他，却使我心中充溢着诗情画意，鸣响着黄钟大吕，饱吸着露气芳香，升华着纯真的人性美……

<h2 style="text-align:center">十</h2>

我从出版社打电话给老曹，告诉他悼词已经写好，一会儿我就动身到学校去。我对老曹说："追悼会应当邀请校外的几个人参加……"听筒里传来他吃惊的声音，"校外的？谁呢？石大爷没有亲友啊！"我对他说："有的。到了学校，我就告诉你。"老曹似乎明白了几分，他对我说："他那包裹里的遗物，你大概也知道是怎么来的了。快来解开这个谜吧，这两天学校里议论纷纷……"

我坐电车到学校去。下了电车，恰巧遇上了"蒜苔"和另外几个教员。我们一起穿过竹叶胡同朝学校走去。

"蒜苔"高声谈论着关于石大爷那神秘遗物的事，并且发表着荒诞的猜测："……你们没见过如意？咳，就是故宫里头炕桌上常摆的那种玩意儿，二尺来长，整个形状像是几何学上的相似符号，大头是个灵芝形。昨天我到老曹那儿看了看老石的那一柄，是硬木雕的，镶得有猫儿眼、祖母绿一类的宝石……他怎么会有这玩意儿呢？多半是当年学生把抄来的东西随处乱撂，他捡的；老石这人偷是不会偷的，可捡到了值钱的东西，他也知道包严实了存起来，可见在商品社会里，就连最俭朴的人，也难免有一双好财的眼睛……"说到这儿，他便眯着眼，纵声笑了起来。

我本没有去听"蒜苔"的议论，我在为石大爷之死而责备自己。自从我调离学校之后，纵使路远、工作忙，我也不该长久地不去看望石大爷啊；而我在仅有的几次看望中，又为何只是匆匆泛谈，没有爽性在他那里住上一夜，抵足而谈呢？……

可是当我听出"蒜苔"在谈论什么以后，我的心就像被人剜了一刀似的，忍不住朝他吼了一声："你胡说八道些什么！"

"蒜苔"照例报之以耸肩微笑，双眉上扬，形成一个标准的天真烂漫的表情，不做声了。其他的几个教员也不再问什么。一时间我们几个都只是默默前行，唯有脚步声杂沓地响着。

忽然，我听见了一阵渐响的呜咽，随之这呜咽变为号啕大哭。那是 14 号门里传出来的。这哭声随着打旋的秋风直上九霄，风中的片片枯叶，仿佛就是那哭声化成的精灵……

哭声撞击着我的心，我的喉头，我的眼眶。我想起了一切。一个人死去了，另一个人真诚地为他哭泣着。这在世界上来说，是一件最平淡的事；然而，从这哭声里，从那两人各执一柄如意而终于没有如意的爱情中，我却捕捉到使整个人类能够维系下去，使我们这个世界能够变得更美、更纯净的那么一种东西……

那格格的哭声是悲怆而奔放的，不能不引起我强烈的共鸣。

我拼命地压抑、压抑，然而终于撑不住，"哇"的一声，像个孩子似的哭了。"蒜苔"和别的老师都惊呆了。他们茫然不解地望着我，仿佛我患了一种什么神经上的毛病。

我一边朝前走一边恸哭……

人们啊，听到我这哭声，愿你们能够理解！

你们应当理解。

1980 年 1 月—2 月写于垂杨柳

大眼猫

1

还记得夕阳斜映着绿野时，蜻蜓怎样栖息在苇尖上吗？

还记得晚风拂过青纱帐时，空气中飘荡着怎样的一种气息吗？

啊，大眼猫，在那个难忘的傍晚，你曾经把我的心弦重重地撩拨……

2

小小的土圪垯，干土圪垯，打在我的脸上。

我只好眯起眼睛。从几乎关合的眼缝里，我看见你倚坐在麦秸垛旁，正瞪圆着你那双大得出奇的眼睛，嘲讽地望着我。你光润的额头上，渗出了汗珠儿；你嘻开的嘴唇中，露出了雪白的虎牙尖。

笑声。同班同学的笑声。天真无邪的笑声。烂漫友善的笑声。

那时，虽是高中三年级的学生，思想感情尽管不能以"单纯"二字概括，但以"纯洁"二字形容，庶几近之。

忘记我对你说了句什么话，大约是叫了你"大眼猫"这绰号吧，你便抓起一把干土向我扬来，那年天旱，你扬起的实际是一把小土圪垯，干土圪垯砸在我的脸上，微微有一点痛，一种快意的、酥痒的痛。

啊，大眼猫，你再不可能再抓一把小土圪垯，砸到我的脸上了！

从少年时代向青年时代转换的时期啊，在我们的心灵深处，荡漾着怎样的感情波环？

值得永远回忆的小土圪垯，那砸在脸上的小土圪垯，那种神秘的快意，那种朦胧的情绪！

3

我仔细地把二十二年前的你回忆：你的面容，你的身姿，你的声音，你的动作……

你不美。或者说你是美中不足，或者说你是不完全的美。

你出身在福建，所以你名叫施闽荔。但我只叫你大眼猫。这绰号经我的口一叫，很快便流传开来，同学们流散多年，许多人早已忘记了你的正名正姓，但一提大眼猫，没有想不起你来的。

你身材细长，皮肤并不白皙，是一种光润的淡黄色。你头发非但不丰厚，简直有点显得稀薄，而且你永远取最古板的齐耳直梳法，永远只用最便宜的黑漆发夹。统体来说，你远不如班上其他的女同学引人注目。然而，你有一件法宝，那便是一双大得出奇的眼睛。按比例，你的眼睛似乎超出了正常大小的一倍，尤其是你的黑眼仁随比例也大，亮晶晶、光莹莹如玉石然。你的双眼皮一眨，再一睁，你那双大眼睛一亮又一亮，啊，竟使我联想起月边的星辰，砚中的日影。你的一双大眼，加上你走路轻盈无声，和你嘴角总挂着的一缕略含嘲讽意味的微笑——真是一只活灵活现的"大眼猫"！

大眼猫，我要固执地这样叫你，大眼猫！

4

按今天的说法，你也许是有特异功能的。

你的功课好得出奇。那时实行苏联式的五分制，学生有成绩册，不仅期考的成绩要登记在册，就是课堂提问时，也要把成绩册交给老师，由老师根据回答的情况当场填写分数。你竟然能让所有的栏目填满5分，连续两年获得优良奖章，只等高三的总评分一下来，便可领取金质奖章了！

然而，你似乎学习得并不吃力。你课余常捧着大厚本的小说读。记得你总是用一个东德制品，一个当时很令人稀罕的塑料书夹，把从图书馆借来的小说，封面套进那书夹中，惬意地读着。那书夹是橘红色的——可爱的、令人回味无穷的橘红色。橘红色有防鲨的作用——奇怪，我为什么忽然想到了这一点？

记得高三上学期，寒假前，一天放学之后，你坐在座位上读哈代的《德伯家的苔丝》，你脖子上围着个脖套，同那书夹一样，也是橘红色的，而冬日的夕阳照进玻璃窗，给你的全身也镀上了一层浅浅的橘红色。橘红色的大眼猫！为什么许多年过去了，我在教室中一瞥而留下的这个印象，竟还是那么新鲜？

一次上物理课，物理老师讲着讲着，忽然停住，几步走到了你的位子跟前，生气地瞪视着你。全班同学都往你那里看。原来你把一本小说放了膝盖上，正低头看得上瘾。物理老师当即让你到黑板前解一道极难的题目，而你竟轻而易举地用了一种代数解法，取代了烦琐的物理公式推导，得出了准确的得数。那位胖墩墩的物理老师怎么说的——到底是做得对，还是做得不对呢？他呼哧呼哧地笑了，对你挥挥手说：“施闽荔，你有权不听我讲课，你看你的小说好了！”而你，竟然也就回到座位上，微笑着把那用橘红色书夹夹住的小说，挪到了书桌之上，甩甩头发，坦然地看起来！全班同学不禁一阵窃议……

5

大眼猫，在学校五楼的图书馆，那书架排成的小胡同里，你曾狠狠地把我嘲笑。

我们都是“图书馆小组”的成员，那是若干课余活动小组中，人数最少的一个。每天，由两名成员，帮助图书馆的老师应付借还图书。闭馆后，可以享受一番特权：任意翻看所有书架上的图书，并可破例一次借阅两册。

我和你那次正好一起活动。面对着一排排的文学书籍，我不知该从哪本读起，抽出一本来，翻翻，再抽出一本来，翻翻。这时，你在我身旁"噗哧"一声乐了，你指指图书室那头的玻璃柜说："你要看的，在那儿哩！"

那玻璃柜里，全是"小人书"，是教师工会为教职工借回去给子女看准备的。

我生气了，冲你一皱鼻子说："去你的！"

你指指我双手的动作，振振有词地说："瞧，你拿着一本书，不就光知道翻插图吗？"

的的确确，我每抽出一本书来，总是迫不及待地翻查插图，仿佛那本书值不值得我借回去读，唯一的因素就是插图吸引不吸引人似的。

"你甭管，这是我的习惯！"我依旧翻着手中的书，寻找着插图。

"多么幼稚的习惯！"你竟毫不掩饰对我的鄙夷。

你把我激怒了。我把书往书架上一插，扭身冲着你，几乎是气势汹汹地反问："那么你呢？你是什么习惯？"

"比你的高明。"你不慌不忙地把我刚插进去的书又抽出来，一边翻动着一边示范地说："喏，先要看版权页……"

"版权页？"

"对。其实从咱们上小学起，每一册课本上都有版权页，但是老师从来没领着我们读过……你用过上一百册课本了吧？可我敢跟你打赌，你就从来没注意过版权页……"于是你指着那本书的版权页，具体地给我讲，掌握版权页上的那些概念有什么意义。比如说，从何年何月第一版的字样上，可以了解到这本书是从什么时候印成这个样子的；从印刷次数和印数上，又可以了解到这本书的遭遇，初步判定它是阳春白雪还是下里巴人。你又对我说："会翻书的人，其次就是翻看目录，翻完目录，可以翻翻序、跋，有的书，翻到这里就可以丢开了，因为可以发现它或者编得不大高明，或者过分专门，或者这类著作不宜从它读起，或者它的内容跟你读过的另一本书类似，或者它已经过时，或者……"

"或者它证明大眼猫是大学问！"我心里虽然不得不佩服，嘴里却偏要占个上风，"还证明大眼猫能逮大尾巴耗子！"

"坏蛋！"你操起身旁的鸡毛掸子，扬起了胳膊，我笑着跳开了，结果碰倒了书架前的三角梯。图书馆的靳老师闻声走过来，问："咦，你们干吗呢？"

你用鸡毛掸子麻利地掸着书架，笑嘻嘻地对靳老师说："我们开始打扫卫生啦！"

你呀，好一个狡黠的大眼猫！

6

可是，班上的团支部书记钢华，提醒我不要受你的影响。钢华这个名字好怪，而占用着这个名字的是个女同学，就更让人觉得怪而有趣了。

钢华的爸爸、妈妈，都不姓钢，事实上"百家姓"中也无此一姓，然而钢华就叫钢华，她还有个弟弟，叫铁旗，这两个名字体现着一种破除旧传统的革命精神。是啊，为什么人们非要随父母特别是随父亲姓呢？多少当年到延安参加革命的知识分子，一走到延河边上就另取了与父母姓氏无关的新名，那的确是一种清新的风气。钢华的父母就是当年奔赴延安的知识分子，钢华当我们班团支部书记的时候，她的父亲已经是一位级别相当高的负责干部。她的母亲好像是个副处长。那时候，我们这些高中生相互不大打听别人的父母是干什么的，我们一起学习、嬉戏，我不记得谁因为"血统高贵"便格外受到尊崇，也不记得谁因为出身不好便特别受到歧视。

钢华和我同座。当时我们教室里用的是一种苏式的课桌，桌椅是联结在一起的，为了使学生进出座位方便，桌子的前半截有可以掀开的前盖。这样的座位给我留下了美好的记忆。我不明白为什么现在没有任何学校使用这样的桌椅了，起码在扫除时提供了方便，更何况不易损坏。大眼猫，你还记得我们使用过的那些结实耐用的课桌椅吗？

钢华大约不会对那种桌椅留下美好的印象。她总梳着两条粗短的辫儿，圆圆的、黑黝黝的脸庞上，架着副近视镜，因为鼻梁比较扁，那近视镜总往下滑，故而她总得不时地伸出手指去托一下。她身材比较粗，臀部特别大，所以进出那样的座位，很不灵便。按她的形态动作，可以很自然地给她取上个诸如"河马"、"大象"一类的绰号，然而我们谁也没有给她取，包括我这个最善给人取绰号的人。倒不是因为她是小干部，怕她，而是那时候的高中学生，实实在在比较地有教养，谁都懂得，倘若绰号会伤害到别人的自尊心，那就一定不要取。大眼猫，你承认吗？你的绰号，非但没有伤害到你的自尊心，反而使你产生了一种心理上的满足，尽管你常常在我这样叫你时，佯装出气愤的样子……

回忆起来，钢华实在是个有许多可敬之处的团支部书记。记得那时候实行劳卫制的锻炼标准，各个班级之间进行着竞赛，看哪个班级率先实现全部通过劳卫制标准。已经有两个高三班走在前面了，我们班再不能落后！然而钢华的跳高和跳远，怎么也达不到标准！记得那个阶段，每天放学以后，钢华都要换上运动衫，在操场的沙坑前，顽强地练习跳高和跳远，她的脸上，常常是热汗粘满了沙粒。

大眼猫，你记得吗？有一回，我们一起走过去劝她："钢华，别这么拼了，小心拼出病来！"钢华的一条短辫散了，正用手编着，她啐出嘴里的沙子，咬咬牙，发誓般地说："不！我是团支部书记，我得带头！"后来，她果然达到了跳远的标准。当时的规定，好像是跳高跳远算一类吧，有一项达到标准，便算通过，我们都衷心地为她高兴。在她的带动下，几个原来始终达不到标准的同学，也终于通过了。当我们班同学敲锣打鼓，围着操场游行，然后到党支部去报喜时，大眼猫，我们谁心里不佩服钢华的带头作用呢？

钢华啊，那时的你，充满了怎样的一种自我感觉？你一定觉得，这个中华人民共和国，这个社会主义事业，天然是为你而存在的，而你，也天然是它的组成部分。你头上的天空，是那般的晴朗，你脚下的土地，是那般的坚实，难怪你挥手打拍子领着同学们唱歌时，眼里闪着那么灿然的光，声音是那么厚实嘹亮！当时你领着我们唱过些什么歌？《华沙工人歌》、《青年近卫军》、《社会主义好》……不仅仅是这些，还有《山楂树》、《远方的客人请你留下来》、《唱得幸福落满坡》……

然而，大眼猫，钢华对你有看法，很真诚的看法，不挟带任何私怨私嫌的看法。你是团员，你在另一所中学上初中时就入了团。我不是团员，可我诚心诚意地渴望入团。我对钢华说："让大眼猫当我的介绍人吧，我们俩都是图书馆小组的……"钢华拢起一双浓眉，那真是只有男人才该有的一双浓眉，眉尖长得接到一起了。她认真地思考了一下，便严肃地对我说："她当介绍人不合适。你没看出她的问题吗？她那个人主义要不克服，会走上邪路的！"

我不大懂钢华所说的个人主义是什么东西。大眼猫，现在我仔仔细细地回忆，也回忆不出你究竟有哪些个人主义的表现。难道你在物理课上看外国小说，便是个人主义吗？然而，你的物理学得比任何一个同学都好啊！还有，我记得你热心地参加了学校第一届图书推荐月的工作，为了推荐苏联小说《海鸥》，你一遍又一遍地到各个班级去朗诵这部小说的片段……

对了，当有一次我为你辩护时，钢华给我举例说："她干吗讽刺人家马甘霖笨？这不是个人主义是什么？！"可是，我分明记得，恰恰是你，大眼猫，主动提出来给马甘霖补习物理的，马甘霖要你给他讲解当天的习题，你把他的课本一把抢过来藏起，斩钉截铁地说："你要想会，就按我的来！"你先给他补以前的课，使他原来混乱的概念渐渐清晰起来，然后出了几道题让他做。你批改时，看见他做对了，便仰头哈哈地笑着说："开窍了！开窍了！"看见他做错了时，便用笔杆敲着本子说："笨笨笨笨笨……唉呀，怎么能这么笨哇！"然后便一边改正一边跟他讲解。当时我也坐在教室里，等你一同去图书馆，全部过程看得清清楚楚，而钢华只是正当你嚷着"笨笨笨笨笨……"的时候，进教室来拿一样东西，然后又走掉的。难道，这便是你个人主义的证明么？一瞥之中，几个语音，便能在小干部的心中，滋生出坏印象的萌芽！生活啊，你的一分一秒中，为什么竟孕育着这样的悲剧？

7

钢华自己作了我的入团介绍人，严格地来说，不是介绍人，而是联系人，因为直到高三毕业，她也不认为我已达到了团员标准，并不正式介绍我入团。

然而钢华确是诚心诚意地希望我进步的。她借给了我两本书，一本是冯定的《平凡的真理》，一本是杜鹏程的《在和平的日子里》，两本书都经她细心地阅读过，上头写着许多的眉批，记载着她的心得。她劝我一定要认真地读，读完同她一起讨论。

大眼猫，你发现了我手头的这两本书，你略微一翻，便直率地说："这本《平凡的真理》是老版本，人家作者已经又修订了一遍，出新版本了，你该看新版的。
这本《在和平的日子里》真是本好书，可是我建议你自己到新华书店买一本看，
不必看她的这本。因为，只有独立思考才能真正有收获。你一边看原文，一边不
得不看她的眉批，这会妨碍你独立思考的。当然，你可以看完了自己的那本以后，
思考过了，再翻翻她的眉批，那样也许还能有点启发……"

大眼猫，我应当后悔吗？我把你的话，如实讲给钢华听了。当时，钢华的浓
眉颤动着，她的心里，一定涌动着真正的义愤：她在为无产阶级，为社会主义担忧。
因为竟有你这样的青年，这样的团员，如此难以领导，难以驾驭……

"笨笨笨笨笨……"这是你清脆而响亮的声音。你这声音在钢华的心里，加
上了你对我讲过的那些话，以及你的别的一些小镜头、小言论，便汇成了一个坚
定不移的观念：你，大眼猫，个人主义严重到了危险的边缘！

大眼猫，钢华当时肯定约你恳谈过许多次，我就曾经从教室的窗户瞥见，她
同你并肩在校园的林荫道上，缓缓而行，款款而谈，那傍晚的风，吹得道旁高
高的白杨树窸窣作响，那明亮的晚霞，映得你们两个少女的身影格外瑰丽……
啊，从少年向青年过渡的时代，多么难忘的画面！有谁知道，在时代的洪流中，
我们如同小鱼儿一样，后来会被激荡到不同的方位，并且是原先绝对意料不到
的方位呢？

8

就是在这样一种情况下，毕业前夕，在那个干旱灼热的夏季，我们到西集公
社参加中学时代最后的一次麦收。

每天中午和傍晚，我们就在场院旁的麦秸垛边吃饭。大眼猫，你用小土圪垯
扬我，便是在那最后一个傍晚。干燥的、散发着场院特有气息的小土圪垯啊，砸
在了我的脸上，使我不得不眯起了眼睛……然而从我几乎关合的眼缝里，我看见
了你，大眼猫，你倚坐在麦秸垛旁，草帽滑到了身后，你瞪圆着那双大得出奇的
眼睛，嘴角微微上翘着，嘲讽地望着我。你光润的额头上，流出了汗珠儿；你嘻

开的嘴唇中，露出了雪白的虎牙尖。

你为什么要用小土圪垯扬我？你为什么那么样地望着我？啊，大眼猫，原谅我，你能原谅我吗？我比同班同学上学都早，你们都已经十九、二十岁了，而我才刚刚十八——这一岁差得很要紧啊！

"笨笨笨笨笨……"你直到今天，还在这样地嘲笑我吗？大眼猫，你的声音，此刻仿佛仍旧响在了我的耳边，那干燥的、甚至带有马粪味的小土圪垯，仿佛依旧不断地砸到了我的脸上……

从少年时代向青年时代转换的时期啊，你留给我们的记忆花朵，足够编织一个大大的、缤纷馥郁的花环。

9

吃完晚饭，同学们陆续地散去，一路往住处走，一路谈笑着，有的还甩着嗓门唱开了歌，才唱了两句，走了调，于是自己和伙伴们便一齐发出快活的哄笑……

大眼猫，我和你，不知不觉地走在了最后。当前面的同学都拐进了村子时，在那口布满绿苔的井口旁，你叫住了我："高如松！"我扭过头，发现你那双大到充满我心灵的眼睛，灼灼地闪着神秘的光，我迷惘了，呆呆地定在那里。我的形象反映在你的眼睛和心灵里，一定是颟顸可笑的吧？大眼猫，直到今天，有的时候，当清风拂过你的面颊，当鸟儿的啁啾传入你的耳际，我在那个傍晚，在那口井旁，扭过身子面对着你的表情和身姿，应该还能浮现在你偶然的回忆中吧？

我是永远、永远也忘不了那个傍晚，那个布满绿苔的井台，以及在夕阳敛息的玫瑰色光氛里——你的身姿，你的面容，你的声音，特别是你那双硕大无朋的眼睛。因为这一切，是同我对一去不返的少年时代的追忆，紧紧地联系在一起的……

大眼猫，我忘不了，也不能忘，也没有必要忘记，你是这样对我说的："嘿，咱们再到村外头，谈一谈，好吗？"

大眼猫，你忘了吗，也许忘了，也许还没有忘，我是这样对你说的："好呀，咱就再到村外头，谈一谈吧！"

于是,你和我,我和你,就折回村外去了。夕阳的余晖终于敛尽,紫蓝的天幕上,星星越来越显得璀璨繁密。我们穿过一片小树林,小树林里,有几片还没有被晒干的雨后积水,那积水大约是永远也晒不干的,表面上孳生着厚茸茸的绿藓,里头泡着几根剥了皮的柳木——据说柳木是越泡越结实的……出了小树林,我们越过高出地面的水渠,水渠两边种着拳头粗的水曲柳,晚风吹动着它们的枝条,有几根游丝飞来粘住了我们的面颊,我们不约而同地用手掌拂拭着……又绕过了一片荆条为篱的菜园,我们来到了真正的池塘边,青蛙从我们脚下不时地跳进塘中,然而塘那边,蛙声响成了一片,在银色的月光映照下,塘中的水浮莲开出的紫花,仿佛闪动着磷光……

在塘边的大柳树下,在密密的柳丝掩护下,我们站定了。大眼猫,我听见了你急促的呼吸。你一定也听见了我的。

“你想好了吗?”你问我,“究竟报考什么专业?”

我真的拿不定主意。我不知道自己究竟是条什么船,应当放到哪条河里去航行。我如实招供了:“又想考理工科,又想考文科,还想考医……”

“你呀你呀,都什么时候了,还在优柔寡断!……”

“笨笨笨笨笨!”我学着你的口吻,你笑了,忽然觉得笑得声音太响,又赶快用手捂住了自己的嘴。

“你快帮我拿个主意!”我真诚地说,“我听你的,就像我拿到一本书,首先要相信版权页似的。”

“好的,”你也诚恳地说,“我要给你忠告的。不过,你家里的人的主意是什么呢?”

“我家里的人无所谓。我反正最小,他们还都把我当小孩子看。他们简直有点不敢相信,我已经到了该考大学的时候了……他们知道我功课不错,反正考得上的,所以不怎么为我操心,由我自己去选择。对了,你是怎么决定的呢?”

“你猜。”

“你那么喜欢看文学书,咱们学校图书馆书架上的文学书你都翻遍了,你是想上北大中文系吧?”

“笨笨笨笨笨!”你反过来模仿着我的声音。这回是我发笑了,我笑得很响,不怕别人听见。

"那么，你一定是想搞理工了……搞哪一门呢？你物理那么好，天然的物理脑袋瓜，你是想选物理专业吧？"

你点着头，赞许地说："还算开窍。你没白跟我好。我想去钻研原子物理……当个女物理学家。我真有这个信心。我要让外国人也知道我，知道中国的尖端物理科学是发达的！"

一颗流星，从我们的视野里划过天际，仿佛使横斜的银河微微颤动了。大眼猫，中国的原子物理——不，现在该称作核子物理——科学家，你的气概，你的自信，令我折服了。

"那么，我呢？我考什么专业好呢？"我为自己缺乏主见，缺乏明确的抱负和宏大的气概而自愧。"我整天胡思乱想，就是没个准主意，我甚至想去试试戏剧学院，学表演，将来当个演员！"

"天哪！"你笑弯了腰，"阿弥陀佛，你快别走那条路，你以为你在学校演过几次话剧，就有表演的天才吗？老实说，你只能在生活的舞台上演出，永远只能扮演你自己……我告诉你吧，"你渐渐严肃起来，显然，你下面的话都不是临时冒出来的，而是早经深思熟虑的，"你适合学工，而且，你可以选择一些冷门，比如说，考邮电学院，那里头有好些很有趣的尖端技术。你的气质，适合于在实用技术里，并且是不怎么普遍的实用技术里，焕发出想象力和工作热情……"

"真的吗？"我极感兴趣地倾听着。在这个世界上，我所认识的头一个深深了解我的人，就是你。大眼猫，你打什么时候起，把我琢磨得这么透彻？

一只鸟儿从我们头上掠过，它发出一种尖细的鸣叫，那声音非常滑稽。

"毕业以后，咱们应当保持联系。"我听见你对我说。这是句很平常的话吗？这是句很不平常的话吗？我只是点头。我心里有一种朦胧的感觉，就是倘若我的生活里突然好多天没有了你，看不见你的身影，听不见你的声音，该有多么空虚！多么寂寞！

"嘿，高如松！"你突然变得格外严肃，陡然提出这样一个问题，"你知道吗？班上有人议论咱们，说咱们俩特别、特别好……你说，咱们俩该怎么办？"

是呀，该怎么办呢？啊，大眼猫，你应当原谅我——当时，后来，今天，你都应当原谅我！那时我才刚刚十八岁，我还并不真正懂得爱情，虽然我读过那么多有爱情描写的小说，虽然我演过《雷雨》里的周冲，然而，当这样的问题逼到我眼前时，我却实实在在地惶惑了，甚至于答不出一句话来。

我不懂，我却又有所体察，有所感受。我意识到，那便是你我的初恋。在人生的道路上，没有品尝过初恋滋味的人，该有多么悲哀；然而，在人生的途程上，没有将初恋发展为稳固的爱情的人，又是多么普遍！初恋是霏霏的细雨，是瑰丽的彩虹，是苇尖上的蜻蜓，是荷叶上的露珠……一片阳光，一阵轻风，就能使它消失。然而它留给我们的，是永不磨灭的珍珠般的记忆……

"让他们瞎说八道去吧！"我憋了半天，才说出这么句话来。

啊，大眼猫，你期待于我的，是怎样的一句话？事后，许多年来，我多次设想过，提出了许多种可备选用的回答，然而我再也没有机会将它呈献给你了……大眼猫，我清楚地记得，你突然转过身去，拂开柳丝，背对着我，断然地说："好吧，回去吧，再不回去，人家更得瞎说八道了！"啊，你的脊背，也是一只眼睛，表露出你自尊心所遭受到的挫伤。你走了。我跟着你。我们都没有再讲什么。我们又绕过那荆条为篱的菜园，越过那长着水曲柳的渠堤，穿过那弥散着柳木被沤的特殊气息时的小树林，回到了那口布满青苔的水井边。

我直到走到那里，才想鼓起勇气对你说句什么——然而，晚了！你睨了我一眼，嘴里轻轻狠狠地呐出了一串"笨笨笨笨笨"，轻盈地一转身，跑掉了。

在那个蛙声鸣响的夏夜，我得到了许多，也失去了许多。

大眼猫啊，倘若那晚我稍许成熟些、勇敢些……你我的命运，是否就会按另外的轨迹发展呢？人生，你的转机和你的刹制，为什么经常是这般地静默琐细，这般地不可思议？

10

许多年以后，我才知道，那一晚对你我来说，特别是对你来说，是决定命运的一个转捩点。

你回到宿舍。你们女生集中住在小学校的教室里。大多数同学都已经洗好脚，躺进被窝里了，只有少数同学还在洗脚、吹口琴、缝纽扣、看书。你刚走近那教室门口，便发现钢华正倚门站着。显然，她一直在等你。

"你哪儿去啦？"

"我跟高如松在村子外头谈了会儿。"

"你——你们？"

啊，大眼猫，我们都应当理解，钢华对你，对我们的行为，是多么真诚地痛心着。在她看来，我们显然是受了资产阶级思想侵蚀！我们在这样的地方，这样的时间，两个人单独地待在一起——这在贫下中农当中，在同学当中，会造成多么恶劣的影响。我们的"智"、"体"都是不错的，然而我们的"德"却如此成问题，对于祖国，对于人民，对于社会主义事业，该是多么可惜！她不能让我们在悬崖的边缘上滑下去，尤其是对你，大眼猫，你是团员，她不能眼看着一个战友堕落下去。她的责任，是挽救你，教诲你，帮助你！

你要绕过她，到屋里去取脸盆，打水洗刷，然而她急切地拦住了你，把你引到庭院中的那株银杏树下，月光透过小折扇般的银杏树叶，把筛出的光斑落到你们肩头，小风拂过，那光斑在你们肩背上闪动……啊，二十二年前，两个真诚的少女！

"你这样……多不好啊！"钢华轻轻地摇着头，耐心地劝告你，"你们有什么话，不能当着同学们说呢？……"

"我刚才跟高如松求爱来着！"啊，大眼猫，在那个宝蓝色的夜晚，你真的是这么回答钢华的吗？我相信这是真的，因为我了解你那倔犟的个性，你那坚毅的自信，你那被挫伤后充满了再生力的自尊心……你这话一出口，钢华就仿佛被电击了一下，她不由得打个哆嗦，脸涨得通红，慌乱中连连用手指托着眼镜架，气愤得不知该怎么跟你继续说下去。她下意识地追问了一句："高如松说什么？"

"他拒绝了我。"你镇静地宣布完，便扭回身，走到宿舍里，取脸盆打水去了。而钢华，却愣愣地留在了那银杏树下，久久地咬着嘴唇……

这天晚上的情况，我当然是很久以后才知道的……

你躺进被窝很久了，同伴们都已发出了均匀的鼾声，钢华才回到屋里，慢慢地脱衣服，慢慢地躺进被窝，她的铺位就在你的旁边。你闭着眼睛，然而睡不着。终于，你感觉到她用手在轻轻扳着你的肩头，你只好转过身去，于是，在泻入屋窗的银色月光映照下，你看见钢华坐在铺上，披着衣服，她摘了眼镜，眼里竟汪着泪光，她是在真诚地为你感到羞耻，感到遗憾！你有点不忍心了，便也坐了起来，披上衣服，搂住她的肩膀，轻轻地说："别这样……你干吗这样！我没有什么，我不还是我吗？还是大眼猫！我没有做错什么事啊……"

"你是团员，你应该想着团员的模范作用……还没上大学呢，你就想这些个事，你不觉得害臊吗？"钢华愤愤地训斥你。

你叹了口气，用手捂住了脸，轻轻地说："我害臊……可没办法……我对高如松就有了那么一种感情……"

"这是什么样的感情？资产阶级的，至少是小资产阶级的！"

"不！"你放下手来，认真地反驳说，"难道无产阶级，就不能有？你的爸爸、妈妈，他们是怎么生活到一块来的？他们一定也有过——有过的……"

"你不要诬蔑！"钢华激动地说，"革命者的爱情，不会是这样的！你们偷偷摸摸，跑到村子外头……你们准是从哪本外国小说里，学来这一套的……"

"中国小说里也写过的啊，"你望着钢华，反驳说，"这有什么呢？我们都不算太小了。我们只不过去谈了谈，并没有做什么不该做的事……再说，即便我们好，也要等上完了大学，工作以后，才谈得到那个啊……你干吗这么生气呢？你也会有这么一天的，当你突然觉得——"

"少废话！"钢华厉声截断你的话。一个同学翻了个身，于是她又把声音压低了下去，"我永远不会作出这种荒唐事的！"

"难道你一辈子不结婚？当一辈子老处女？"大眼猫，你的心直口快，不是任何时候都能受到欢迎的啊！

"废话！"钢华郑重地宣布，"我要等到为祖国切实作出了贡献之后，才去考虑这种问题，起码要在十年之后！"

"可是，人的感情是不能用年头加以限制的呀！"

"施闽荔！你既然糊涂到这个地步，我不能不告诉你了：正在考虑给不给你金质奖章的事，我们团支部，跟班主任，还有政治老师，一块研究过了，你这样的思想感情，政治试卷答得再好，也只能给个三分，政治三分，当然金质奖章也就取消了……"

"取消就取消吧，"你确确实实极为轻松地说，"无非是不保送，自己考而已。我倒宁愿自己考一考，再上大学。"

钢华两道浓眉差点立了起来。她实实在在不能理解你。在她看来，你的见解，你的态度，超出了一般落后的范畴。当然，她还要再尽最后一把力，把你从悬崖边上拉回来："你怎么能这么说——"

"睡吧，我们明天再谈，不好吗？"大眼猫，其实你被视为落后的东西，不过是强烈的个性。你说着便躺下了，并且把脊背对着钢华。虽然你并不是闭上眼睛就入睡了，然而你毕竟睡了一个好觉，连一个梦也没有做。

第二天，当天光把宿舍照亮时，你活泼地爬了起来，同几个爱吵爱笑的女同学，大声地开着玩笑，跑到院子里，端着洗脸盆互相撩水嬉戏……

在钢华看来，你算没有希望了。她为你叹息，并在心里作出了决定。

11

第二天清晨，在场院旁吃早饭时，我总想凑近你同你谈句什么，然而，你却非常自然地一边啜着热粥，一边给马甘霖他们几个爱听故事的人，断断续续地讲着哈代的《卡斯特桥市长》，你那双神采飞舞的大眼睛，竟对我连一瞥都不赐予。我不由得走到另一边，同几个男同学边吃边聊，而我在一瞥之中，却看见钢华同班主任老师站在一起，忘了喝手中碗里的粥，絮絮地说着什么，并且朝你斜了一眼……

那一天吃过早饭以后，我们便收拾起行李，返回学校。记得上敞篷汽车时，我已经在上面了，你和几个女同学还在下面，我向你喊着："大眼猫，把你的行李递给我！"而你笑着，仿佛并没有听见我的呼喊，却把行李包递给了隔我两个人的马甘霖，并让他拉着你的手，帮你爬上车来。

我知道，我已经失去的东西，是很难补救回来的了。我怅然地靠着车挡板坐着，直到同学们一起合唱起《好久没到这方来》，我也不由得随着唱了起来时，才暂时好受了一点。

啊，那个难忘的夏天，那些隐秘的、难以形容的情绪，那种期望与胆怯，惶惑与甜蜜……从少年时代向青年时代过渡的岁月啊，你来去匆匆，而你酿成的酒，越陈却越醇厚……

12

当那沉重的打击降临时，大眼猫，你是怎样的反应？你也很想知道，我是怎样的反应吧？

同学们纷纷接到了大学的录取通知书。而我虽然每天都到院门口翘首等候邮递员来临，却一次一次地被邮递员的摇头弄得莫知所措时，我也曾幻想过：这不过是因为某种技术上的原因，使我应得的那一份录取通知书延误了吧？

记得是夏日沉闷的中午，天空仿佛罩着一块发散着腥气的灰抹布，没有风，树枝都仿佛是没有生命的仿制品，唯有惹人心烦的蝉儿挣命似的狂叫着。已经对迎候邮递员失却了信心的我，这时，忽然听见院外传来邮递员那嘎哑的吆喝声："高如松——信！"

我穿着木板拖鞋，呱哒呱哒地跑了出去，接过那封盖着招生季员会戳子的信，不及回屋，便颤抖地撕开，抖开了信纸，霎时，眼里窜进了几串火星，头上响起了一声闷雷——那是一张不录取通知书！

不记得我是怎么拖着步子回到屋里的了，只约略地能忆起，我扑到了床上，把头埋到了枕头里，任眼泪渗透到了枕头芯中……

要知道，那个时候，高中毕业生很少有考不取大学的；尤其是我们那样一所名牌中学的高中毕业生，考不取大学，的的确确是奇耻大辱！况且，我参加高考答卷时的自我感觉颇佳，出考场后与同伙们核对答案，也少有差错，怎么竟会名落孙山呢？！迷惑、愤慨、痛苦、羞耻……我简直不知道自己该怎么继续生活下去！

感谢马甘霖，是他及时地跑到了我家，把我从床上拉了起来，先劝慰我，继而饱含同情地披露说："你知道你为什么考不上吗？在档案上，钢华给你写的操行评语真够你戗的……她简直就直截了当地在评语里说，像你这样的学生，建议不要录取进大学学习！她给施闽荔写的评语比你的还糟：个人主义极端严重，作风不正派，不接受批评教育，走'白专'道路……难怪施闽荔虽然考得比你还好，也一样得了份不录取通知！"

啊，大眼猫，我这才知道，你也没有考取！你的没考取，比我自己的落考更令我痛心疾首——凭什么啊！

也不记得马甘霖是怎么离开我的，只记得我穿着木板拖鞋就跑出了院子。我呱哒呱哒地走出了胡同，呱哒呱哒地走到了街上，我盼快点下雨，下瓢泼大雨，好淋个痛快，然而却刮起个风，人们扔下的冰棍纸在风里飞舞起来，街旁的树木疯狂地摆动着枝条，街上的人声更显得嘈杂难耐……雨始终没有下来，而我的心里却经历了一场有生以来最狂暴的倾盆大雨！

不想细致地回忆那个苦闷的夏天里的往事了。总之，经历了家庭的责备与安慰，邻居的冷眼与窃议，同学们的猜测与惊忧之后，我的痛苦与沮丧竟也终于稀薄下去，我既没有找有关的部门去反映情况，也并没有找钢华去吵架报复，同时还拒绝了家庭和亲友让我准备一年后再考的建议，到了秋风徐来的时日，当我的思绪也变得格外冷静时，我便毅然地参加了工作。

我为什么要到邮电局去工作呢？大眼猫，你还记得那个奇妙的夏夜，在那个蛙鸣不断的池塘边，在那株绿丝如发的大柳树下，你对我说过的那些话吗？你提到过邮电学院。在我报考大学时，邮电学院是我的第一志愿，我现在不可能迈进邮电学院的大门了，然而我却终于和邮电结上了不解之缘。我平心静气地到邮电局报了到，并且自愿担任了分检员。

当我今天把这段经历，讲给我那些已经长大的侄儿侄女听，他们总不能理解。他们不懂得我们50年代末、60年代初的一代青年，是怎样的一种状况。

他们总是愤愤地问：钢华凭什么能给你们写操行评语呢？

然而，当时的我，虽也曾产生过愤慨情绪，却很快也便接受了现实。因为学校是党领导的，党的助手是团，因此团支部在班上也便起着领导作用。当时我们的班主任不是党员，他也确实不如钢华更了解我们的情况，因此，虽然操行评语最后以班主任的名义签署，实际上却由钢华起草，便成为顺理成章的事了。而钢华，我很难说她给我写那样的评语，是蓄意打击报复。她是为了坚决贯彻"重在政治表现"的政策啊！既然我与大眼猫接近，我爱读《约翰·克利斯朵夫》，我与大眼猫在那个夏夜有过那样的行为，而我后来又没有揭露作为团员的大眼猫的"不正派作风"，因此我的"政治表现"当然属于不良之列。为了保卫社会主义大学的纯洁性，她是理应"实事求是"地向组织上反映意见，以免像我这样的青年占据了不该占有的位置啊！我敢说，钢华誊抄那些评语时，一定是脸儿涨得通红，浓眉耸动着，咬着嘴唇，充满纯真的感情的！

大眼猫，你当时是怎样想的呢？我不清楚，直到今天，我还是不清楚。

不过，有一点，我们两人是共同的：我们咬紧牙关，在自己的生活道路上迈步。我们拒绝主动与任何先前的同学联系，包括马甘霖那样的对我们充满了同情的同学。马甘霖从所考取的钢铁学院给我们来过许多封信，我一封也没有回，后来我得知，你也是这样。我们之间，也避免相见。当然，也许是我比你软弱，也许是你比我软弱，该怎么解释，姑且不论吧……我到邮电局之后，曾给过你一信，记得我精心选择了一个素白的信封，用的是特意选用的一张图样古雅的敦煌壁画的邮票，信纸则是一张有兰草图样的隐格纸，我在那封信里，表示了愿与你通信联系的愿望，说是只要你回我一信，我便可将自己当时所思所想的全数写给你看……而你没有回我的信。我等待了三天，一周，半个月，终于意识到已经没有指望。我的心情最后复归于平静。我理解，这是你性格的必然——你必须从沉默和冷静之中，去实现你的凤凰涅槃。

回想起来，这是一件多么古怪的事啊。我们同在一城之中，纵然我们住在不同的城区，然而我们总得生活，我们生活的轨迹，总不外乎得纵横于王府井、西单、东单、西四、东四、北京图书馆、中山公园、北海、天坛、人民剧场、大华电影院、东安市场旧书摊、美术馆的展览会……我们该有许多次相遇的机会！可我们在高中毕业以后直至"文化大革命"起来的七个年头里，却几乎没有邂逅过一回……啊，我终于懂得了——为什么太阳系中有那么多的小行星和彗星，人类却用不着担心那些小行星和彗星会与地球碰撞，从而产生异变……人生中的相逢，原不像电影、戏剧、小说中那么常见！

只有一次，大约是1963年吧，一个溽热的夏日，在平安里的31路汽车站，我刚从一辆电车上下来，偶然一瞥之中，看见一个身影，正跃上前面待发的 31 路汽车，那身影使我的眼睛一热——啊，大眼猫！那该真是你吧？仍旧是细高的身材，仍旧是淡黄的肤色，仍旧是短而薄的头发，唯独没有看清正面，不能验证面庞上可有那双又大又亮的眼睛！你穿着一件洗得褪了色的淡蓝色布拉吉，手里提着一个浅褐色的布口袋，从布口袋被撑出的印迹上看，那里头满装着厚厚的书籍，在你细弱的左手腕上，戴着一只闪闪发光的小表。我正待大步赶上那辆 31 路汽车，并想不顾一切地冲上车时，车门"砰"地一声关合了，随之车子便开动离站，我叫了几声"大眼猫"，匆匆地朝车窗里探望着，除了几张对我表示惊愕和嘲笑的陌生面庞，我并没有发现你的面影……啊，大眼猫，那一定就是你吧？你当时看见我了吗？你为什么就不能把你的面庞凑拢车窗，看我一眼，并让我也看你一眼呢？

1963 年的夏日，那个热得闷人的下午，在平安里的 31 路（现在已改称 331 路）车站，大眼猫啊，你给我带来了多么痛楚的回忆，多么难堪的思绪，多么沉重的心情！人生啊，这悲欢，这离合，你就不能在我眼前显现得更丰富多彩，更隽永有趣么？

后来，还是那个并不生我气，固执地主动与我保持联系的马甘霖来找我，谈起你，我才知道你在我进邮电局不久，也便到中关村的一个科学院的研究所里，当了实验室的最低级的助理实验员。这消息更证明了那个穿着淡蓝色布拉吉的身影，分明就是你——31 路的终点站，不就在中关村么？

13

生活没有亏待我，因为我对生活忠实，邮电局的领导和大多数同事，渐渐从我身上发现了一种可贵的素质，就是我并没有因为自己是高中毕业生，便轻贱自己所从事的平凡的工作。无论是分检信件，在柜台后负责邮寄包裹，还是临时顶替去送报送信，我都能认真负责，细致周到。因此，钢华给我写下的评语，也便渐渐失去效力——我在 1964 年被吸收为共青团员，并在那一年里被评为先进工作者。当时的《北京日报》甚至为我发表过一段消息,虽然只有八百字,只占据报纸的小小一角,却使我家里的人受宠若惊——这条小小的消息,彻底消除了他们因为我没考取大学的遗憾之感。大眼猫,你看到过这条消息吗?如果看到了,你会产生怎样的感想呢?那条消息虽然表扬了我,把我当成未上大学却能为社会主义事业作出贡献的一种典型,但在对我的介绍中,却又多少带有点"从落后到先进"的意味。其实,我上高中时又何尝是落后的呢?当我阅读《约翰·克利斯朵夫》时,我并没有忘记保尔·柯察金啊;当我跟你接近时,我也并没有格外疏远钢华啊;就是在西集公社的那个无名的池塘边上,当晚风吹拂着我们的面颊,柳丝拍打着我们的肩膀时,我们所谈论的,不也是如何把自己的青春奉献给我们可爱的社会主义祖国吗?……大眼猫,倘若你读到了那条消息,看见了那些字句,你是露出了意味深长的微笑,还是微拢起眉头深思呢?

因为钢华的一个错误的判断,使你和我失去了上大学深造的机会,现在我总算得到了一种补偿,被革命事业承认为无害而且有益的了。可你呢?大眼猫,在中关村那个我一无所知的研究所里,在那个我无法想象的实验室中,人们正拿什么眼光度量你,钢华给你在档案上写下的第一条评语,对你还有没有制约力?你在自己的人生道路上,该还在艰难然而顽强地前行!

有一天,大约已经是1965年的初冬了,我正整理、分发当天待递的报纸,忽然,一个粗黑的通栏标题使我吃了一惊,那标题写着批判某某同志的某种谬论!对"某种谬论"究竟谬不谬我兴趣不大,然而,那某某同志,却不能不令我关心,因为,如果不是另外有一个同名同姓的人,那某某同志,就是钢华的父亲。

说实在的,到那以前,我已将钢华深藏到记忆抽屉的最深一屉中去了。从马甘霖那里我陆续得知了她的消息:她自然考上了一所名牌大学,而她选择的专业,说实在的却是那所大学中比较艰苦的一种专业,这正体现出党对她的重视和她对党的忠贞。同许多素质与她相同的学生干部命运一样,她没有等到毕业便抽到系里工作——自然不是搞教学工作,而是搞党务工作。到1965年的初冬,她该已经是一个老练的党务工作干部了。这一切都是顺理成章的,毫不令人惊讶。然而,偏偏是她的父亲,却被党报登载长文公开点名进行了批判。

我站在邮电局的工作台前,匆匆读了一遍那篇批判文章,文章所批判的论点和所阐发的论点，我都不能理解，然而，读完后我却不再怀疑，那被批判为宣扬修正主义的某某同志，确凿就是钢华的父亲，因为文章点明了他所担任的职务。

尽管我对钢华和她的父母都谈不到有什么感情，然而这篇批判文章的出现，却使我对她和她的家庭产生了一种朦胧的关注。

大眼猫，你当时也读到了这篇文章吗？你作何感想呢？你的反应，一定比我更其复杂。不过，有一点我是清楚的，就是你并不会有丝毫幸灾乐祸的情绪。大眼猫，我是了解你的，不然，我也不会在那个难忘的夏夜，随你到那个无名的池塘边去了。我还记得，在月光下，那池塘中的水浮莲开出的紫花，闪现着一种幽美、神秘的光晕……

14

"不理解啊……"这是 1966 年夏天，"文化大革命"爆发以后，大多数人在私下场合经常喟叹的一句话。

是的，我不能理解！当年钢华那么虔诚地推荐给我的《平凡的真理》已被宣判为"黑书"不说，作者冯定也被作为"黑帮"揪出；而钢华的父亲，报上在再登批判他的文章时，也已不再称作同志；有一天我从一张从西安传来的造反派传单上，看见一条消息，就是《在和平的日子里》那本"修正主义"小说的"黑作者"，也已被"打翻在地"……

还好，我的家庭和我自己，暂时还没有受到波及。因为我的父亲和母亲都是某中央机关的极一般的干部，既非领导层成员，也无历史问题，所以无论是揪斗"走资派"，还是横扫"牛鬼蛇神"，他们都不是对象。我在此之前早已搬到邮电局后院的一间小屋中居住，有我自己相对的独立性。然而，正在北京出差的哥哥，接到了工作单位从南昌的来电，召他回去参加运动。他是个老技术员，从 1965 年春天就借调到北京，参加一个技术项目的科研活动。他对中断已经颇有进展的研究活动大惑不解，对回到南昌以后将会遇到的情况忧心忡忡。当时北京市区的街头已经开始出现许多异常现象，哥哥在我那间小小的宿舍中，一支接一支地抽烟，喃喃地说："不理解，真的不理解啊……"

然而，并不是所有的人都不理解，有人非常理解，起码是自认为非常理解。

我送哥哥去南昌。在北京站那笼罩着动荡不安气氛的站台上，忽然，我看到了一个熟人，当我瞥见她时，她也瞧见了我，那是钢华！

钢华是来送她的弟弟上车的。原来，她的弟弟铁旗也在南昌工作。铁旗闷闷地低着头，显然，他是想不通的，可是钢华……大眼猫，你大概不可能想象到，钢华在同我意外地相遇时，竟会是那样的一种精神状态！

记不清我们俩是谁先招呼谁的了。总之，我们自然地凑拢到了一起，我向她介绍了我的哥哥，她向我介绍了她的弟弟。

我不知该怎么同她谈话。那并不是"千言万语不知从何谈起"的感觉，而是唯愿我能没有在那个人声嘈杂的站台上遇见她的心情。

她却是坦然的、抖擞的，甚至是活泼的。她问完我在哪儿工作，跟着就问："你们那儿的运动搞得怎么样？"

啊，运动！我立即想到了首先被这场运动所批判的她的父亲！我真不知该怎么回答，按说在那样一个场合，我是不该坦率地表露自己思想的，可是我还是脱口而出地说："这个运动，我不理解……"

"你要努力地理解，积极地投入啊！"钢华已经不再是区区团支部书记，而是大学一个系的党总支书记了。七年过去，她的相貌并没有多大变化，只不过把两条短辫变成了一头厚密粗黑的短发，还是那样地耸动着粗黑的男人般的眉毛，还是那样的口吻，还是那样的气派！

也许是她那令我比运动本身更加不能理解的态度，使得我产生了一种冲动吧，我忍不住问："你父亲……情况怎么样？"

她的脸色，竟越发开朗起来，她谈话的语气声调，竟格外爽朗："他么？挨了批判，群众斗争了他……原来我跟妈妈也有点想不通。他回到家里，我打热水给他，他一边洗着脸上的墨迹，一边对我和妈妈说：'没什么！群众运动嘛，总是这样的！他们批斗我的错误，我是共产党人，失去的只是思想上的灰尘，得到的是宝贵的教训嘛！'他还给我们形容，给他戴的纸帽子有多高，'造反派'往他脸上画墨圈圈时，他怎么弓下身子去，一动也不动，好让他们把圈圈画圆……把我跟妈妈都逗乐了！高如松呀，你不要在群众运动面前'叶公好龙'嘛，你不也学习过毛主席的《湖南农民运动考察报告》吗？'好得很'还是'糟得很'，这路线上的大是大非可要分清啊！我们系里的革命师生，也给我贴了不少大字报——烧我的修正主义流毒嘛！有的还画了漫画，说我是黑帮的走狗，这过火一点，也算不了什么！我这种从校门到校门的干部，应当多经受点群众运动急风暴雨的考验！……"

大眼猫，钢华在那种情况下，还是那么样地真诚，那么样地恳挚！她的一番话，不但确实令我感动，也让我的哥哥消除了不少愁颜，就是她的弟弟铁旗，脸色仿佛也稍许好转了一点。

我哥哥和她弟弟都上车了。临上车，钢华不仅鼓励她弟弟积极投入运动，还用力地同我哥哥握手，连连勉励他："回去以后就投入运动，要相信党，要正确对待这场大革命，正确对待群众，正确对待自己！"仿佛她对我哥哥也担负着一种政治思想工作的责任。

大眼猫，我和钢华的这次相遇，也只使我对这场运动些许理解了大约一周。当所谓"百丑图"在公共场所大肆张贴，而某些单位打死人的消息不胫而走时，我就不但恢复了不理解，而且随着事态的恶性发展，爽性在心底里泛滥开了腹诽……

15

我们那个邮电局的运动搞得"不好"。我因为既非"造反派"，也非被揪的对象，所以格外冷静，我那间小小的不被人注意的宿舍，便成了一个难得的世外桃源——当反插上门扣时，我竟可以从褥子底下拿出珍藏的《契诃夫小说集》，努力使自己沉浸进去。

然而，大约是已近初秋的时节，马甘霖突然闯入了我的"桃源"。在那样的时势下，我不能不格外谨慎，所以当马甘霖满面油汗，喘吁吁地问我："你没听到什么消息吗？"我只冷淡得出奇地坐在床铺上，慢悠悠地说："什么消息？今天中央台的广播里没什么重要消息啊……"马甘霖急得把脚一顿，胖胖的脸庞上，一双眼睛责备地盯住我，急促地说："施闽荔家遭殃了！……"

我陡然跳了起来，一把揪住马甘霖的衣领，仿佛他犯了向我隐匿、迟误消息的罪过，脸上的青筋全都暴突出来，狂暴地摇晃着他的身子，厉声地问："怎么了？！告诉我，她家怎么了啊？！"

马甘霖掰开了我的手，吁出一口气来，不再用责备的眼光看我，而是痛心地扶住了我的肩膀，压低声音说："事情出在前天……"

啊，大眼猫，运动一开始，我就想到过你，想到过你的家庭。你是不会出什么问题的，在科学院的那个研究所里，你是芝麻粒儿，有什么理由去冲击你呢？你的父亲，我约摸记得，是个工程师，可入党比较早，好像在解放前就入了党，历史该没有什么问题，他在那个技术单位里，好像也还算不上什么"反动权威"，并且也没有担负很重要的领导职务，所以大概也够不上"走资派"，因此，你家顶多被破破"四旧"，受点一般的冲击而已……我分析到这些，便比较安心。然而，马甘霖却带来了那样的消息！

原来，是湖北的一些"造反派"跑到北京来把你父亲揪出来的，说他是湖北当年地下党的一个什么"叛徒集团"的成员，不但砸抄了你的家，劫走了你父亲，而且还打伤了你的母亲。你的母亲大约当时忍无可忍，嚷了几句什么话，结果她们医院里的"造反派"便同湖北的"造反派"联合在一起，把你的母亲打入了医院的"劳改队"，罪名是"现行反革命"！

"大眼猫呢？她呢？她呢？"我追问马甘霖，可马甘霖也不知道你的具体情况，他是路过你家住的那个楼区时，从你家邻居那里得知这些消息的，那邻居唯独说不清你的情况。

马甘霖走了，我愣愣地坐在屋子里。天黑了，我也没有开灯。这是什么运动？！钢华的父亲和你的父亲，怎么都成了坏人？！钢华和你，怎么都成了"黑崽子"！钢华她想得通，你能想得通吗？！我想不通！想不通！想不通！我一拳砸到玻璃板上，玻璃板碎了，我的手疼痛起来，拉开灯，手上点点的鲜血，滴到了我的衣襟上。

第二天下了班，我骑上自行车，顶着漫天风沙，到你家住的那个楼区去。我有一种后悔莫及的感觉，其实从我那个邮电局到你家，骑车无非只需一个小时，而在以往七年的 $7 \times 365 \times 24$ 个小时里，我竟一直没有下决心去找过你。为什么？

为什么啊! 人的感情, 人的行动, 在命运的发展过程中, 常常是如此奇谲。

我到了你家的那个楼区, 找到了你家住的那幢楼, 并且找到了你家的那个单元。只见你家门上贴着封条, 门两边是一些残破丑恶的大字报。我心里怦怦地跳着, 那封条意味着什么呢? 我不理解! 难道你的父母成了"敌人", 你也便不能回这个家了吗? 我颓丧地一步步走下楼梯, 每走一步都恨不能大嚷几声, 大哭一场。

我终于走出了楼外, 忽然, 一样东西映入了我的眼帘, 那东西被抛弃在楼门一侧的垃圾口处, 混在一堆垃圾之中——大眼猫, 你知道那是什么东西吗? 你猜, 你猜啊, 你应当能够猜到——那是一个蒙满尘土的破损的塑料书夹, 橘红色的, 对, 尽管它沾着污垢, 被损害、被侮辱、被抛弃了, 然而它依旧呈现着橘红色!

我弯腰拾起那橘红色的书夹, 那来自东德的, 你父亲出国时带回来给你当做礼物的, 你曾用来夹过《大卫·科波菲尔》, 夹过《铁流》, 夹过《巴金文集》, 夹过《相对论浅谈》和《反杜林论》的书夹, 我掸掉它上面的灰尘, 用衣襟擦去它上面的污垢, 抚摸着它边缘上无法弥补的裂缝和缺损……

"笨笨笨笨笨", 我仿佛听到了你的声音! 大眼猫, 真的, 在那么个情况下, 当我手里拿着那个橘红色的书夹时, 我耳边分明出现了这样的声音! 啊, 大眼猫, 一切的一切, 都回到了我的心中: 那些桌椅相连的座位, 朗诵马雅可夫斯基诗歌的班会, 物理老师笑眯眯的面容, 西集公社那小树林中水坑里浸泡着的柳木, 打在我脸上的带马粪味的小土圪垯, 水渠堤上的水曲柳, 池塘中的水浮莲所开的紫色的花, 在卡车上我向你伸出手来而你却拉住了马甘霖的手, 平安里 31 路汽车站那难忘的一瞥……

一切都被否定掉了! 一切都变了形! 一切都已不堪回首!

我把那橘红色的破损的书夹夹到了自行车车座上, 正待推车返回时, 一个中年妇女走近我, 并且叫住了我——我朦胧地意识到, 她大概早就在一旁注意我好久了。

"同志, 你找谁? "她盯着我问。

"我谁也不找。"我不能不警惕。

人啊, 人与人啊, 怎么必得这样生活?

"你是找施家来的吗? "她放低声音, 两眼直视着我。

"嗯。"我从她的眼睛里，看到一种可以信赖的光芒。

"他们家出事啦……"她很快地左顾右盼了一下，见附近并没有人，便简要地把所出的事同我讲了一遍。她说的，与马甘霖所说恰好互为佐证。

"施闽荔呢？"我迫不及待地问。

"我也说不清。不知道是搬到单位去了，还是随她父亲去了……"

"随她父亲去？怎么会？她有什么罪？他们凭什么揪她？"

"她当然没有罪，他们也不至于揪她，可她对父亲一贯孝顺，她也许会自动随父亲去，她照顾他……施工程师有严重的心脏病呀！"

"他们不会那么人道，会允许一个女儿跟着一个老头子，去照顾他……"我判断着，"她也许还是搬到单位里去了吧？"

"那也可能。"那中年妇女满面忧戚地望着我问，"你是她家什么人？"

我想编造一个身份。然而，我觉得这个世界上的假话已经太多，我应该哪怕只冒险说一句真话，使这个世界能多少变得可亲可爱一点。于是我便对她说："我是施闽荔高中时候的同学。我们当年挺要好的。我希望她平平安安。我想帮助她。"

那妇女只是望着我叹气。她不知道我能怎么样地帮助你，正如她不知道该怎么样地帮助我似的。

人啊，人与人啊，你们的心，如果仅仅能这样地相近，生活不也就增添了一分光明么？

我不再犹豫，我把早有准备的一封信掏出来，递给她，恳切地对她说："您是施家的邻居吧？也许，施闽荔会回到这儿来的，如果您见着了她，请把这封信交给她。"

"好的好的。"她有点紧张地把那封信塞进了手里的菜篮子里，又左顾右盼了一下，望着我，对我说，"我想她如果没跟着去湖北，总要回到这儿来的，她就是进不去自己家，她也会来找我……我一定给她……"

有什么比陌路相逢而能互相信任更能使人变得纯朴呢？我激动起来，便对她说："您太好了！我这封信里，没写什么碍事的话，我只是留下了我现在的地址，让她在需要我帮助时，按那地址去找我。请您告诉她：我那儿没人注意，很安全……"

大眼猫，我就这样同那位可敬可爱的大嫂分手了。我虽然只同她见过这一面，然而，她却好比是一个光点，使我那段昏暗的生活中，出现了一种希望，一股力量。大眼猫，她叫什么名字？她现在生活得如何？我要永远为她祝福……

16

在那以后，当我一个人独自待在宿舍里时，我就常常处于一种等待状态。我相信，会有那么一个时刻，我那小屋的木门上会响起不寻常的叩门声，当我打开门时，门外会出现你的身影……大眼猫，难道我这种期待，这种痛苦而甜蜜的期待，不是有可能的吗？

我所工作的邮电局尽管也乱了起来，然而我们的业务，毕竟还得维持，所以没有乱到不成体统的地步。邮局后院的门已被损坏，所以进出更加便当。当然，通向营业室的铁门每晚还是按制度锁得紧紧的，因为营业室里有保险箱和待领的包裹。我的宿舍在后院食堂堆放煤末的棚子后头，那里虽然显得破败污秽，却使我可以更放心地在那里维持着一个"世外桃源"。在熬过了1966年末和1967年初的严冬之后，到1967年夏天时，我已经放肆到公然可以在午休时倒扣着门，看残留的一册《燕山夜话》。正是在那时候，我才更其痛切地感到《燕山夜话》里一些文章是那么可贵。

我等待着你。而你久久地没有出现。马甘霖被他们那个设计院下放到干校去以前，又来过我的"桃源"一趟。据他说，你们家的那个单元已经住上了一家夫妻双造反的人家，而你所在的那个研究所，也已被"砸烂"，全体科技人员都连锅端地下放到南方一个什么农村去了。他认为我们从此更难得到你的消息。而我听了他的报道，却反而觉得你更有可能在某一天，来叩响我的木门。

我所期待的叩门声终于出现了。记得那是一个雨夜，没有闪，没有雷，下着中雨，大约已经是晚上十点多钟，我已躺下，并且熄了灯，双手枕在脑后，听着那雨声，瞪着黑黝黝的天花板，想着想不清楚的种种事情。我忽然觉得，我这间散发着霉味的小屋，好比是一只蜗牛壳，而我，便是一只蜷缩在壳中的蜗牛。难道我就此终了一生么？难道这壳外的生活，就永远如此荒诞，如此离奇，如此令人气闷和沮丧么？……

模模糊糊地，传来一种和雨声、积水中水泡破灭声不同的声音，然而一开始我并没有惊觉。尽管我等待叩门的声音等待了那么久，一旦终于真正出现时，我却简直不敢相信——莫不又是我的幻觉吧？

啊，清晰起来了！那节奏比雨声要急促，要紧迫——是叩门的声音，一定是你终于来了！

我一滚就下了床，三下两下穿好衣裤，竟不待拉开电灯，便过去开门——当我拔门扣的一刹那，我本能地问了一声："谁？"

"我！"

啊，我都听不出那熟悉的声音了，然而我用不着怀疑！我慌乱地开着门，因为慌乱，门反而打不开，终于打开以后，我只看出一件湿漉漉的不合身的雨衣，随里面身躯的颤动哆嗦着……

把来人让进了屋，我这才去拉灯，一边拉灯绳，一边呼唤着："大眼猫，你来了！"

我听见一声凄楚的呜咽，简直要把我的心都撕碎了。我拉开了灯，只见我的床边蜷缩着一个湿淋淋的身躯，一头被雨水淋得透湿的头发在灯光下晃动着，一双污秽的手捂住了低垂的脸，那呜咽的声音，便从那指缝中溢出……

"大眼猫，别伤心，到了我这儿，你就安全了……"我大概是这般地安慰着。

忽然，那湿淋淋的头发向后一甩，来人抬起了头，并且撒开了双手，啊，我不禁愣住了——是我在做梦？还是我眼花了？我分明看见，坐在那儿的并不是你，而是钢华！

钢华望了我一眼，又哽咽地哭泣起来。我把门上的两道门扣都扣紧，把窗帘拉得更严密，帮她脱去了雨衣，递给她干毛巾擦头，然而我仍旧在半信半疑：这是真的吗？不是你，而是钢华！

就是那个曾经为通过劳卫制标准而在沙坑旁苦练的钢华！

就是那个曾经在校园林荫道上给你讲大道理的钢华！

也就是那个给我们写下了不能被大学录取的评语的钢华！

并且活生生的就是那个在头年夏天的北京站站台上，鼓励我和哥哥要积极投入这个伟大的运动的钢华！

啊，大眼猫，看见钢华是这么一副狼狈、颓丧、神经质的样子，我把以往对她的一切嫌厌都抛到太平洋里去了，我心中油然涌出一种浓烈的同情，我还不曾对世界上的另一个人有过这么具体、这么充分、这么面对面可以当场赋予的同情。

我给她倒了一杯热水，递到她的手中，诚恳地对她说："别怪我，我刚才没搞清楚，我以为你是施闽荔……钢华，你怎么了？你别伤心，别着急，我会尽最大的努力来帮助你的！"

"我要逃！逃走！我要逃走！"钢华两眼直愣愣地望着对面的墙壁。

她完全变成了另外一个人，虽然她还是那么一张面庞，那么一对浓眉，那么一双厚嘴唇，那么一种声音，然而她的轮廓线的变动，她的表情的新成分，她的语调的更异，都证明着她的内心发生了近乎一百八十度的变化……

"告诉我，你遇到什么情况了，钢华？"我坐到她对面的椅子上，让她可以从容地说。

屋外的雨下得大些了，雨声足以掩盖住从窗门漏出去的声音，更何况我这宿舍前面是堆煤的大棚。我自己松弛了下来，劝慰着钢华，让她也松弛下来。

"你记得去年在火车站，咱们碰上的情况吗？"钢华开始说了，"那时候，我真的相信，这是革命的群众运动，一切都会很快地变得正常起来，走上正轨的……我爸爸，我妈妈，也是这么想的。所以尽管我们都受到了冲击，特别是爸爸，他受到了实际上已经难以解释和忍受的冲击，我们还是勉励自己，共产党员，要听党的话，要正确对待这场大革命……可是，不理解，没法子理解——情况不是一天天变得正常，而是一天天变得更不正常，越来越不正常！……

"今年三月里，爸爸被他们那个系统的'造反派'没日没夜地游斗，我和妈妈完全没有了他的准确消息……我和妈妈总盼望情况会好转起来，总拼命地用语录，用信念，有时候甚至用祈祷的方式，来支持自己，或者说来麻醉自己。我们一遍又一遍地互相重复安慰说：上面会了解到这种过火的情况的，两报一刊的下一篇社论就该号召纠偏了……可是，你也清楚，谁也没盼来那样的指示！一天夜里，突然有人来猛敲我家的门……"

说到这里，钢华说不下去了。她猛地用手背擦了一把眼泪，紧咬着嘴唇，咬得那么用力，仿佛只有这样，才能承受住灵魂上的重压。

大眼猫，你一定能够猜到，钢华遇到了什么样的变故。她的父亲被宣布为"自绝于人民"了。那时候，她和她母亲虽然也都被各自的单位关进了"牛棚"，但还只是白天去请罪、扫厕所，晚上许可回家。你可以想象，那一夜她们母女两个是怎样度过的！

钢华在叙述了她父亲惨遭迫害致死的情况后，逐渐变得冷峻起来。她讲到了自己思想上所发生的变化：

"……我一夜没有合眼，可第二天我还得去请罪。一到系里，我就看见一份新贴出来的大字报，说江青又接见了造反派，有最新指示，我刚看了一行，发现江青那次接见和支持的'造反派'，恰是杀死爸爸的那一伙，就没有再看下去……

"从那一分钟起，我的思想感情开始有了根本的变化，我意识到，归根结底，我得重新衡量我自己……你明白吗？在写检查的时间里，我头一回一个字也没写，可我在灵魂深处开始了真正的检查，我回忆起了一切。包括当年高中毕业时，我给你和施闽荔所写的操行评语……哈哈！我革命，我左，我这革命精神，这左的劲头，深受我爸爸熏陶，可是，弄到现在，我爸爸被杀死了！我也被打倒了！为什么？不是来了国民党，说我们革命有罪，说我们左派该杀，而是来了'革命造反派'，'无产阶级革命造反派'，说我们反革命，说我们左得不够因而是右……我阻止了你和施闽荔这样的人上大学，认为你们不可靠，多少年来，我总是参加招生政审工作，挑选了那么多可靠的……可是，怪，清华大学的蒯大富也好，航空学院的韩爱晶也好，我们系里的'造反派'头头也好，他们不光出身好，操行评语也好，我们自己选的，结果，偏偏是他们，主要是他们，来造我们这些人的反，说我们还不够左，太右了，'反革命修正主义'，把我们打翻在地，还要踏上一万只脚！哈哈哈哈！"

钢华显然处于一种控制不住自己的亢奋状态，她在倾诉这一切时，嘴角不时抽搐，声音也越来越大。我不得不拍拍她的肩膀，劝慰说："钢华，你要冷静点，要冷静……"

"我够冷静的了！"钢华的表情简直像在狞笑，"我就居然一直甘心每天过被开除了人籍的畜生生活！妈妈是四月里被捕的，当时我不知道她怎么会被突然抓进监狱，后来我才知道，原来她写了一封信给中央文革，告害死爸爸的那伙人的状，她信里还给江青提了意见，说她不该不了解情况就支持那样的‘造反派’……她是扑灯蛾！可怜的妈妈！监狱的折磨倒摧不垮她，我担心的是信念上的危机，那种灵魂的滚钉板！……上个月，我因为‘态度顽固’，升格了，由允许回家变成了彻底地搬进了‘牛棚’。学校里的两大造反派又开始了武斗，他们冲进了‘牛棚’，各自抢走了一部分‘牛鬼蛇神’，我算是属于‘红革造’这一派的‘牛’。武斗吃了亏以后，他们就在已经变成堡垒的实验楼里，用侮辱和拷打我们这些‘牛鬼蛇神’来发泄兽性……今天夜里，靠看守里头一个还有些人性的女同学帮助，我总算逃了出来！高如松，我必须立刻离开北京，躲到他们找不到的地方去，你要帮助我！你会帮助我的，是吧……”

我这才想起来问：“你是怎么找到我这里来的呢？”

钢华哆哆嗦嗦地从衣兜里，掏出了一个被揉皱、被雨水浸湿的信封，递到了我的手中。我接过来一看，大吃一惊，原来，那正是我请你的邻居——那位大嫂转给你的那封信！

“这信怎么会到了你的手里？”

钢华苦笑了一下，说：

“也许是命运吧！我逃出来，天黑路滑，无处躲藏，忽然想起离施闽荔家不远，也许她能不念旧恶，给我帮助……真是怪事，在这种情况下，我感到过去认为是落后分子的同志，反倒是可以信赖的！我就到了她家……”

“她家不是被‘造反派’强占了吗？”

“对，真危险……可是，也许是因为天太晚了吧，又下着雨，打开门的那个女的没有追究我，只是不耐烦地说她住在另一个单元的五楼三号。我找了去，施闽荔果然在！她这是借住在一位大嫂家里。她一看我的情形，就什么都明白了……当时，那大嫂家好像有许多人，不知道为什么坐了一桌在那里喝酒吃饭，施闽荔递给了我你的这封信，她小声告诉我，这信里还画了路线图，连进了你们这邮局后院，在哪个方位上能找到你的屋门都注明了……她把我送到了楼门口，握着我的手说：‘钢华，你要活下去，你要坚强！高如松一定会像对待我那样帮助你的！'……"

啊，大眼猫，在这个难忘的雨夜里，你的话不但点燃了钢华心里那抗争的火焰，也传导给了我充沛的热力。是的，要活下去，要坚强，而且应当努力地帮助蒙受着灾难的好人！

我给钢华冲了牛奶，让她吃了面包，又请她在我的床上休息了一下，同时为她准备了最简单的行装，然后，趁着夜和雨的掩护，我同她到了北京火车站，把她隐蔽在候车室的一个角落里以后，去为她买了凌晨最早的一趟火车的车票，并把她送上了车。我给了她足够的路费，让她带着我为她写好的一封信，先到天津去找我的姐姐，然后再让我姐姐帮助她买到去苏州的车票，让她去找我的姑妈。我姑妈是一个1964年已经退休的银行职员，老处女，一个人生活，这场运动把她给遗忘了，她那里似乎也是个"世外桃源"……

我姑妈没有参加过任何党派，没有受过任何政治运动的冲击，也没有在任何政治运动中当过积极分子，然而她工作时勤恳努力，退休后也乐善好义，完全不用向她介绍钢华的全部底细，只要钢华把我写给她的短信递给她，她戴上老花镜看完了那封信，钢华便一定能受到亲生女儿般的接待，正如解放前她曾收留、掩护过一位地下党员一样。她并不把这种行动看成是一种什么政治上的功劳，而当做自己做人的本分……

在那个中雨下个不停，冷风把雨丝吹得哗哗抖动的凌晨，我送走了钢华。啊，八年前的钢华，她觉得这天空天然是她的天空，这大地天然是她的大地，她的天然使命便是革别人的命，衡量别人在生活中应有的价值……然而，八年过去，她万万没有想到，大眼猫，你我也没有想到，这天地之间，竟难以寻觅到一角容她安身的隙地！现在是别人在彻底地革她的命，并且不许她革命，甚至一笔抹煞了她在生活中应有的价值！这是多么凄惨而又可悲的变化！

啊，大眼猫，这些年来，生活所呈现出的复杂而多变的面目，真让我们思索不尽啊！也许，真能把这一切思索清楚的，只能是一二百年以后的那些幸福的后辈人吧？

17

送走了钢华以后，我本想去找你。钢华没跟我说清楚，你是怎么住进那位大嫂家中的？你们那个单位的人，不是已经连锅端到农村去了吗？你怎么独独能回到北京呢？

然而，我后来却并没有去找你。

为什么？原因很简单。我那时仍每天作邮件分检工作。在近乎机械的分检过程中，我突然发现了一封信皮上赫然写着你名字的信。我忍不住停下了分检。我仔细地研究那封信：信封是用晒图纸自己粘成的，因此没有当时流行的语录和图徽，收信地址写着你借住的那个单元，寄出的地址写着我们邮局管区最边缘处的一个技术单位的名称，我特别注意到，那名称最后还缀着一个"王"字。研究完了，我便把它扔进了应在的格子中，继续分检别的信件。然而，直到回到我那小小的宿舍中，那封信的模样和信皮上的字迹，仍时时在我的心上浮现，王什么呢？是你的什么人呢？亲戚？同事？老同学？我挨着个儿把当年班上姓王的回忆了一遍，他们没有一个人在那个单位中工作……

这封信的出现，先是延迟了我去找你的时间；后来的一个月里，我在分检中又几次发现了同样的信，只是偶尔换用正式的印有语录的信封，信皮上的笔迹总是那么流利匆促，而末尾总缀着一个"王"字，于是，我终于打消了去找你的念头。

因为，很明显，你已经有了一个"王"，他甚至一周会给你发出两封信。奇怪的是，他与你既同在一城，为何不去找你而非写信不可呢？

后来，我有意换工去分检寄到我们邮电局待递的来信。在等待了一些时日之后，我终于发现了你那熟悉的笔迹，寄往地址写着那个技术单位，寄出地址写着你的住处而且缀着一个"施"字。当然，我也知道了他的名字：王岱魁。这名字更证实了其人的性别。

面对着这样的情况，我是怎样一种心情呢？

大眼猫，我内心最隐秘的东西，也愿向你和盘托出！我先是浮出了嫉妒的丝缕，继而沉静下来，把对你的思念化为清朗纯洁的回忆，最后，我确实为你默默地祝祷：愿你幸福！

大眼猫，八年前的那个难忘的夏夜，我没能回答出你那个问题，正如钢华后来从我姑妈那里写来的长信告诉我的那样，你认为我是拒绝了你的求爱，而你的个性，决定了你决不第二次提出同一个要求……

大眼猫，我不怨你，我也没理由怨你，而你倒应当怨我，可你并没有怨我，我们互相都没有愧怨——谁能为从少年时代向青年时代转换时所产生的朦胧而美好的感情，以及那难免的羞涩和误会，而愧悔，而怨恨呢？

大眼猫，我祝福你，并且也祝福自己。我没有再去找你，我也没有在失恋的情绪中沉沦。后来，我同邮局的一位译电员、一位非常可爱的姑娘相爱了。那时虽是最混乱的岁月，然而我们依旧寻到了充满诗意的隐蔽角落，而柔美的银色月光，也慷慨地沐浴着我们的身心……我向她求爱，她接受了。我们成了家。

请相信，哪怕在最黑暗、最混乱的岁月里，普通的人，善良的人，也总还是要顽强地生活，寻觅爱情和温暖，互相扶持，互相慰藉的。

18

火车的车轮在轧过铁轨的每一个接头时，都发出尖锐的响声，这就构成了一种单调的节奏，列车上的乘客可以随自己的心情，去把这节奏化为不同词语的反复出现。

这已经是 1974 年。我倚在靠窗的座位上，任混乱的思绪，一会儿把车轮和铁轨的撞击声化为"批林批孔，批林批孔……"一会儿又化为"谁想得通？谁想得通？……"更多的时候是化为"病情严重，病情严重……"

大眼猫，我那时已经成了家，而且小女儿珊珊已经三岁。这天，我突然接到嫂子来信，说哥哥"病情严重，如可能，你最好请假来江西看看他"，这意味着哥哥已经不能亲笔写信了。于是，我便请假乘火车去江西。

那时候的火车上，虽然已经不搞全体起立、齐诵语录、齐祝万寿无疆和永远健康之类的仪式，但是车内的广播，却以极大的音量，没完没了地转播着"批林批孔"的文章。也许是一种消极抵制吧，车内的乘客们不是闭眼养神，便是大声地交谈。当然，谁又能信任谁呢？那交谈，自然主要是扯与政治无关的事情：怎样配制偏方治疗肝炎啦，"甩手疗法"和"鸡血疗法"究竟灵不灵啦，什么地方能够买到货真价实的好木耳啦，女人和男人究竟哪个更耐饥寒啦……

我闭眼靠在座位上，胡思乱想着，忽然，我听见对面有位男同志，大概是为了论证"女同志比男同志更经得起冻饿"吧，讲起了一个例子："……是前年冬天的事儿，那时候我还在干校，我们干校在山西农村，离县城二十多里。我们连队有个老王，他爱人可真了不起！那个女同志，瘦高条儿，看上去挺文弱，可她来干校探亲，带着一大卷行李，还抱着个孩子，硬是一个人在风雪里头走了二十里地，你说她多经得起冻饿？……"

我听见身旁的老大爷问："这老王咋不去接她呢？"

"她事前写了信，可那信到了干校，让干校的专案组给扣下了，当时老王正受审查，他爱人还不知道呢。他爱人的单位当时名义上外迁了，实际上好多人都抵制，请假回来住在家里没有再去，因为在那里什么事情也做不成……老王的爱人当时不知怎么的在北京也住不下去了，所以就带着孩子来投奔老王。她下了火车以后，满以为老王会来接她，谁知根本没有人来接；她想找辆往我们干校这边开的卡车、拖拉机，漫天大雪，根本没有车来；她想住店，可她没有单位介绍信，人家不收留……她在车上又没吃上饭，因为车太挤，送饭的小车根本就没推到她坐的那节车厢。你们想想看吧，大风，大雪，天又黑，肚子又饿，举目无亲，真是一点抓挠也没有……开头，她还能一手抱着孩子，一手勉强提着行李走，后来，孩子哭开了，行李搁在脚底下，她根本没法子腾出手来提……"

"造孽啊……"我身旁的老大爷叹息着，"一个妇道人家，这可怎么是好呀！"

这时我已经睁开眼睛，集中了注意力。我盯着对面那位脸上有浅麻子的叙述者，一个闪念，从我心头掠过……

"可她还真的在天亮以前，敲开了我们宿舍的门，老王吓了一跳，我们也吃惊不小！"

"她是怎么走到你们干校的呢？"我插进去问。

浅麻子瞥了我一眼，依然望着老大爷，继续说："她真了不起啊。她后来告诉我们，她是这么办的：哄得孩子睡着了，她就咬紧牙关，用脚踢着行李往前走，踢累了，歇一歇，就那么往前踢着、走着……"

"唉呀，可真行啊！"老大爷感叹着。同座的一位老大娘和一位戴眼镜的小伙子原来没怎么在意，这时也一齐发出了"啧啧"的叹服声。

"你们那位老王，是不是叫王岱魁？"我忍不住问。

浅麻子仔细打量了我几眼，警惕地问："你认识他？"

"我，不……我可能认识他的爱人……"

"你认识他的爱人？"浅麻子反过来问我，"你知道他爱人叫什么名字吗？"

啊，我差点说出"她叫大眼猫！"难道我不该那么说吗？我只能那么称呼你啊！我觉得只有那么称呼你，才能充分体现出我对你的思念和关怀……当然，我犹豫了一下，便回答那位同志说："她叫施闽荔。"

"对呀！对呀！"对方兴奋地同我搭起话来，"你怎么认识她？你是她什么人呢？"

大眼猫，就这样，我同他攀谈起来，并且渐渐达成了相互的信任。

啊，大眼猫，我已经好几年不知你的音讯了，原来你在这样顽强地生活着！

他告诉我，你那晚到达干校时，简直完全成了个雪人，你那行李卷，竟成了一个硕大的、包着一层冰壳的雪球！你进屋以后的第一个动作，便是揭开怀里孩子头上的被子，当你看到孩子在均匀地呼吸着，闭眼酣睡，在一群惊愕的男同志们面前，你畅快地笑了起来。接着，你就问你爱人："有酒没有？"人们争先恐后地为你找来了酒。你拿过酒瓶，咕冬咕冬连喝几口……啊，大眼猫，你不愧是一团火，你能在漆黑的夜里，在寒冷的角落，闪出光亮，发散出温暖！

他告诉我，干校的专案组简直拿你没有办法。你在女同志宿舍安顿下来以后，"宾至如归"，白天你把孩子托给托儿组，同女同志们一起下地干活，晚上你一边哄着孩子睡觉，还一边看专业书籍。人家劝你，你就笑笑说："我又不是你们单位的，谁也管不着！我白给你们干校干这么多活，难道换取一点自学的时间，也不允许吗？"专案组的人找你谈话，你就同他们谈学习《反杜林论》的心得，你巧妙地点出他们不懂得科学社会主义学说，不懂得唯物辩证法，并且不懂得形式逻辑，把他们弄得尴尬不堪，却并不直接地为你爱人的所谓"反动思想"问题辩护。后来，干校对你爱人问题不得不"落实政策"了，你就爽性同老王搬到一间小屋里去住。你们制订了一个学习外语的计划，每天认真地按计划执行，在孩子的吵闹声中，在窗外高音喇叭的干扰之下，在不理解你们的人的冷眼面前，在为你们担忧的人的劝慰过后，你们就那么坚强而乐观地生活着，学习着，准备着……你们在准备迎接什么呢——更痛苦更沉重的打击？还是真能盼来的那么一个晴朗的早晨？

大眼猫，那次火车上的奇遇过后，我的脑海中多次浮现出你在风雪中的身影：你如何怀抱着孩子，踢着行李卷……风在呼啸，雪在纷飞，然而你的一双大眼睛，却灼灼地闪着生活的信念、奋斗的光芒！

人们都说生活真如一把雕刻刀，竟能使人在岁月的流逝中发生巨大的变形；然而我说生活也真如一个打磨器，它能使有的人的灵魂显示出顽强不变、琢磨愈精的特性。大眼猫，生活于你，大约就属于第二种情况。

是的，你始终还是你，那个用橘红色的塑料书夹夹着厚书贪婪地阅读的你，那个在班会上朗诵马雅可夫斯基长诗《列宁》的你，那个嘴里发出"笨笨笨笨笨"的声音却又无私地给马甘霖补课的你，那个不在乎金质奖章和保送入学的你，那个在西集夏夜的池塘边询问我志向的你，那个在不公正的操行评语支配下落考的你，那个毫不犹豫地在雨夜中帮助了钢华的你……

我到了江西，只见到了我的嫂子，她悲痛欲绝，因为哥哥在我动身时已经去世，他是在混乱离奇的世事刺激和忧国忧民的良心煎熬下，患癌症去世的。我劝慰着嫂子，很自然地举出了你的例子。大眼猫，关于你的故事，竟确确实实使我的嫂子稍许平静了呢……

从江西回到北京，回到我那依然那么小然而人口已经增长了两倍的"桃源"。我从书桌中找出了那个已经老化了的橘红色的塑料书夹，摆弄着，我的女儿问我："爸爸，这是什么呀？"我告诉她："这是一个故事！"她要我讲那故事，我对她说："等你长大以后，爸爸一定讲给你听！"当时我爱人坐在旁边，她望着我，只是微笑，她知道我的全部秘密，我想，这也许正如你的爱人也知道你的全部秘密一样……

大眼猫啊，我们何时才相逢呢？

19

廿年一觉京华梦,我们终于梦醒相逢在湖边!

真不可思议,1979 年的秋天,一个星期日的下午,在动物园的水禽湖畔,我正带着女儿珊珊漫步着,忽然与你和你的儿子对面相逢!

我一眼便认出了你,大眼猫!你也一眼便认出了我!其实我们双方的相貌都有了不小的变化,我们都老了,都稍许发胖了,眼角都有了鱼尾纹,然而我们还是用不着细细辨别,便即刻认出了对方!

我们的孩子更是似曾相识,他们立即玩在了一起,沿着水禽湖的栏杆嬉戏着,指点着天鹅,讥笑着野鸭……

我们坐在湖畔的长椅上,一缕金色的柳丝,悬挂在我们眼前,透过柳丝,浅蓝的湖水反射着银白的日光,两只鹈鹕划破了平静的水面,游过去,还拍打着它们宽大的翅膀……那边的火烈鸟鸣叫着,对面的岸上,一只孔雀在高视阔步。

我们不慌不忙地聊了起来,就仿佛我们上个星期还见过面。

你告诉我,你早在"文化大革命"之前,就坚持上完了夜大学,学完了全部大学专业课程,取得了毕业文凭。而王岱魁,恰是当时夜大学的兼课教师。后来你们那个研究所终于还是迁回了北京。你在情况稍许好转,科研工作刚一恢复上马时,就又和一些有良心、有志向的科研人员一起,排除种种干扰和阻力,投入了专题研究。去年,你们已经取得了具体的成果,你们的学术报告,在国际上得到了重视和赞誉,而那报告的英文译本,便是你的手笔。你目前已取得了相当大学讲师的地位,你等待着形势的进一步好转,等待着正式评定职称,你打算使自己在 1982 年达到副研究员的水平……

你的父亲在运动中病故了。母亲依旧在医院工作,她已成了主任医师。你们已搬回了原来的那个单元,你和爱人、孩子同母亲住在一起;而那位大嫂,她叫姚芝芳,依旧是那么古道热肠,经常来帮助你们,因为在她看来,你们一家人都是书呆子,都那么不会料理生活……

我也告诉了你我的情况。我的工作不可能使我获得你那样的前途,然而,我却从平凡琐细的工作中,从和谐活跃的家庭生活中,体味到了把自己熔铸进促使民族繁荣富强的伟大事业的甘苦，以及求得内心稳定的乐趣……

孩子们的欢笑声从远处传送过来。一队白天鹅昂着脖颈，从我们眼前的湖水中游过，游过去以后，在依旧荡漾的水波中，浮着几片雪白的鹅毛。

你的老王到美国当研究生去了，我的爱人这时候大概正在忙着翻译电文，我们互相询问了家里人的情况，便渐渐回忆起那些闪烁着永不褪色的光晕的往事来。我们回忆起了那些桌椅相连的座位，图书馆里书架形成的小径，物理老师的好脾气，营火晚会上的歌声，乃至于"笨笨笨笨笨"和马甘霖憨厚的胖脸……然而，我们都绕过了那些打在我脸上的土坷垃，绕过了那口长满青苔的井，绕过了那个奇妙的池塘，以及池塘中的蛙鸣烘托下显得格外奇妙的水浮莲的紫花……

我们当然都没有忘记，也不应当忘记，也没有必要忘记，也不可能在肉体尚存时就熄灭掉那铭心刻肺的记忆，然而我不提起，你也不说，让我们都把从少年时代向青年时代过渡的那些灵魂的颤动，那些朦胧的愿望，那些难以避免的误会和错失，珍重地锁在灵魂深处轻易不开的保险箱中吧！

终于，我们不约而同地谈到了钢华。我告诉你，钢华在我姑妈那里躲藏到了1968年的秋天，她回到工宣队治下的学校后，在整党中被"劝退"了，下放到农村分校去从事总务工作。她的母亲不明不白地死在了狱中，连骨灰也没有留下。她的弟弟铁旗在江西经受不了这样的家庭巨变，加以地方越远，单位越小，运动的形式便越野蛮这一规律的作用，在被株连挨斗的当晚，便自杀了——他是确凿死于自杀，他用自己的裤带把自己勒死在暖气管上，是坐着断气的……钢华到了农村分校以后，便几乎没有再给我写信，她究竟想些什么？怎样走她前面的生活之路？都不得其详。

大眼猫，倒是你告诉我，你前些日子遇上了钢华，是在颐和园的长廊上。她仿佛大病初愈，憔悴、倦怠——简直完全变成了另一种性格的人。她烫了发，穿着很考究，并且很注意色调的搭配。她谈话慢悠悠的，甚而很有点吞吞吐吐。她的父亲和母亲，还有她的弟弟，都平反昭雪了。三个单位都请她去出席了隆重的追悼会。然而说起这些时，据你的描绘，她竟然是一副玩世不恭的表情："哼，滑稽死了，放哀乐，默哀三分钟，念悼词……可是有什么用呢？都劝我要把悲痛化为力量，可是我的悲痛早就化得无影无踪了。我已经麻木，我老想怪笑……力量！

朝哪个方向运动的力量？！"

当然，她恢复了党籍，并且还请她担任系党总支的工作，甚至还考虑把她升为校一级的政工干部。但她拒绝了这样的安排，坚持要到图书馆去工作。终于答应了她。她现在是图书馆的副主任，然而她陷入了新的苦恼：原来图书馆工作也是一门专门的学问，她当年根本没有在业务上下工夫，外语也不行，她在图书馆的具体业务工作中简直摸不着门，而从头学起又很难、很难……

她结婚了吗？没有。她凄然地对大眼猫说："这是当年我整你和高如松的报应！几乎没有一个男同志爱我！因为，多少年来，我简直也是一个男人，或者说，我是一个中性的人，人们可以敬佩我、羡慕我，忌恨我、厌弃我……然而，却不会爱我，不想像占有一个女人那样地占有我！"

啊，大眼猫，让我们同来一哭！为钢华，为这从未品尝过爱情滋味的可怜的人，为这在从少年时代向青年时代过渡的时期，自己没有领略过朦胧的初恋之情，并且戕害了别人纯真的感情，最后又以"左"得不够的"修正主义"罪名惨遭打击的人，为她的不幸，她的悲剧，她身上所凝聚的沉重的历史教训，来痛痛快快地大哭一场吧！大眼猫，你是不喜欢哭的，可你难道会拒绝和钢华、和我一起，去寻一条避免这类悲剧再度发生的理智之路么！

钢华和你从长廊出去，一直走到昆明湖西岸，走到那幽僻的玉带桥上。钢华向你问出了这样的问题："大眼猫，说真的，你还信仰马克思主义吗？"

你回答她："当然信仰。当年，我就是信仰的，不过，那时候还很幼稚，理解得不深。在后来的岁月里，特别是经历了这十年浩劫，经过一番磨炼，经过深深的思考，我觉得自己的信念更坚定了，更成熟了。马克思主义，这是一门科学，目前的世界上，让我这么信服的，能够解释自然和社会，解释人，解释人与人之间关系的学说，还没有超过马克思主义的……也许，正因为我是从寻求科学真理的角度，来理解革命事业，来信仰马克思主义的，遇到十年动乱这样的情况，我虽然也有动摇，也有痛苦，也有任自己沉沦下去的潜意识，可是我终于能够挺住……钢华啊，也许，正因为你是仅仅从所谓纯朴的阶级感情出发，从家庭、社会熏陶中所形成的一种本能出发，来理解革命，来信仰马克思主义的，所以一遇到复杂的情况，特别是遇到假马克思主义的泛滥，你就发懵了。加上你们一家的遭遇也确实太惨痛，于是你这个原来以怀疑、检查别人对马克思主义是否忠诚为己任的人，反而发生了信仰危机……"

啊，大眼猫，我不知道钢华听了你这些肺腑之言以后，究竟怎么想。如今我时常在一个人沉思时频频发出感叹：二十年过去，昔日似乎是最不成问题的天然革命者钢华，成了这样一种精神状态；而似乎是最成问题的天然"右倾分子"——你，大眼猫，却如此坚定地在信仰危机的波涛中成为一块坚强的、经得起风吹雨打的礁石！这该如何解释？从中又可以提炼出怎样的教益呢？

夕阳西下，动物园水禽湖中倒映着玫瑰色的霞光。大眼猫，我和你一同站了起来，各自招呼着自己的孩子。我们的孩子一脸欢笑，朝我们跑来了，他们是多么可爱，多么纯真，他们应该并且必定能够过上比我们更合理、更美好的生活！

大眼猫，就这样，我们重新建立了联系，并且约定以后要抽空去看望钢华。

20

当夕阳映照着绿野时，蜻蜓还照例栖息在苇尖上吧？

当晚风拂过青纱帐时，空气中依旧飘荡着那浓郁的庄稼特有的气息吧？

当月亮升起来时，池塘中那水浮莲的紫色花朵，必定还要生出淡淡的光晕吧？

当夜气浸润着那微微飘动的柳丝时，露珠儿该还在默默地凝聚吧？

然而我们的少年时代和青年时代，已经匆匆而去，再不复返了！

大眼猫，当我步入"四十大寿"之际，我的心潮犹如风中的江水，激荡而回旋，我的思绪犹如江船的白帆，鼓涨而疾进。有一种说法，说是人生从四十岁方正式开始，我很乐于遵从此说。于是我写下了这一切，为你，为钢华，为我们这一代人，为我自己，并且也为了我们的下一代……

序幕已经终结。有待开始的，便是人生的正剧。

1981 年 1 月 30 日

写毕于北京垂杨柳

立体交叉桥

谨将此作呈献给——所有为公众开拓居住空间和心灵空间而努力的人们。

第一章

1

有什么新的变化吗？

每回从郊区回来，下了公共汽车，走拢东单十字路口时，侯锐总希冀能看出一点征兆，预示着立体交叉桥即将动工。

然而，他总是失望。

十字路口西北角，把口的那座古旧大棚构成的"东单饭馆"，依旧触目惊心地映入了他的眼帘。这家永远拥挤的饭馆一侧，照例有人排队在购买煎饼卷油条。三十年了，这座丑陋陈旧的饭馆虽然一再粉刷，却永不见拆除重建，它还要存在多久呢？

侯锐走到十字路口的铁栏面前，点燃一支烟，朝十字路口西南角望去。那里的人行道后侧，呈 L 形竖立着高大的、连续不断的商业广告。他很快便发现了广告的最新变化：拐弯处的一幅，换成了日本松下电器公司的广告，一个巨大的孙悟空从彩色电视机的荧光屏中飞出，背景用无数小金属圆片组成，随着空气的流荡，小圆片微微摆动着，在夕阳映照下，构成了金波闪动的视觉效果。望着这些彩绘的、充满匠气的商业广告，侯锐吐出一口烟来。他想，生活毕竟还是有了一些变化，多年来人们所向往的东西，即便还不能立即获得，总算有了实现的可能。

侯锐是北京师范学院 1964 年的毕业生，毕业后分配到远郊一所公社中学担任语文教师。到这 1980 年的秋天，他已经整整三十九岁了。上大学的时候，他是公认的美男子。他有着宽阔的前额，一双明亮的大眼睛，长短配搭恰到好处的鼻子和嘴，以及当中有天然凹槽的极富魅力的下巴。他曾经在高校运动会上拿过 100 米自由泳比赛的亚军，由此可以想见他有着怎样的体魄。但是，此刻站在十字路口人行道边上抽烟的侯锐，已经有点未老先衰，他的鬓发竟已斑白，眼角的鱼尾纹虽不甚明显，泪囊却已青灰可辨，而且昔日红润紧实的皮肤，业已变得黄黑粗糙。不过从稍远处望去，他仍不失为一个有吸引力的壮年男子。

侯锐怀着一种复杂的心情，倚在铁栏上，望着东单十字路口壅塞喧嚣的景象。横过十字路口的东西向长安街固然宽阔，但与其垂直交叉的南北街道，特别是东单以北的街道，却狭窄得与长安街极不相称。这里分明需要尽快建起立体交叉桥。然而……

侯锐把抽剩的烟蒂扔到脚下，双手撑住铁栏，望着马路上纷繁驳杂的车流，任失望与向往的丝缕，在心头交织成一张五味俱全的网。

正在这时，有人用手掌拍着他的肩膀，令他吃了一惊。

2

侯锐扭过头来，一眼认出了面前站着的胖子，是大学时的同学葛佑汉。

葛佑汉当年是以在职干部身份投考大学的，比侯锐大五岁。他本想考个名牌大学，出来到研究单位去"高级"一下，万没想到只考取了个师范学院，毕业后分配到胡同里一所最不起眼的中学当教师。这是葛佑汉一生中最大的憾事，至今他仍极其怀念昔日的机关，以及他在机关当科员的那段生活。"要不是当时迷了心窍，非考大学不可，我早混上个科长罗！"这话他常对人说。到了中学谁都看不起，但别人几乎也都看不起他，因为他简直不会教课。后来他当了图书馆的管理员，又半真半假地时时为慢性肾炎而病休。他这些年是怎么过来的？什么政治运动、十年动乱，对他虽然不无影响，但很难以此为线索来概括他的生活。多年来，他不看报纸，不听广播，不打听政治性小道消息，也几乎不看除家具图样和菜谱以外的任何书籍。而他居然是图书馆的管理员！他用五年的时间奔走在各个换房站，结识了无数的房管员，他乘人之危，如家庭纠纷、死了亲属而感到恐惧、家庭成员政治上沉沦所造成的窘境等等情况，以合法手续，不断扩大着自己换来的住房。目前他住着新楼区一种格局最佳的三层楼上的三居室单元，而他家只有三口人，就是他和他的老婆以及一个还在上小学的儿子。他家里有着全堂颇为考究的家具摆设，这些东西都是他长年奔走于全市所有的信托商店，细致地加以考察、比较、选择、退换、卖掉然后再买进……逐一凑齐的。

此刻他腆着肚子，坦然地立在老同学侯锐的面前。他的圆脸庞上，眼皮、鼻子、嘴巴都肉嘟嘟的，显示着营养的充分与心情的闲适。他手里提着一只硕大的草编菜篮，里面塞满了刚从东单菜市场买到的鲜货。侯锐瞥了一眼，只见两条湿淋淋、厚敦敦的鱼尾，引人注目地翘在篮外。

"嘿，我一眼就认出你后脊梁了！"葛佑汉敞开喉咙，满面笑容地说，"你这是干吗呢？闲了没事，用眼睛过车瘾么？"

"我才从学校回来。刚下车不大会儿，还没回家呢。"侯锐懒懒地说。他并不希望与这样一位老同学邂逅。

"怎么着，你们家还没搬吗？"葛佑汉依旧是喊叫似的问。

"往哪儿搬呢？"侯锐心上仿佛被刺了一刀。他尤其不愿意同葛佑汉谈论这个问题。他知道葛佑汉如今住着怎样的房子，看出来葛佑汉从骨髓里往外喷溢的得意劲儿和优越感。他从葛佑汉的眼神里意识到，对方的脑际此刻一定闪现着侯家三代同堂的平房小屋内的情景。

"别着急，等着拆迁吧，快了！"葛佑汉用空着的手指点着十字路口说，"听说这一二年就动工，修立体交叉桥；跟日本人订的合同，人家给钱，给设计，咱们自己施工；瞧着吧，那时候你们家就扬眉吐气了……"葛佑汉不容侯锐插嘴，忽然迈前一步，用粗短的手指点着侯锐的胸脯，降低嗓门，以极亲昵的口吻嘱咐着，"到时候别让拆迁办公室给坑了，他们准让你们往垂杨柳搬，不能去！那儿离造纸厂太近，喝了那儿的水要得癌；团结湖南区也别去，那儿地势低，一下雨楼底下全成了蛤蟆塘……你就咬定牙关，非团结湖北区不可，非三楼不可，非大过厅、双壁橱的不可……告诉你吧，'有志者事竟成'、'坚持到底就是胜利'，这两句格言最灵验！"

"你的消息有多少根据？立体交叉桥，八字没一撇呢！"侯锐依旧懒懒地对他说，"我又不像你那么能耐，会换房。"

侯锐以为葛佑汉听了他最后一句话，会现出不高兴的表情来。谁知葛佑汉的脸上更增加了几分诚恳，他连连点头说："是啊是啊，你哪像我似的，豁出去，二皮脸，跑跑颠颠，求爷爷告奶奶的。再说你平日又在城外，星期六才回来，星期一一大早又得走人……"

侯锐已经偏过头去，望着夕阳渐暗、暮色缓降的长安街，继续想自己的心事，葛佑汉却心平气和地又跟他叨唠了几句，这才告别而去。

3

侯锐的家，就在离十字路口不远的一条胡同里。倘若东单真要修立体交叉桥，他家住的那个院子，是非拆掉不可的。

侯锐慢腾腾地朝胡同走去。

胡同里一片灰色。灰墙、灰瓦顶、灰色的路面。像每回一样，侯锐一进胡同，情绪也便灰了下来。

侯锐近年来每周必回家，甚至于一周回家两次。其实从他那个学校跑回家来，要步行两里路，搭乘长途汽车，再换市内汽车，时间、精力的消耗都很大。可他还是宁愿得空就往家跑。

侯锐也曾有过那么一个阶段，心中充满玫瑰色的意念，决心扎根农村，为在农民子弟中普及中等教育干一番事业。在这种心气最盛的时候，他一度半年才回一次家。然而纷乱的世事像无数把利剪，早已绞断了拴系在他心上的理想之线。这两年，他们公社所属的三所中学里，已经有十多名教师回了城里，说是照顾家庭困难、个人身体不佳，其实谁都清楚，他们自己也并不隐瞒：几乎全都靠的是死磨硬泡加拉关系走后门。调回城里以后，他们便纵情享受城市特有的物质与精神生活，又何尝有几个真的比以往更体贴地照顾双亲，又有几个真的静息养病呢？

侯锐在公社所在地的镇上逛街，遇上以往教过的学生，他们大多已经成了公社地区见多识广、自认看透世事的活跃人物，他们总是劈面便问侯锐："侯老师，您还没调回城里哪？"侯锐从他们的脸上、眼里，清楚地看出了一种轻蔑或怜悯的表情。生活已经变成了这个样子：甘心在比较艰苦的地方为人民工作，在人们心目当中竟成了可疑或可怜的状态；你还没有把自己调往更舒适的地方吗？你真没有能耐，你这人真窝囊！侯锐忍受不了这种对待，有一回他用反抗的声气说："没调回去呢。没门路。你别光瞅着我乐，你倒帮帮我的忙，给我活动活动！"对方一龇牙，毫无顾忌，甚而面带几分得意，又掺杂着几分挑逗与轻蔑，大声地说："行啊！可您能帮我干点啥呢？"侯锐扭身就走了。他恨自己，他轻贱自己，因为他一无钱二无权三无门路，他只能乞求别人救助，而无力拿出什么来与别人交换。在现今的生活中，他觉得自己简直是个废物！"窝囊废！"他自己骂着自己，这样心里才不堵得慌。

前面就快到侯锐家的院门了。他出于一种复杂的心情，停了下来，站到电线杆下，点燃了一支烟。他望着那古旧的院门。据说那个院子几十年前是一家客店，因此里面拥塞着几层排房。侯锐家的那间屋子后墙上的小窗子现在亮着灯光，把一块粉不叽叽的带蓝花儿的窗帘布照透了。这块窗帘布在侯锐的心中勾起了一股酽酽的柔情，这毕竟是唯一称得起"家"的地方啊。但同时也从他心中泛起了一种酸苦的不平。门洞右拐是他的家，斜前方便是男厕。那些往来在长安街上的外地同志和洋人，大概万不会想到在这离长安街不过一二百米远的地方，竟有这样简陋、肮脏的厕所。记不得哪本书上曾经断言过，一处地方的文明程度究竟如何，最权威的标志是厕所的状况。其实侯锐他们院的厕所倒也并非不能打扫干净，但奇怪极了，虽然近些年来院中各家越来越讲究家具摆设，却对公用设施，如院中的路灯、自来水龙头、乃至这厕所，越来越不知爱惜、管理，厕所里永远乱扔着手纸，使人无处下脚。侯锐曾经下最大的决心，一个人去打扫过，但当时便惹得院里一些人不高兴，因为他这一行动本身，似乎便意味着对院内长年住户的一种轻蔑，而这是他们所断断不能容忍的；再一次回到家中，侯锐发现厕所状况依然如故，他也便从此放弃了改造院内厕所的雄心。

站在自己家的院门外头，居然想了半天关于厕所的事。这真滑稽，或者也是窝囊废的一种表现。侯锐苦笑起来。

侯锐很不情愿地想起了刚才在路口的邂逅。不情愿，脑海中却偏浮现出葛佑汉的胖脸来，这说明人真是不能抑制自己的思维。侯锐去过葛佑汉家里一次，那三居室单元的每一个细部都令侯锐嫉羡得发狂。不是侯锐没有见过世面，侯锐去过城外的军队大院，那儿的单元房远比葛佑汉住的高级。但人家总算师出有名，葛佑汉凭个什么呢？

侯锐常常把葛佑汉的情况拿来同蔡伯都比，越比，他就越感到愤愤不平。

蔡伯都是他和葛佑汉共同的同学。蔡伯都现在是某剧团的专业编剧。近二年来，他的两个剧本都打得很响，剧团演出，电影厂拍片，出版社出书，对外刊物介绍，报纸上发表了不止一篇评论，电视台还邀请他同观众见面。用葛佑汉的话说，蔡伯都"成仙"了。但是蔡伯都又住得如何呢？直到头两个月，他才终于根据照顾有成就的文艺工作者的政策，分到了一个两间的小单元。这单元恰恰在葛佑汉提起就要撇嘴的团结湖南区，并且位于一栋楼的最高一层。当然，这比以往三代四口人挤住在一间小平房中强多了，然而搬进去以后，依然并不显得宽松。葛佑汉和蔡伯都的住房情况，常常激起侯锐万千的感慨。要想把我们这个社会整治得真正体现出多劳多得、按劳取酬的面貌，真是太难了。蔡伯都已算时代的幸运儿，但他只能依靠"组织"，他甚至比侯锐更不会寻觅、利用"组织"以外的，实际上比"组织"更有实际分配权的个人关系，所以充其量他只能分到这么一个单元。为了落实这么个最高层的单元，多少领导同志斟酌了又斟酌，画了多少圈儿，这才分到蔡伯都手中。而同一栋楼中那些二、三层的大单元呢？是否都住着比蔡伯都更出色、更知名的角色？怪，竟有好几家是葛佑汉式的人物。别光给人们讲述干部享受特权的故事了，也该让人们见识见识葛佑汉这样的市侩。昏庸的干部和善于钻营的市侩，就像枯木与毒蕈那样互相体恤着。

侯锐扔掉熄灭了的半截香烟。他依旧沉默地站在那棵电线杆下。路灯亮了，路灯光使胡同里的灰色转化为一种暗银色。不知为什么，这就使原本显得枯燥乏味的胡同增添了一种风韵。

忽然，侯锐的心提升到了嗓子眼。他先听到一种清脆的、节奏熟悉的高跟鞋敲击地面的声音，然后，那期待中的、又熟悉又陌生的身影在路灯光的光圈中显现了出来。走来的是一个四十岁上下的妇女,她穿着入时的豆青色外套和醉枣色长裤,头发烫成蓬松的大鬈儿,其中一鬈弯成一个 C 字,搭在长而不宽的脑门上;她的眼睛是细长的有如豆角,高鼻梁,厚而红的梭形嘴唇紧闭着;右手挽着一只洋红色的人造革手提包,充满自信地朝前迈进着。

侯锐目不转睛地,甚而含有几分挑逗地盯着她。当她进入到路灯光的光圈中时,她显然也发现了侯锐,但她仅仅是向侯锐投去匆忙而冷漠的一瞥,步履和体态却丝毫不为所动,咯噔咯噔地从侯锐身前走过去了。

侯锐转过身,把胳膊抬起挨到电线杆上,把脑门贴拢胳膊,痛苦地咬着嘴唇。一股烫水般的潮,在他心中涌起来。

4

侯锐爱过她。

他俩是小学时同学。上六年级时,有一回在校园里玩捉迷藏,不知怎地心血来潮,他俩一块翻墙躲到了一个死旮旯里。那里面布满多年无人打扫的厚厚的蛛网。他俩躲了一小会儿,便被阴湿的气息熏得心堵气短,而且,大的、小的、黑的、麻的,各种蜘蛛都爬到了他们的脖领中、头发里。那旮旯非常之小,所以他俩只得紧挤到一块儿。在那阴湿的、蜘蛛出没的人世一角中,侯锐体验到了最原始的最朦胧的一种冲动和觉醒。仿佛整个世界都被压缩到了这样一个小旮旯里,只有他和她。他的脸离她的脸那么近,以至于他能数出她有多少根睫毛。他的呼吸连着她的呼吸。侯锐从一种最自然的挨挤和接触中,模模糊糊地懂得了女人的身体比男人柔软,而且有一种天然的具有诱惑力的气味。

他们躲在那里,时间仿佛凝固了。逮人的小伙伴找不到他俩,高声地呼叫着:"侯锐,出来!傅燕敏,出来!"他的眼睛从很近的距离望着她的眼睛,他俩从对方的瞳仁里发现了自己,他俩咯咯咯得意地笑了。

谁也没有逮着他们。他们悄悄地从那旮旯里爬了出来。当晚,侯锐怎么也睡不着觉,·除了精神上的亢奋外,早起叠被抖搂出好几只压死的蜘蛛,也是使他辗转反侧的原因。

小学毕业以后，他们各自考上了不同的中学。侯锐上的是男校，傅燕敏上的是女校。虽然他两同住在一条胡同，常有对面相遇的机会，但他们却再未通话。这当然主要是由于存在着一种不容少男少女自由来往的封建性道德约束，同时，也是由于他们双方性格上的软弱。

中学毕业以后，侯锐上了师范学院，傅燕敏却参加了工作，在一家搞工艺美术的工厂里当出纳。从师范学院毕业以后，侯锐分到了远离市中心的远郊，很自然地，他虽然有过一些露水式的爱情经历，但要落实一个跟他登记结婚的妻子，却变得明显地困难起来。农村虽然不乏追求他的姑娘，以及把他放到婚事天平上称量的干部家长，但他却不愿那样安排自己的生活。于是乎他同千千万万的同代人一样，要依靠亲友给他介绍对象。这件事一提出来，他就主动表示愿与胡同那头的傅燕敏谈谈。

他们两人再一次很近很近地凑到一起，是在北海公园的濠濮涧。他们回忆起了小学时的生活，尤其是津津有味、互为补充地回忆了那一次在旮旯中躲藏的情形。回忆到最后，他那硬实的身躯紧紧地贴在了她那柔软的身躯上，于是，像人类社会中亿万次出现过的那样，他扳过她的头来，吻了她。

事后，他们被介绍人分头询问："你对她有啥不满意的？"他说不出来。他觉得她额头太窄太长，这是美中不足。然而只要随时注意把额上的一鬃浓发披拂下来，不也看得过去吗？为了巩固对她的感情，他甚至于特意从各种角度唤起对那额头的好感。"我的额头是横宽的，她的额头是窄长的，我们后代的额头就将是苏格拉底式的……"他这样想，并且先是暗暗地，后是公开地称她的额头为"我的巴颜喀拉山"。

然而傅燕敏对他的考虑却远不是从美学角度出发的。她对介绍人说："他能调回城里来吗？他家没房，我们在哪儿结婚呢？"这不能怪她，生活本身就是这样实际。还是在濠濮涧，侯锐跟她背诵李商隐的无题诗，傅燕敏却痴痴地望着那些奇形怪状的太湖石，当侯锐背诵完了问她"喜欢不喜欢"时，她偏过头来，郑重其事地问："咱们要是成了，你每月还得给你妈多少钱？"

他们的关系一下子便中断了。后来爆发了人所共知的"文化大革命"，要是在城里，侯锐算得了什么？而在他们那个公社，因为他居然在《北京日报》上发表过一首有十二行之多的诗，因此他便作为"反动权威"揪了出来。他被戴着高帽子游了街，高帽子上写着"资产阶级的孝子贤孙"——的的确确，"贤"字写成了"肾"字。他就作为"肾孙"被反复批斗了多次，最后罚他烧了两年的开水锅炉。他在那两年多里不能回家，因此，当他终于被"解放"、坐车返回家里时，他听到的头一个消息，便是"傅燕敏已经结婚了，嫁给了到他们厂支左的解放军"。后来那解放军脱了军装，转业在那个厂当了个副书记。如今他们有了自己的小窝，傅燕敏仅仅是回娘家时，才会出现在这条胡同里。

胡同依然是那样的一条胡同，生活似乎并没有多大的变化，然而人变得多快啊！他们曾经在那蛛网密布的小旮旯中对望过，他们曾经在那幽邃的濠濮涧亲吻过，可是如今他们对面相逢，却如同陌生人般互不理睬！为什么不可以招呼一下呢？微笑一下就那么困难吗？不必过多地怪罪于身外的因素，在傅燕敏来说，她那越来越趋向于实际的人生态度，压榨干了她作为一个有过烂熳童年、初恋经历的人的感情；在侯锐来说，他那越来越趋于硬化的自尊心和与之相辅相成的自卑感，也压迫着他作为一个曾经是"巴颜喀拉山"的占有者的感情。

一阵小风吹过，挟来一股炼猪油的特殊气味。墙脚处，一股尘土打着旋儿远去了。这时，传来北京站悠扬的钟声，恰是晚上七点整。

第二章

5

一掀开门帘走进去，侯锐就看见弟弟侯勇坐在迎门的大床上，手里摆弄着什么东西。

侯勇比侯锐要足足小九岁。他是 1966 届的初中毕业生。他那从少年时代向青年时代的转换期，恰处于混乱而怪诞的"文化大革命"之中。在惊心动魄的1966 年"红八月"里，他曾跟随着学校里的一批干部子弟横冲直撞地破过"四旧"。到了 1968 年冬天，他又同一批干部子弟到山西省插了队。侯家的门第，论起来是很成问题的，在"清理阶级队伍"阶段，他们的父亲侯勤丰是进过"死班"（即不许回家的"学习班"）的，但是在许多干部子弟的周围，你总可以看到一些像侯勇这样的人物。干部子弟可以公开地看不起他们，因为他们是"狗崽子"；他们在内心里也看不起那些往往因为吃激素过多而发胖的"衙内"，但是他们却又可以几乎是整天地粘在一起，构成一种互相依赖、互为补充的群体。侯勇亲眼目睹，乃至深入了许多干部子弟那荣辱起落无常的人生经历。他最了解他们，因而最尊重他们，也最轻蔑他们。他能极清醒、极细致地分清哪些是值得尊重的，哪些是必须报之以轻蔑的。

　　1969 年"九大"闭幕的那天晚上，侯勇他们正在山西的一个贫瘠的小村子里，高音喇叭里一边播出着"九大"中央委员会委员和候补委员的名单，"集体户"里的干部子弟们一边发生着各种各样的反应：有的高兴得大哭，因为他或她的父亲总算名单里还有；有的悲痛得狂笑，因为他或她的父亲果然从名单中消失掉了；有的为自己父亲或母亲的老上级"又出来了"而庆幸，有的为自己父亲或母亲的老上级"下落不明"而惶惶然；哭的、笑的、骂的、嚷的、吵的、痴的……一张张被离奇的政治生活折磨得变了形的、年轻人的脸在侯勇眼前晃动着，他觉得那是一本最有说服力、最好懂的生活教科书。当然，也有冷静得出奇、并未变形的脸，那是某一两个有思想有见解而又不以"衙内"自居的干部子弟，以及几个同侯勇差不多身份的平民子弟。真可惜，对生活教科书中的这类篇页，侯勇研究得却并不多。

　　1974 年的时候，侯勇和一些知识青年被抽调到了当地的一所工厂当工人，不久，他就同一个军队干部的女儿结了婚。当然，结婚的时候，那个军队干部仍处于塌台的境地，在湖北的一处干校中每日里"围湖造田"；但是侯勇对命运所抱的期望没有落空，1977 年，那个军队干部果然官复原职，举家迁回了北京，在城外远郊的某军队大院中恢复了四室一厅的住房待遇。从此，同爱人一起调回北京，便成了侯勇最直接、最重大的生活目标。但是一来厂里死活不放，二来他那老岳父出乎他意料地"古板"和"无能"，时至今日，竟仍未调来。不过，由于厂里觉得侯勇在北京"有根"，到北京不用为住店的事发愁，还有诸多关系可以利用，所以让他担任了采购员，故而他常常坐飞机从太原飞回北京。此刻他手中摆弄着的，便是有待拿回去报销的飞机票。

见哥哥回来了，侯勇仅抬眼点了下头，便继续摆弄那飞机票，仿佛那是一桩多么重大的事情。他是故意这样。对哥哥，他也是又尊重又轻蔑的。哥哥那一代人读过许多的书，看过许多他没有看过的旧电影，还出了蔡伯都那样的名人，而且蔡伯都出了名以后仍常同哥哥来往，这些，都使他不能不尊重哥哥。但是哥哥竟是那样的窝囊！一个农村的中学教员！学校连围墙都不完全，迈出宿舍的门便等于来到了粪味四溢的田野！哥哥竟一辈子没出过北京，没坐过小轿车，更没坐过飞机！要不是侯勇攀上了个干部家庭，哥哥可以作为亲友偶尔去做一趟客，哥哥甚至于没机会迈进四室一厅的单元地面，没机会见识雪白的陶瓷澡盆。窝囊废！

侯锐没想到弟弟又回来了。其实两个月前他刚出差来过一趟。知弟莫如兄。从侯勇那种摆弄飞机票的劲头中，从摊放在床上床下的显露出一种"场面上人"气派的旅行箱、手提包、民航机上免费赠送的口香糖、几份硬挺光腻的外文画报……上，侯锐一下子就看穿了弟弟的内心活动。他知道这是弟弟最蔑视他的时候，因此，他高度地凝聚起自己的自尊心，坐到紧挨着大床的桌边折椅上，用一种充分显示着兄长身份的庄重语气问："这回待多久？打算住哪儿？"

侯勇头也不抬，把飞机票搁进一个考究的蛇皮钱夹里，挑衅似的说："我爱待多久就待多久，爱在哪儿住就在哪儿住。"

这意味着他不会待太久，而且，他照例要在这个家中住下。对于侯勇每次出差来北京，总是基本上住在东单这个拥挤不堪的家中，而并不到城外远郊的军队大院里去享受宽敞舒适的住宿条件，蔡伯都曾向侯锐表示过惊异："这是为什么呢？小勇他们的孩子不也搁在姥姥、姥爷那边吗？无论坐地铁，还是坐汽车，进城也都还算方便，他何必非来挤你们呢？"对于这个问题，侯锐总觉得有点羞于如实回答，他笑笑说："你是剧作家，你该知道他的潜台词，我倒等着你给我揭示出来呢！"

其实，侯锐清楚地知道，弟弟在那边是过不舒服的。他的岳父岳母，看来对他还很不错，但他的那些大舅子、小舅子和小姨，却总打骨髓里瞧不起他，认为他是一个趁火打劫的混入者。他们当面倒也没议论过他什么，但那种不把他当回事儿的神态，那种公开地为他老婆——他们的姐姐或妹妹——抱屈的情绪，以及每逢门当户对的客人们来访时，他们那种很不情愿把他介绍给客人的劲头，加以时不时因为他弄不懂他们的生活方式而"露怯"所遭到的嘲笑，都使他浑身不自在。在那边，他是一个处于劣势的扫边角色，而在东单这个家里，他感到自己是一个处于优势的主角。

侯勇收拾好东西，紧皱着眉头往北墙的镜子前头去。屋里又狭窄又凌乱，他烦躁地把硌脚的一只圆凳踢往一边，凑到镜子前头，照了一照，便从衣兜里掏出一把小梳子，对镜梳起头发来。从倾斜的镜子里，侯勇看见了这个令人气闷的家外间屋的全景，他越梳越烦躁，头发不但没有梳平整，有一绺他力图拢平的头发，反倒翘得更高了。"真是狗窝！"他愤愤地嘟囔着。

说狗窝当然是不对的，说"人窝"比较恰切。确实，只有"窝"字才能形容出侯家生存空间的紧迫。他们住的原是一间十六平方米的屋子。在侯勇的童年时期，这间屋子不但不显得狭小，甚而至于还给人一种宽敞的感觉。他五岁、妹妹侯莹三岁的时候，他们钻到方桌下面去"过家家"，一玩就是一下午。那阵儿，他们觉得世界有一张方桌大已经足够了。但是世界上却存在着如此令人遗憾的现象：人会一天天长大，屋子却并不随之展宽。到了侯勇和侯莹都上了高小时，屋当中便不得不经常拉上一块布帘。然而一块布帘毕竟是不能根本解决问题的。就在这间屋子里，在沉闷的夏夜，侯勇从睡梦中醒来，第一次震惊地瞥见了还未熬过壮年阶段的父母理应避讳儿女的行为。这是一种可怕的启蒙。那个夜晚过去之后，天明一起床，侯勇便仿佛变了一个性格。他原本对父母是极其尊重的，尤其是对母亲，觉得连她头上的每根头发都是那么神圣，但那天，当母亲照例提醒他上学时别忘了检查书包时，他却无缘无故地同她顶撞起来。

有那么几年，这间屋子减轻了压力。侯锐在远郊不常回家，侯勇到山西插队，妹妹侯莹去了内蒙古生产建设兵团。但侯家夫妇的头发也正是在那几年里大绺大绺地变白的。后来侯莹从兵团办"病退"回来了，侯锐又终于由蔡伯都介绍了对象，决定结婚，于是乎这间屋子又变得拥挤起来。为了给侯锐结婚，请房管所来打了隔断，一间大屋便变成了各不足九平方米的两小间。后来侯锐的爱人白树芬生了小琳琅，侯勇再带着他的爱人彭雪韵来看望公公、婆婆，里外屋最多的时候要同时活动着八个人。

　　现在反映在镜子里的外间屋，一靠东墙摆着一张双人床，双人床与北墙之间刚好能搁下一个小衣柜，上头摆满了各色家用的东西，也还点缀着一些玻璃花瓶、塑料花束、廉价处理的艺术瓷器等摆设。北墙的玻璃镜下面，支着脸盆架。一只圆凳和一张旧藤椅勉强地搁在那附近。双人床西边，靠南墙摆着那张祖传的方桌，上面铺着有橘红色大花的塑料桌布，两旁刚好各塞上一把铁脚管木折椅，方桌靠墙处摆放着暖瓶、茶具，这也就是平日大家吃饭的地方。方桌上方挂着镜框，镜框里是家庭成员们的各种排列组合的合影，也奇怪也不奇怪的是，占据着镜框中心的是侯勇岳父、岳母的军装照。其余几面墙上过于琐屑地张贴着一些年画或从画报上剪下来的风景照片，以及电影明星的头像。在双人床正上方，年年照例挂着豪华艳丽的大挂历——那是在邮电所工作的父亲，自豪地拿回家来的一种单位难得赐予的福利，价值五元以上，却只以两元的优待价格卖给本单位职工。

　　平心而论，这屋里的一切绝不意味着贫穷，甚而可以说是富有一种甜腻腻的小康气氛。然而那种拥挤和壅塞的感觉，的确比贫穷更令人感受到一种莫可名状的窘迫。侯勇梳着他一头的长发，满脸是一种承受着别人侮辱的受难感。侯锐坐在桌边折椅上，望着镜子里弟弟的面影，心里更是难堪。侯勇长得一点也不像他。侯勇是一张长方脸，眉毛很浓很黑，眼睛长而略呈"八"字状，鼻子很直，嘴岔很大，他的牙齿虽然整齐，但有一颗门牙是灰色的，与周围的牙齿形成一种鲜明的对比，这甚而成了他的一个最令人难忘的特征。

　　望着这样一个弟弟，侯锐心里很难过。他们共存于这样小的一个空间，但他们的心却离得那么样的遥远。他应当对弟弟说点什么，才能逗出一个微笑，引出一点温情呢？

　　"你这回出差，是要办什么事呢？"侯锐尽可能蔼然地问。

　　侯勇已经梳完了长发，走到洗脸盆边去打算洗脸，毫不留情地说："说给你听你也不懂！"

　　侯锐气得夹烟的手一个劲儿哆嗦。他抬高声调说："问问你怎么了？我不懂，你也可以讲给我听听！"

　　"我没心思讲那个。"侯勇发现脸盆里的水很脏，端起来冲到门边，掀开门帘就往外泼，不巧溅着了推车打侯家门口经过的邻居二壮，二壮一声吆喝："长点眼睛嘿！"侯勇没理他，转身就到方桌边取暖瓶，提起一个发觉是空的，心浮气躁地就把那暖瓶一顿，提起另一个发觉水也不多，便破口埋怨起来："一个个不知道整天净干吗了，连热水都不预备着，真跟猪似的！"说着便"哗啦"一下把那暖瓶中的热水，尽数倒在了脸盆中。

"你文明点好不好！"侯锐忍无可忍地说，"甭端出那么个架子来，好像大伙都欠你点什么似的。"

"得了得了，"侯勇扭过头，轻蔑地说，"你少费精神管我吧，把你这点精神拿去给你自己活动活动房子，比什么不强！"

"你——"侯锐站了起来，眼看就要跟侯勇吵开了，这时候一个人进了屋，她瞄两眼便明白了屋里的形势，顿下脚说："吵什么吵什么，亲哥儿们，什么事不能好好商量？"

6

进屋的是他们的母亲。

这是一位已经五十八岁的妇女，体态已经略显臃肿，头发也近乎全白，但面庞的皮肤还很红润。仔细望去，就会发现大儿子侯锐眉眼非常像她。侯勇可是全然不像她，但这两年来，她最钟爱的，偏偏是对家里人说话一律粗暴蛮横的这个老二。

她原是附近一家街道绣垫社的工人，前年退的休。在她的老二戏剧性地娶了一位军队干部的千金之前，她的视野所及是极为有限的，她的日常生活中也简直没呈现过什么异彩。他们那个以绣边、烤黄小桌垫为业的小小作坊，除了两三个半残废的男人外，全是些未蜕尽家庭妇女气息的中、老年女工。记得有一回他们所属的街道办事处从农村弄来了一车麻梨，不知怎地忽然也想到了他们那小小的绣垫社，允许他们也去购买一次便宜货。这件事竟使得她和她的同事们无比激动。这既体现着一种政治待遇，也体现着一种福利享受。她们提前下了班，结伴来到了街道办事处的大院里，排队等候着称自己的那一份梨，轮到自己时，她们便尽可能地挑拣大个儿的、请求允许多买一点，而全然不顾周围人们的轻蔑与嘲笑。

麻梨提回了家，她特意洗净了一只大瓷盘，充当临时果盘，将每只梨子都拭净供了起来。当晚上烫过了脚，与老伴分食麻梨时，她觉得那滋味简直不啻王母娘娘宫中的仙桃。

是老二侯勇的婚事，使她一下子获得了许多过去从不曾向往的东西。她被当做高级干部的亲家，迎进了四室一厅的高级单元房。保姆为她擦拭好了澡盆、放好了温水，请她先去沐浴；饭菜质量之高是不用说了，饭后的龙井茶有点喝不大惯，也姑且勿论；最令她感叹的，是从电冰箱中端出来一大盘水果。那么大的苹果，那么匀净的鸭梨，那么水灵的葡萄，也都还不算稀奇，那皮儿红得像泼了鸡血、肉儿白得像雪花凝就、味儿美得像能把魂儿勾去的鲜荔枝，在这夏末时节，你就是拿着一百块钱，奔王府井，奔西单，也买不着啊！……看完小电影似的彩色电视，亲家母拿出自己多余的一身毛巾布睡衣、一双绣花的缎面皮底拖鞋，请她到特为她铺设的席梦思宽式单人床上歇息，你想她是怎样的心情？

每次从西郊回来，她的精神世界都要变得更加丰富，而邻居的老年妇女们，有时甚而还包括时常喝得醉醺醺的西屋钱大爷，也都要到她屋里坐坐，听她讲述亲家家里的种种情况。对于某些细节，他们还常常要一再询问，并同讲述者一起发出啧啧的赞叹。

但是，也常有这样的情形，便是或逢自己家的屋子漏雨，或因侯锐夫妇和孩子一齐回了家，而适逢侯莹也在家休息，屋子里乱成一团，每一行动便觉碍手碰脚时，她便不由得因暗暗地与亲家家里的情况相比而心绪黯然。亲家虽好，毕竟不能常去；去了虽能享受一番，却也毕竟不能将那里的好处驮回这里。而一旦知道人世间原存在着远比自己舒适享福的所在，每日里这种粗糙猥琐的生活便格外难以忍受。当这种心境袭上身来时，她又不由得赌气地想：又何必攀上这么一门亲家呢？

然而毕竟是老二给她的生活带来了新的东西。老二每次出差回来，她所采取的头一个行动，便是提上菜篮，到东单菜市场去采购一番。此刻她正是从菜市场回来，菜篮里塞得满满当当。

"妈，您不知道，小勇他越来越没礼貌了。"侯锐忍不住地对母亲说，"我好声好气问他话，他来回来去地干撅我。"

"礼貌？礼貌多少钱一斤？"侯勇不等母亲开口便接上去说，"我瞧见这么个家心里就烦，还臭讲究什么礼貌！"又不等气得咬牙的侯锐开口，伸手抻过母亲臂弯里的菜篮，刚看了一眼便说："谁吃这个带鱼！跟您说过，雪韵他们家从来不吃这号无鳞鱼！"

母亲连忙道歉似的说："嗨，那不是老头子他喜欢就着糖醋带鱼喝两盅吗？你就别下筷子吧，我这儿买的有鸡……"

但是侯勇的眉眼越发难看了，声调也更加难听："你们有什么见识？只当鸡就是好东西！人家现在都不吃鸡，鸡身上有癌细胞，吃了不保险！……"

母亲气馁了，辩护说："鸡都成坏东西了？那还有什么能吃呀？"

侯勇把菜篮子一推说："现在讲究吃鸭子。鸡是热性的，吃了上火；鸭是温性的，吃了补人！"

母亲忙说："你早不讲清楚，明儿个我就去买鸭子，鸭子倒比鸡还好买。"

侯锐实在憋不住，终于爆发了。他把桌子一拍，脸上肌肉绷得紧紧的，命令似的说："妈，您成他的什么了？您就不该这么宠着他，他凭什么在这儿摆谱儿？……"

母亲直望着老二，生怕老二动气，谁知侯勇在这种情况下却莞尔一笑，瞟了侯锐一眼说："算啦算啦，妈，您快拾掇去吧；哥哥这是又嫉妒上我啦……"说完便迈脚钻进了里屋。

侯锐气得想冲过去跟他大干一场，母亲把菜篮搁到饭桌上，伸手拦住了老大，压低声音说："你就让着点他吧，你比他大九岁哩！"

侯锐也便放小声量说："可他也是个大人了嘛！"

母亲诚恳地说："小勇没少为家里谋福利。没有他，咱们能看上电视吗？没有他，咱们连小厨房也搭不起来哟……"

侯锐没话说了。的的确确，好几年了，他们留在北京的一家人，凑齐了一台电视机的钱，但无论是老头子，还是侯锐夫妇，加上侯莹，都不能从单位里搞到一张电视机票，而侯勇上次出差回家，轻而易举地就给弄到了一台十二英寸电视机，使这十六平方米的空间，每晚增添了许多的乐趣。小厨房也是侯勇连找砖带找人，几天之内给盖起来的；母亲还忘了提及煤气罐，那也是侯勇出差期间给弄的；

而侯锐，这类的事他不是不想办，却一件也办不成……在这样一种情况下，怎能不承认侯勇在家庭中的特殊地位，又何必去奢求他的礼貌呢？

侯锐坐在那里使劲嘬烟，不言声了。

忽然，里屋先是发出一声尖叫，接着便有人痛哭起来。

7

如果说侯家的外屋已经令人感到十分壅塞，那么里屋就简直有点像一个余隙不多的、古怪的仓库。这屋里很技巧地搁进了三样大件的东西：第一件是一架铁架双人床。这架双人床的四脚下垫着好几层砖，因此床下形成了另一个足资利用的空间；这本是1976年地震时期为防震支起来的，后来虽然震情已经过去，但这种支架法所形成的好处实在令人难舍，他们便使其成为了一种永久性的安置；现在不但床上可以睡人，床下也搭着一个铺，同样可以睡人；暂不睡人时，还可以搁放大家脱下的外衣、手提包等物品。第二件是一个单人铺，也用砖垫得很高，底下则塞满了箱笼。第三件是一个自料加工的大衣柜，这大衣柜是属于侯锐夫妇的。可怜他们结婚已经八年，女儿小琳琅都已经六周岁了，却还没有一个自己的家。他们既然同在一个县里教学（但所在学校不属一个公社），难道不可以在那里安一个家吗？他们也曾下过那样的决心，把工作调到一起，在校园里安家。但是，他们目睹了太多这样的事例：老实巴交的中学教员，在农村中学的校园里安了家，收入低，福利差，业务进修和生活困难没人关心不说，有的公社干部看你全家的档案、户口、粮油关系全在他掌握之中，便端出上级领导的架子，随时抓你的"官差"，一会儿让你去参加个什么"宣讲队"，一会儿让你去给他起草个什么材料，甚至让你去为他的亲属结婚写一上午的"囍"字和对联……所以他们最后宁愿分别在两个公社教书，并坚持把户口留在城中，顽强地追求着在市里建立一个哪怕是只有六平方米的小窝，这样，在那些公社干部包括学校领导面前，他们还能保持一点不可不有的独立性。近两年来，侯锐每次从学校回来，总要找到房管所的房管员，要求给房。从理论上说，他们这一户三代六口人（小琳琅虽然平时跟着妈妈住学校，但户口也落在了爷爷处），住十六平方米，属于困难户无疑，房管所理应酌情加以照顾；但他们对房管员已经完全绝望，因为那位黄瘦矮小的房管员脾气好得惊人，任凭你去反复申述也好，强烈呼吁也好，破口大骂也好，扬言越级上告也好，他只是笑眯眯地把两手一摊说："咱们这块地面没有空房呀！但凡有了一间空房，我先分给你们家，行吧？"于是侯锐夫妇就打了八年的"游击"，他们为单独立户而打制的大衣柜，也便只好塞在这间屋里。这屋里除了这三大件以外，还极其勉强地搁进了一台兼当书桌的缝纫机，以及两只用时拉出来不用时推进旮旯的方凳。

侯勇进到里屋，原是想到床上歇息一会儿。毕竟坐飞机旅行也是令人困倦的，何况他的心绪十分紊乱，亟需静卧加以调节。

里屋有一扇面向胡同的小窗，挡着粉红地带蓝玫瑰的窗帘，因而光线幽暗，空气也十分窒闷。这已经令侯勇十分不愉快了，而最令他触目惊心的，是在大床上张臂伸腿酣睡的妹妹侯莹。

一看见侯莹，侯勇心上就涌出了一种复杂的情绪。这个当年与他在大方桌下快活地玩耍过的妹妹，如今成了他实现自己回京愿望的最大障碍！诚然她是可怜的，然而又必得早些赶走她！

侯勇对岳父岳母出力调他回京是近乎绝望了。他想起了人们写过的一些反特权的文艺作品，包括蔡伯都那出引起轰动的戏里写到的干部形象，他真是哑然失笑！那实在都是些动画片上的单线平涂的形象。生活中的干部同任何一个别种人一样，各有各的丰富而复杂的个性。他的岳父岳母完全出乎他的期望，竟是两个十分无能、十分胆小的人。他们那冤案的平反，一是靠上面统一的政策，二是靠儿女的奔走，他们自己反而无所作为！他渐渐地看出来，他们两人的级别虽然都不算低，待遇也很不错，但他们在那个大院里却属于并不掌握实权的一类官儿。岳父是部一级的副主任，但那个部副主任竟有九名之多。岳母是个处长，但她经常病休，实权落在一位跟她面和心不和的副处长手中。不错，他们住得好、穿得好、吃得好，但那的的确确都是凭他们的级别，靠他们的工资，合理合法地获得的。侯勇曾经很细致地推敲过他们的每一种享受的来源，结果不能不得出这样的结论：每一种都并非"走后门"所得。比如二十英寸的日本彩色电视机、二百升的雪花牌大电冰箱……乃至冰箱中那令母亲回味不已的鲜荔枝，都是在百货商店和食品商店，一手交钱一手交货地买来的，对于"走后门"，老两口与其说是从理论上认为不好，不如说是对此一窍不通，而又充满了莫名其妙的胆小怕事的心理。他们的老大，侯勇的大舅子，是某军事学院的毕业生，分配在离家不远的另一个军队大院内工作，已经结了婚。偶尔回一趟家，他都要训斥父母一顿，不是说他们落伍，就是骂他们窝囊，老两口居然心平气和，以一副与世无争的和善到不堪程度的神态，听儿子数落。他们的老三，侯勇的小舅子，是个标准的玩世不恭、吃喝享乐的公子哥儿，他中学毕业待分配时，多次撺掇父母给他走个后门，混一身军装，父母力有余而胆不足，他闹得凶了，母亲居然哭着表示，可以养他一辈子，只要他别给惹事……后来他由学校分配在离家不远的一家国营工厂当工人，享受着厂里不少人对他来自"大院"而生的尊崇与羡慕，倒也自得其乐；如今他平均每月换一个女朋友，但还并没有搞对象成家的意思。他们的老四，侯勇的小姨子，凭分数考进了大学，虽然考分不高，只能当个走读生，但她觉得学校的宿舍哪有家中舒服，倒也不在乎每日骑车往返奔波。岳父岳母膝下有了足够的子女，而且侯勇夫妇的儿子又托放在二老家中，他们也安享了抱孙孙之乐，加以笃信"多一事不如少一事"的哲学，故此对于侯勇和彭雪韵请求他们援助调回北京一事，就显露出一种无可无不可的态度。

有一回侯勇出差回来，同岳父谈及此事，岳父正站在他那特有的酒缸面前，打算舀一口酒喝，一听侯勇提起的又是调动的事，便毫不经意地说："那儿搞建设也需要人嘛。你们嫌生活苦，让你妈月月给你们寄罐头好啰……"侯勇望着那酒缸，以及岳父那用长柄勺喝酒的模样，心里头说不出是股什么滋味。那酒缸是用养热带鱼的方玻璃缸改成的，足有电视机那么大，缸底泡满了人参、鹿茸、枸杞子、当归……一类的补品，缸里总保持着大半缸的白酒，又都是用茅台、五粮液、郎酒……一类的好酒兑的；一进岳父那间屋，便可以闻见这酒缸里冒出来的那么一种特殊的药酒香，尽管平时缸上总严严实实地盖着一块厚玻璃板。侯勇往深里揣摩过：岳父究竟在追求什么？他显然也不指望再升更大的官，也并不想揽权主事，甚至连写点回忆录的念头也没有；他也并不像大院里某些个干部那样，拼命为子女去安排一个灿烂的前程；经历过十年动乱之后，他仿佛极度疲乏了，对一切都不那么认真、那么热心，但他却执著地渴望着健康长寿，他的魄力，他的创造性，他的坚持性，居然都体现到了经营和利用这样一个酒缸上！对于这样一个岳父，侯勇还用得着一求再求么？而且，侯勇明白，小舅子早晚是得在这个家里成亲的，因此，对于他和爱人的调回，纵使岳父岳母不感到有什么威胁，小舅子也将视为一场空间争夺战——很明显，即使侯勇夫妇的关系转回北京了，短时间内，乃至长时间内，都是不可能分配到宿舍的，而岳父岳母那里，是断然不能容纳两个子女的家庭的！

这样的事态，就决定了侯勇必须"自力更生"。"自力更生"不是不可能的。侯锐夫妇和小琳琅的户口，可以逼他们迁到远郊去。这样家里除了二老外只剩下侯莹一个户口。快让侯莹出嫁！侯莹一嫁出去——最好嫁得离家远点——家里就剩下二老了。于是乎可以让二老单位开出证明，证明他们年老多病而身边无子女照顾，凭这证明，再凭侯勇这些年来练就的活动本领，不难根据一条有关的政策，把自己夫妇的户口办回北京来！

因此，关键在于侯莹何时离家。而侯勇这回进到家门，向母亲问起这件事时，母亲竟还是连连叹气，侯莹仍然出嫁无门，她还要一天复一天地在这个空间里盘踞下去！

在这样一种情势下，侯勇望着躺在大床上的妹妹，便不由得充满了厌烦。

侯莹睡得很熟。她洗了一上午衣服，中午吃完饭、洗完碗盘以后，从下午两点多便爬到这架大床上酣睡。她晚上要上夜班。侯勇回家时，她没有醒来。侯勇现在站在床前了，她依旧没有醒来。

其实侯莹睡得并不安宁，她一直在做着梦。那梦是混乱而痛苦的。她仿佛觉得自己是睡在内蒙生产建设兵团的土炕上，忽然起床号吹响了，她耳边响着杂乱的脚步声，有人在摇晃着她的身体，她可是怎么也睁不开眼睛，眼皮就像用万能胶粘住了。她是 1969 届的初中毕业生。关于这一届初中毕业生的命运，可以写成一本专门的社会学著作。他们其实根本就不是什么初中毕业生。"文化大革命"的大混乱，使得他们没有读完小学六年级和如期升入中学。直到 1967 年下半年，他们才终于被叫到中学去报到，但是当时中学里的所谓"复课闹革命"，不过是每天到破败不堪的教室里凑合一小时的"天天读"而已，其余的时间完全是"放羊"。到了 1968 年冬天，大规模的上山下乡运动席卷了全国，他们这一届学生是

"连锅端",全都端到生产建设兵团去了。于是乎侯莹在1969年也就来到了内蒙古生产建设兵团。这个出身在小市民家庭、性格温柔、与世无争的姑娘,在兵团连队里是一个影子似的人物,人们时常忘记了她的存在,她也自甘于人们的轻视。她唯一的朋友是同一个连队但不同宿舍的另一个名叫李薇的姑娘。她们常常互相到各自的宿舍里坐坐,偶尔也到草原边上待会儿。但她们坐到一起时,并没有多少话好说,除了讲讲家里来信说了些什么、把家里寄来的东西拿给对方看看以外,她俩常常就那么默默地坐着,一坐竟可以坐好久。侯莹和李薇的家境非常相似。她们的出身都不大好,所谓"家庭有渣儿",但她们的父母又都算不上什么重要角色,既非"走资派",也非地富反坏右,更不是什么"反动权威",不过是些小职员、小手工业者。在"文化大革命"的风暴中,她们的家庭相对来说倒比较稳定。因此,她们没有什么大悲也没有什么大喜。她们周围的不少"战友",或因父母"落实了政策"而买糖买酒请客狂欢,或因父母兄妹"自绝于人民"而自暴自弃,或从父母那里承袭了知识而顽强地自学进取,或因自身思想情绪的复杂化而采取一种浪漫乃至于玩世不恭的生活方式……她们却是另一种情况,她们就像草原上那种最不起眼的营养不良的弱草,无论是牧人还是羊群,对她们都没有什么兴趣,而她们自己也开不出花来。后来,有一天下了工,李薇一个人到大渠边去冲洗胶鞋,跌到渠里淹死了。她的失踪直到几乎所有人都已睡进被窝时才被察觉,尸体直到第二天中午才在十多里外发现。对侯莹来说,这是她迄今为止的一生中最重大的事件。在连队那个马马虎虎走过场的追悼会上,侯莹哭得喉热胸疼,这是她头一回引起了人们的注意。人们这才知道,她原来也能迸发出强烈的感情……

李薇常常在侯莹的梦境里出现。可怜的李薇,她的母亲和哥哥在她死后立即赶到了兵团,并没有流出多少眼泪,却同兵团开始了一场旷日持久的讨价还价。他们先是要求赔偿五千元,后来退让到三千元,最后兵团却拿出了一个什么文件,论证出李薇之死并非工伤事故,所以不存在什么赔偿的问题。最后是母兄两人拿走五百元离去了事。侯莹一直把他们送到了长途汽车站。当他们已经走了几百里地远时,侯莹才发现他们并没有带走李薇的骨灰。这是侯莹第一次认识到人生的冷酷。

此刻李薇又在侯莹的梦中出现了。李薇瘦黄的脸上,两只眯缝眼仿佛永远也睁不开。侯莹拉住她，求她陪自己去中山公园。李薇脸上毫无表情，但总算陪着她去了。仿佛是在唐花坞，又仿佛是在音乐堂前面的花坛边，一个男子冷冷地望着侯莹。侯莹直把李薇往前推，自己往李薇身后躲，这时候她听见李薇小声附在她耳边说："我已经死了。死人还搞什么对象？你该见就去见吧……"侯莹身上沁出了一片冷汗。她翻了一个身，李薇消失在一片灰雾当中。她追了上去，喊着："别离开我！我愿意跟你在一块儿，我不愿意再这么搞对象了！……"

是的，侯莹真不愿意再到公园一类地方去跟别人介绍的对象见面了。侯莹从内蒙兵团回到北京以后，分配在一家集体所有制工厂当工人。她的生活甚至于比在兵团时还要单调。她既没有二哥那种见多识广的机遇，也没有大哥那种建筑在博览群书基础之上的丰富的内心生活。她就是那么三班倒地去做工，做工回来就在家里洗衣服、做饭、采买日用品，余下的时间，也不过随波逐流地去烫烫头发、置一点鲜艳的衣裳、看几场电影而已。不知不觉地她就到了该找对象的年龄了。起初，鉴于侯勇婚事的成功，父母对她寄予了巨大的希望，母亲公开跟亲家母谈过，希望能给侯莹介绍个高干子弟。但是他们的希望没多久就破灭了。侯勇一语道破地告诉他们："人家高干少爷找对象，不是讲究门当户对，就是讲究大美人儿。咱们小莹论门第不成，论长相美人儿又够不上，哪有门儿！"这话是当着侯莹说的，侯莹本不太懂得男人对女人相貌上的要求，听了这话以后，自己偷偷照镜子，才意识到自己原来相貌上就不符合高干少爷们的要求，她便首先灰了攀一个二哥岳父那般家庭的心。但是父母还没有死心，特别是母亲。她品尝了同高干家庭结亲的滋味。侯勇的婚事不过让她有了一个阔媳妇，那远不如有一个阔女婿来得神气。她不可能同侯勇一起入赘彭家，却有可能随侯莹到阔女婿家养老。那将是怎样的生活！所以，把侯莹介绍给高干子弟不成之后，她便又活动着把侯莹介绍给高干、高知（高级知识分子）本身，不是有那样的死了爱人的半老头子吗？"我们小莹脾气好、老成、贤惠，跟前妻的孩子准能合得来。"她竭力地为侯莹寻觅着一个能连带地为全家缔造幸福的续弦机会。然而岁月匆匆，这样的机会没有寻到，侯莹却已二十六七岁了。更令人忧虑的是侯莹竟明显地憔悴起来。有一回蔡伯都来找侯锐，遇上侯莹，这位虽然颇有名气却不懂人情世故的剧作家，当着侯家父母发出了这样的感叹："小莹看上去像有三十岁了，真快呀，记得我头一回来你们家的时候，她才这么高，像朵花儿似的……"这话令作父母的非常不悦。当年像朵花儿，如今又像什么呢？

父母和兄长们对给侯莹找对象的标准，逐月下降着。开头是找工程师、技术人员，后来是凡知识分子，哪怕是中学教员也行，再后来就变成：工人也行。但一定要全民所有制工厂的，没有家庭负担的，本人长得端正、没有不良嗜好的。于是乎侯莹越来越频繁地被约去会面。说实话，有几回在公园见过面以后，侯莹明确地向父母和介绍人表示了愿意，谁知介绍人不久便来道歉：人家男方见了面后觉得不满意。这对父母的打击比对侯莹本人的打击还大。本来还指望着把女儿嫁给高级干部家庭呢，你们小小的工人竟敢挑拣这样的姑娘！

连续的失败，使侯莹的性格更趋内向了。据介绍人说，对方之所以对侯莹不满意，是觉得她老气，说话、做派"发死"。为这个，母亲几乎每天都要叨唠她："你就不会活泛点吗？干吗老皱着个眉头、哭丧着个脸？亏得我是你亲妈，我要是婆婆，我也不乐意儿子讨这么个媳妇来家呀！"只有嫂子白树芬常常为她辩解几句："甭这么折磨小莹啦。蔡伯都说看过一份资料，北京市如今二十三岁至二十八岁的青年，女的比男的多好几万，不止小莹一个姑娘找对象难。"

也不是没有希望得到侯莹的人家。然而那是怎样的人家呀！记得是个夕阳西下的傍晚，侯莹由白树芬陪着从陶然亭回来，两人表情都很不开朗，显然，又是一次不成功的见面活动。侯莹回到里屋，脱下花格呢的外套，用梳子篦掉落在电烫大鬈里的榆钱儿，坐在床边上发愣。这时，西屋的钱大爷来串门儿了，他同母亲有一搭没一搭地说着话儿。母亲正坐在外屋方桌边择扁豆，钱大爷说着说着，借着酒劲儿，乜斜着红眼睛，开口道："你们小莹找对象的事究竟怎么着了？自然我们二壮是癞蛤蟆不该有吃天鹅肉的想法，可这孩子打小就在您眼皮子底下蹦跶，是不是那种好吃懒做、使奸耍滑、遛马路瞎胡闹的'胡同串子'，您心中该有个数儿……"侯大妈听到这儿大吃一惊，钱大爷是个退休的三轮车工人，他那二壮是个房修队的壮工，他们怎么敢有这样的想法？也太小瞧侯家的门槛了！她立时就把装扁豆的筲箕一顿说："他钱大爷，您今儿个又喝多了吧！"钱大爷搭讪着走了，里屋坐在暮色中的侯莹却一颗心跳个不停……

难怪此刻侯莹的梦境中又出现了二壮。二壮正光着膀子，在他们家门前的一丛向日葵底下做木工活；他弯腰推着刨子，胳膊上的肌肉一鼓一绷的，喷着木香的刨花从他手下飞溅出来。忽然他停住了，立起身来，坦然地面对着她，额头上闪着晶莹的汗珠，憨厚地对她微笑着……自从他们长大以后，尽管同住一个院中，他们却几乎没说过什么话，但在这个梦境里，他却仿佛想对她说点什么；而她，也觉得可以同他谈一谈，比如说，她可以把李薇的事儿讲给他听听……

她眼里浮现出了好多个二壮的面影，好像电影银幕上的那种特写镜头：二壮在对她微笑；二壮在默默地注视着她；二壮在她面前腼腆地别过了脸去；二壮大概喝过了酒，脸庞红红的；二壮不知所措地望着她……她在梦中还能理智地判断出来，这些面影，哪一个是那回她下工回来时，在院门相逢时看到过的；哪一个是那天她在院里的自来水龙头旁边洗衣服，抬眼时所发现的……

沉迷在这般梦境中的侯莹，当然不可能知道二哥侯勇正无限厌烦地望着她的睡相。

侯勇在几秒钟里，对侯莹的诸般不满和厌弃迅速地聚成了一团阴云。他首先觉得侯莹的睡态不雅。既然床下的铺也可以睡，她为什么不钻到床下去睡？还可以拉上布帘，遮掩一下，侯莹现在头发很乱，两只眼似睁非睁，嘴巴蠢然地微张着，使人看去简直没有女性的妩媚，浑身显露出一种骨节僵硬、缺乏柔美线条的粗俗感。她的死板，她的没有风趣，她的不会眉目传情，她的没有见识，她的懦弱无能，她的日渐显著的憔悴，特别是她居然连个像样的对象也找不到这一点，已经令侯勇难以容忍了；而上次侯勇出差回家，就听母亲说过，她似乎已有点癔症的征兆，会在母亲叮唠她的过程中，于极端沉默中忽然放声大哭，又忽然煞住哭声，只是发愣……她何时才能嫁离这个家呢？还要让自己等她多久呢？

侯勇心中的阴云凝聚着、凝聚着，突然，打起了闪，响起了雷。侯勇一个箭步跨过去，猛地一下拉起了侯莹来，嚷骂着："还睡！死猪似的！……"

侯莹陡地惊醒过来，迷迷瞪瞪地睁开眼，眼前突然出现了侯勇那张表情极端凶恶的脸，而且手腕上感受到了他铁钳般的攥拉，不禁本能地发出了恐怖的尖叫："啊——！"

侯莹这么一叫，脸上的表情在侯勇看来也万分可憎，他便使劲把她一搡，更加愤怒地晋骂起来："你喊什么？杀猪了吗？……"

侯莹这下完全清醒了。她顿时明白了自己在二哥眼中是多么碍事的东西，一股从颤栗的灵魂中迸发的哀怨，形成了她的号啕大哭……

8

侯锐闻声进入了里屋。

他愤怒地插到侯勇与侯莹之间，对侯勇说："你逼什么凶？小莹白天不睡觉，晚上怎么上夜班？你把她薅起来干什么？"

侯勇挺起腰板，振振有词："多大的娘儿们了，大白天这么又手又脚地卧在这儿！我让她挪到下头去睡！"

母亲是跟着侯锐进来的。她的心情很复杂。她的良知告诉她，侯勇这样对待妹妹是不对的。可她心中所滋生出的越来越浓烈的对女儿的失望情绪，又使得她并不怎么可怜掩面哭泣的侯莹。眼见着侯锐、侯勇哥俩的冲突有白热化的危险，她既担心又手足无措。她哆哆嗦嗦地走过去，各打五十板地叨唠说："你们这是怎么回事儿？老二你也太毛手毛脚了，要她起来你不会斯文点吗？小莹也太娇气，别嚷丧了，你要还睡，就挪到下头去睡；老大你跟弟弟闹哪门子气，你们都消停点不成吗？……"

可是这场冲突是不可能就此中止的。

侯锐厉声对侯勇说："你最近越来越不通人情了。你干什么把我们跟小莹都当成眼中钉、肉中刺？"

侯勇扬声还击他说："到底是我不通人情还是你们不通人情？我为你们挣了多少好处，你们给了我什么？我回到这个家，心里堵得慌！瞧你们过的这个样儿，猪窝！猪窝！"

侯锐气得脸发青："这儿既是猪窝，你还待在这儿干什么？你滚好了！"

"让我滚？"侯勇忽然觉得心中涌动着平生没有过的委屈，他攥紧拳头，脖子上的筋蹦起老高，理直气壮地说："该滚的是你！你们明明在远郊工作，可死乞白赖地把户口留在这儿，什么意思？不就是想占这两间屋吗？你倒装成个人样儿，好像你对小莹有多好似的，其实你心里头指不定怎么想呢！告诉你吧，我早看透你了。以前我小，以为你真有多大的才学，多大的抱负，哼，现在我算看清楚了，你是个窝囊废！窝囊废！你把户口挂在这儿，可又弄不到半间房子；你把这大立柜戳在这儿，以为就算占定了这间房子；你妄想！你该滚呢！滚蛋！"

侯锐在气急中一把抓住了侯勇的脖领，侯勇使劲一挣，挣脱了，反倒伸手抓住了侯锐的脖领，侯锐把他使劲一推，"嗤啦"一声，侯锐的脖领被撕裂了。侯勇被迫松开了手，一个趔趄往后倒在了缝纫机上，缝纫机上的一个墨水瓶掉到了地上，立即粉碎，溅了满地的蓝墨水，墨水点也溅到了下铺的褥子上和用来遮掩下铺的半掩的布帘上。

母亲正待冲到两兄弟间隔开他们，受到强刺激的侯莹忽然尖叫一声，跳下床，光着脚跑出了里屋，这使得侯锐、侯勇和母亲都本能地愣了一下，随即就都跟到了外屋。他们三个一看侯莹呈现出的状态，都不禁木雕般定在了那里——

侯莹既没有冲到院子里去，也没有倒在外屋的床上，而是跌坐在方桌下面。当他们三个出得里屋的门时，侯莹惊恐地望了他们一眼，身子往后躲避似的斜了一下，然后便掩面哭泣起来。

见此情景，侯勇仿佛受了一下雷击。多少年前，他同妹妹同在这张方桌下游戏的场面，蓦地闪回了他的心中。有一次，他在方桌底下搁了一只方凳，方凳上摆着几个杯子，一个杯子里是糖水，一个杯子里是盐水，一个杯子里是茶水，一个杯子里是白水，最后一个杯子里，是往白水里滴了几滴红药水兑成的粉红汤儿；他坐在一只很小的小板凳上卖水，妹妹头上扎着两个黄细的抓髻，坐在方凳另一边的小马扎上买水；她拿糖纸当钱，给一张糖纸喝一口水，她一次又一次地买那粉红汤儿喝……啊，那时候，妹妹在他眼里是多么可爱啊。那时候他们一点也不觉得这屋子狭窄，他们更没有争夺这个空间的丝毫意念。一张方桌的体积，顶多一立方米吧，就足够他们相亲相爱地在一起生活了。侯勇闭上了眼睛，几秒钟里，他心上积蓄的阴云迅速地被一阵风吹散。他忽然产生了一种良心发现后的忏悔感。啊，妹妹，亲生的妹妹，不该这样对待她呀！……

侯锐看见侯莹这异常的表现，却反而滋生出一种莫可名状的生理上的厌恶感。他每次回家时总听见母亲悄声告诉他："你妹妹的神经怕是不大正常……"他总以为那至多不过是因为搞对象总不成所形成的一种郁闷，一种少女怀春而又拼命压抑的畸形表现方式。而眼前的这个场景，却不能不使人要得出这个结论：侯莹的神经的的确确不正常了！天哪，她该别得上精神分裂症！

母亲看见女儿竟然真的疯了，心上有如万箭穿心。她顿感自己是过分宠爱老二，过分不体谅小女儿了。毕竟小莹是勤快的、本分的。每天下了班回来，洗涮、采买、做饭，没有闲过；月月领回来工资，总是原封不动地递给妈妈，自己用钱时，再红着脸跟妈妈要，花了钱剩回来，凡一块钱以上的全还给妈妈……这样好的闺女，是天瞎了眼让她找不上可意的对象！这样好的闺女，不该让她落个钻到桌子底下去掩面痛哭的下场！……

三个人在几秒钟内，心里都展开了极其复杂的感情搏斗，最后都产生了过去把侯莹搀扶起来的冲动。但是头一个走过去搀扶侯莹的，事后冷静下来一想，连搀扶者自己也未免吃惊，竟并不是侯锐和母亲，而是侯勇。

侯勇过去搀扶侯莹时，侯莹本能地躲避着，但是一来侯勇劲大，二来侯莹在一瞥之中，竟意外地看见了一张温和的脸，一双使她心中为之一惊的眼睛。这双眼睛二十几年前她曾经看见过，并且也是在这张方桌之下。她就势站了起来，并被侯勇小心地搀扶着，又回到了里屋。侯勇把她扶到了双人床上坐着，用惭愧的语气说："小莹，你睡吧。刚才我太凶了，我不对。"

母亲和侯锐对此都万分吃惊。在短短的时间里，侯勇的神情态度竟有如此巨大的变化，他们的脑子还转不过来，因而有点迷迷瞪瞪。侯莹更是这样，她由极度惊恐变为了极度麻木。她听话地躺了下去，闭上眼睛，停止了哭泣，只是喉咙里还偶尔抽搐一下。

第三章

9

七点半过一点儿，蔡伯都来到了侯家。

在院门口，蔡伯都遇上了钱二壮。二壮穿着件深蓝色的运动衫，领口的拉锁敞开着,更显得脖颈粗黑壮实。因为蔡伯都常来,更因为二壮看过根据蔡伯都剧本改编摄制的电影,所以每逢蔡伯都来到院里,如果恰好遇上二壮,二壮总会热情地同蔡伯都打招呼,有时候还要说上几句话。这回蔡伯都却稍稍有点吃惊,二壮分明老远就看见他了,却双臂抱在胸前,闷闷地稍息着,仿佛有老大的心事,直到蔡伯都走拢他身前了,他才淡淡地点了一下头。

蔡伯都便停住步子,主动地热情招呼二壮说:"吃过饭啦?"

二壮仍旧闷闷的,厚厚的嘴唇紧团着,仅仅微微地点了点下巴。

蔡伯都指指侯家的后墙,问:"在吧?"

二壮知道,他主要是问侯锐在不在。倘若侯锐在,他常常要很晚才走;倘若侯锐不在,他顶多只坐个十来分钟。

二壮便闷闷地回答说:"侯大哥在家。"

没想到蔡伯都又添上一问:"小莹也在吧?"

二壮双眼一闪,满脸纳闷的表情,望了蔡伯都几眼,这才"嗯"了一声。

蔡伯都刚要挪脚进院,二壮突然瓮声瓮气地对他说:"他们家刚吵完架。小莹子许是又挨打了。"

蔡伯都皱拢眉头,问:"小勇回来了?"

二壮愤愤地说:"可不是。"

蔡伯都冲二壮点点头,赶紧迈进了院门。

10

进了院门,穿过门洞,往右一拐第二个门便是侯家。门半掩着,半截布帘挡住了里头。蔡伯都敲了敲门上的玻璃,屋里响起了侯锐的声音:"请进!"

蔡伯都掀开门帘进到屋里,注意地观察,只见侯锐满脸高兴地从方桌旁站了起来,手里捏着刚才还看的一本新版本《呼兰河传》;侯勇斜倚在外屋大床的被窝垛上,举着一面圆镜子,显然他已经有好长一段时间在检查自己的面容,见蔡伯都来了,立即放下镜子,起床下地;蔡伯都朝里屋一瞥,只见侯莹安稳地和衣斜卧在大床上,下半身盖着淡蓝色的毛巾被;搁放在小衣柜上的半导体收音机里,正播放着一首抒情的民乐曲，音量适中，衬托出一种小康之家的闲适气氛。他心中不禁暗想："二壮怎么谎报军情呢？这景象，怎么会是刚吵完架呢？"

蔡伯都坐到了方桌一边。侯锐坐在另一边，侯勇坐在床边上，倚着床栏。三个人都真诚地微笑着。

"你这个贵客，又有好久不登门啦！"侯锐埋怨说。

"唉呀，忙透了。"蔡伯都诉苦说，"今天让去开这么个座谈会，明天让去开那么个见面会，还有外事活动，烦死人……"

"外事活动还不好？"侯勇羡慕地问，"净吃宴会吧？"

"哪里。十回里头顶多有一回是宴请。你当外事活动有意思哩，其实枯燥得很……"

"那让我去，我不嫌枯燥。"侯勇扬起嗓子说，"你哪知道，我们在山西过的日子有多枯燥！"

"那是。我能理解。我发现，在你们那种工厂里，小伙子大姑娘们打扮得比广州、上海还'匪'，连北京王府井街上的小年轻们都显得'怯'了……"

"嗬，你什么都知道。难怪，剧作家嘛！什么时候你上我们厂里体验生活，我给你当秘书！"

"你能当秘书？"侯锐冲着侯勇说，"你写的字跟猴儿撒的柴禾棍儿一样！你教你蔡大哥走后门还差不离！"

侯勇不但不生气，反而笑着默认了。在蔡伯都面前，他觉得哥哥有权利这样说他。

侯勇望着蔡伯都，觉得这位剧坛新星实在是有点神秘。蔡伯都的"老底儿"他很清楚，因为早在十几年前，蔡伯都仅仅是哥哥的一个普通同学时，就常来他家。蔡伯都的父母都是无权无势的一般机关干部。蔡伯都的三亲六戚里，似乎也没有什么文坛上的名人或文化部门的官儿。据说他的成功，全靠自己投稿。蔡伯都从上大学时起就不断给报刊投稿，记得他还借用过侯家的地址当通讯处。那时候他寄出一百篇得退回九十九篇，侯锐说过，在大学宿舍里，蔡伯都的枕头最高，因为枕头底下垫的都是退回来的废稿……真没想到，蔡伯都现在出了这么大的名！蔡伯都实在是其貌不扬：个头又瘦又矮，真可以说是尖嘴猴腮，鼻梁上还架着副深度近视镜！可就是这么一副相貌，竟在电视荧光屏上出现了许多次，据说还有不少女孩子给他投寄求爱信呢……

蔡伯都靠什么出的名？真像哥哥说的那样，什么后门都不走，硬是拿出光闪闪的剧本来，一鸣惊人的吗？这，倒也还能理解；可他出了名以后，却并没有因此而获得比葛佑汉更好的生活条件，这，侯勇就百思不得其解了。对于哥哥和蔡伯都的老同学葛佑汉，侯勇比哥哥、蔡伯都更为熟悉。葛佑汉曾经找到侯家，托侯勇搞过汾酒，作为交换，他在高价花生油还很难买到时，一次就给过侯勇一塑料桶的花生油，并且还只按市价收钱。他们两人单独交往过许多次，一些情况是侯家其他人完全不知道的。侯勇很看不起葛佑汉那种公开的俗相，葛佑汉有一回在饭馆同侯勇对酌，把腆出的肚子拍得叭叭响，喷着唾沫星子，哼小调似的对侯勇说："爹妈给了我一副好下水……"那模样儿差点让侯勇把吃到胃里的酒饭全呕出来。葛佑汉算个什么呀？一非党员干部，二非"三名三高"，不过是个连教课都有困难的挂名儿的区区中学教师，可他住的是什么、穿的是什么、用的是什么、吃的是什么！他并且能把自己那位比他还要俗气的老婆，从集体所有制的工厂调到区文化馆里管资料！生活在我们这个社会里，不信走后门可不行！蔡伯都从前门进去，名气闹腾得这么大了，可他住得比葛佑汉差，过得比葛佑汉苦！

想到这些，侯勇不禁问道："我秋嫂的工作调好了吗？"

秋嫂就是蔡伯都的爱人，名叫叶玉秋，也曾随蔡伯都来过侯家。侯勇和侯莹都称她为秋嫂。秋嫂是1966届的高中毕业生，后来分配在一所集体所有制工厂当工人，原来上班较近，这下蔡家搬到了东郊，她每天上下班得用上两个多小时，因此大家都很关心她的调动。

"还没调成呢。"蔡伯都开朗的眉宇间现出了几条烦恼纹，"我们现在住处附近倒有几个工厂，工种也还能跟她的对口，可人家是全民所有制，她这种大集体的工人不要。"

"嗨，跟他们说她是蔡伯都的媳妇，不就行了吗？"侯勇当真不能相信，凭蔡伯都的名气不能解决问题。

"恐怕那些工厂里管人事的干部，是不看你编的那些戏的！"侯锐对蔡伯都说，"你有再大的名气，在这些事上也没什么用！"

"那可不。"蔡伯都坦然地说："看我编的戏的人，又都帮不了我这个忙！"说完嘀嘀笑了起来。

侯勇便建议："那你干吗不找葛佑汉帮忙呢，他门路可多哩！"

侯锐发议论说："葛佑汉也确实让人纳闷。你记得咱们在大学的时候吗？他考试总是差点不及格，显得比谁都窝囊……可他现在混得比你还强。他真是个司芬克斯之谜，他能走通那么多后门，究竟有什么本钱呢？"

蔡伯都从容地回答说："有时候，胆大妄为就是本钱。'文化大革命'当中，我们剧团有个主儿，他发了好大一笔横财，怎么回事儿呢？他什么本钱也没有。有一天，他忽然心生一计，宣布成立了个'毛泽东选集第五卷编印委员会'。他先打电话给纸库，告诉他们这一'特大喜讯'，然后问：'印好以后，你们要多少？'人家问：'多少钱一本？'他说：'不用给钱了，你们拨几吨纸支援我们就行。'于是纸就有了。又打电话给印刷厂，同样那么说，告诉人家'不用交钱，帮我们印一下就行。'又打电话给装订厂，也是同样的话。最后他打电话到中学，找红卫兵总部，说'有一批这样的红宝书，一块钱一本，你们帮着卖一下，白给你们五百本。'于是他连手都没动，书就印出来了，也都卖掉了。纸库、印刷厂、装订厂各得到了一千本，红卫兵得到了五百本，都很满意，而且最后红卫兵还认认真真地把卖出的一万本的书钱给他送到了手中。他那书里的材料全是从各种造反派小报上拼凑的，有的甚至是他从和毛泽东毫无关系的书上瞎抄的……直到人们发现他整天往家里提整只的火腿、整筐的罐头，觉得可疑，这才把他查了出来。你们看，在没有法制的情况下，加上普遍性的愚昧无知，甚至没有一分钱的本钱也能干出这么大的'事业'来！"

侯勇听完嚷了起来："厉害！真厉害！蔡大哥我是说你真厉害，你把咱们社会上的事看得真透！可我又不明白，你怎么对别人的邪门歪道弄得那么清楚，自己办起事来，倒又胆小又窝囊呢？"

蔡伯都和侯锐对望了一眼，笑着对侯勇说："做人，就得做个正人君子啊！当然，我不是说葛佑汉跟那个家伙一样，邪到犯罪的路上去了，可像他那么整天钻缝子找机会，有时候连自尊心都丢尽了，即便能得到些物质上的好处，终究活着又有什么意义呢？"

侯勇不由得连连点头。每次同蔡伯都交谈，他总觉得自己心里的渣滓能沉淀下去，灵魂能呈现出一种清澈宁静的状态。他想：倘若社会上的人都能像蔡伯都一样，该有多好！如果他们山西工厂里有一多半人是蔡伯都这种人，他又何必非死乞白赖地奔北京挤呢？

11

侯勇倚在那里冥想了一阵，忽然发觉蔡伯都和哥哥已经转换了话题，正在议论侯莹。

"……怎么样，还没解决吗？"蔡伯都问。

"可不。一过年她就该二十七了。可真不能再耽误啦！"侯锐叹着气说。

"蔡大哥，你眼皮儿杂，你还不给介绍一个！"侯勇插进去说，"给介绍个文艺界的嘛！"

"我今天到你们家来，还就为的是这件事。"蔡伯都这话一出口，侯锐和侯勇都不禁身子往前一挺，睁大了双眼盯住他，满心高兴地等着他往下说。

恰在这时，母亲从厨房里端着一盘炸好的花生米走进来了。蔡伯都忙叫"伯母"，母亲见是蔡伯都，顿时眉开眼笑，欢迎说："唉呀，你如今好出名，到我亲家母那儿去，那么多挂领章帽徽的人，提起你来就跟当年提起梅兰芳一个样儿！你在我们这儿吃便饭吧，让他们哥俩陪你喝上一盅！"

"伯母，我吃过饭了，真的！"

"什么真的假的，我让你吃，你就给我乖乖地吃。吃不多，夹两筷子也算看得起我们。"

"妈，"侯勇争着报告，"人家蔡大哥今天是专为给小莹介绍对象来的。""是吗？"母亲这一喜非同小可，她顿时觉得满屋子都是光明。心下暗想：真是吉人自有天相。刚才一家人还为小莹的事又吵又打，谁知天赐良缘竟在今天！她忍不住坐到藤椅上，手里却还端着那盘花生米，迫不及待地问："伯都你给介绍个啥样的呀？"

蔡伯都便告诉他们："是个出版社的编辑……"

侯大妈直着急，她不懂："编辑是哪一行？"

"就是跟大学里的讲师、教授一路的文化人儿，"侯锐告诉她，"管编书的。"

蔡伯都继续说："年岁大了点，有四十四了。1957年被错划成了右派，后来遭了不少的罪。划右以后，原来的对象不敢再跟他好，俩人分手了。从此他没有结婚。现在给他平反了，恢复了行政十八级待遇，回到出版社编文艺书。我跟他也混熟了，我和别的朋友都劝他抓紧解决终身大事，他也下了决心……"

"可他这样的人，恐怕要求很高吧？"侯锐问，"我们小莹可不怎么懂文艺，对他的口味吗？"

"他说了，他不一定要搞文艺的。当年他那个对象就是个搞文艺的，起头倒挺来劲的，这边拉小提琴，那边就写诗……可反右斗争一到，那对象就吓傻了，一点也不中用，在他心上划了好大一个血口子……如今他要求的是贤妻良母，模样儿顺眼、脾气温和的就行……"

"那小莹可太符合他的要求了！"侯勇兴奋地说，"我们小莹是打着手电也难找着的贤妻良母！"

母亲可是觉着说了半天还没说到点子上，她问："这人挣多少钱呢？他结婚有房吗？"

蔡伯都告诉她："行政十八级，挣八十七块五。他属于落实政策的对象，刚分到个独间的单元。那单元说是独间，其实过道很大，足能当客厅和饭厅。"

母亲听了这话，心里直起急。可得赶紧让小莹跟这人挂上钩。该不会他们正说着话的当口，别的人家已经把姑娘送去供他挑选了吧？她依旧端着那只盘子，连连地问："啥时候让他们俩见见呢？你来一趟不容易，能不能今儿个就约个准日子？"

蔡伯都说："我这一段确实太忙，往后约，我怕顾不上跟你们联系，误了事儿，依我的主意，最好今天晚上就先见个面，简单地谈一谈，看看双方印象怎么样。这位同志就住在崇文门的新大楼里，离这儿很近。他每天晚上都要到东单公园散步。我刚才从他那儿来，来之前我跟他把小莹的情况说了一下，他表示只要小莹方便，可以就在今晚到东单公园见个面，初步地谈一谈……"

侯家兄弟和母亲一听这话，不由得迭声欢呼起来："你想得可真周到！""小莹十点钟才上晚班,完全来得及!""小莹有什么不方便的,东单公园又这么近!"

他们心里对蔡伯都的感激之情,达于极点。当年侯锐找不到合适的对象,正着急时,也是蔡伯都给他介绍的白树芬。侯家全家人都记得,那是一个下着小雨的春夜,他们一家五口都到大华电影院看电影去了,回到家,开了门,拉开灯,侯莹头一个发现了地上有张折成"又"字形的纸条儿,捡起来就着灯光一看,原来是蔡伯都留下的。蔡伯都来找侯锐,撞了锁,很着急,当天他要回湖南探视父母,是提着旅行包来找侯锐,打算说完话就去北京站的。蔡伯都站在侯家门口想了想,这事也不便让邻居转告,于是便在屋檐下写好了那么个纸条,从门缝里塞进来。纸条上告诉侯锐,前次跟他讲过的那个地质学院的待分配学生白树芬,同意跟他明天下午三点在中山公园水榭见面,由蔡伯都的女朋友叶玉秋陪着。白树芬是叶玉秋娘家同院的邻居。这个纸条后来果然成就了侯锐和白树芬的终身大事。难道蔡伯都是侯家的天遣恩人吗?他竟又一次在关键时刻突然出现,要为侯莹解决困惑已久的问题!

母亲端着那盘花生米进了里屋,盘里的炸花生米滚落了好几颗,她就势把盘子搁到了缝纫机上。这才发现,侯莹已经坐了起来,显然,她听到了外间屋关于她的谈话。从侯莹那闪闪放光的眼神,她判定侯莹心里同她一样地向往着到东单公园去同那个编辑见面。

的确,侯莹被外间屋的谈话声吵醒,并且听清是蔡伯都在讲给她介绍对象的事以后,她的心上就生出了新的憧憬。几十分钟以前的那场纠纷在她的心灵上投下的阴影,迅速地被这意外的消息驱散了。啊,编辑!那是有学问的文化人,是二壮之流所不能比拟的。四十四岁,足足比她大十七岁哩,可是她宁愿嫁个年岁大而稳重老成的人……

母亲只同她说了一遍动员她去见面的话,她便颔首同意了。侯勇为她兑温水供她洗脸,侯锐帮她挑选素雅大方的衣衫以事装扮,母亲撂下厨房的活儿,亲自动手为女儿梳理整饰头发。当侯莹梳妆打扮完毕,亭亭地玉立在大家面前时,每一个人都不禁有点儿吃惊,这就是平时望去平淡无奇的侯莹么?

母亲硬逼着她和蔡伯都各吃了一碗鸡蛋挂面,这才允许他们二人出发。侯锐和侯勇在这时候变得异乎寻常地一致,他们都亲热地嘱咐着妹妹:"大方点儿,要主动跟人家找话说，千万别再一问三不知……"

蔡伯都陪侯莹走出院门时，二壮仍旧站在院门外的路灯下，仍旧把双臂抱拢胸前。他用惊异、愤懑、怜惜、鄙夷交混的那么一种复杂的眼光，盯着走出门来的侯莹。侯莹垂下眼睑不去看他，但分明感觉到了他的存在。梦中的影像飘过了侯莹的脑际，她感到面颊被夜风吹拂得像爬动着蚂蚁。蔡伯都对二壮投去一个微笑，算是告别，二壮却不折不扣地回敬了他一对白眼仁。

第四章

12

"老二呀，你的电话！"

钱大爷掀开门帘，伸进头来传呼。

他眼瞧着侯家的三个孩子在这院里长大成人，所以他觉得自己有权力"老大"、"老二"地称呼侯锐和侯勇；对侯莹，他倒是叫"小莹子"，而且表现出一种特殊的爱怜。

侯锐起身对钱大爷致意："钱大爷，您来坐坐！"

"不啰。家里一堆的事儿。今儿个下午电话又多得邪乎！"钱大爷说着就撤。

钱大爷家安着架公用电话。侯勇不在家时，侯家难得去打次电话；而只要侯勇一回来，这电话简直就成了侯勇的专机，找他的，他往外打的，一天总得八九次。

不过，总得侯勇主动往外打上一个电话，他回京的消息才能传布开来。这天侯勇还并没有往外打电话呢，怎么就有人主动打电话找他了？

侯勇一边往外走一边问："哪儿打来的？"

钱大爷说："新侨饭店！"

侯勇原以为是岳父家里打来的，估计雪韵给家里写的信，已经抵达，所以彭家知道他已到京。但彭家对他似乎从未有过这样高的热情，因此侯勇内心很快又推翻了这种猜测，他正往别处猜时，钱大爷却告诉了他这样一个地点。新侨饭店！

那是外宾和华侨才住得进的地方，难道……

从侯家的南屋走到钱家的西屋，大约只需要三十多步，在这三十多步里，侯勇的心中却狂想联翩，积蓄已久的一种向往，如彩蝶般在他眼前翻飞……

自侯勇懂事以来，他时常琢磨这个问题：为什么哥哥比自己足足大了九岁之多？在哥哥和他之间，父母难道没有生过别的孩子吗？他也曾问过父母，父母都说生是生过两个，但由于难产，结果生出来全死了。1970 年，"清理阶级队伍"的时候，父亲在家里写交代材料，侯勇偷看了，才知道那两个孩子并不全是生下就死了，其中第二个，是个女孩，生在 1946 年，当时父亲因为在日伪的海关里当过最低级的职员，国民党来接收以后，把他给辞了，所以有两年多是失业状态，于是乎母亲把那个女孩生在医院就没有领回家来。据父亲的交代材料说，他们生活好转后也曾去打听过，医院的老护士还记得这回事，告诉他们那女孩先被一家阔人领走，但三岁时便得了白喉，后来送回到这家医院医治无效，才死在了她出生的地方。

关于这个小女儿的事，当然算不得父亲的什么历史问题，但因为他历史上的污点早已经解放初就向组织上交代得一清二楚了，那时候实在没有别的可以补充，便只好把这类"长期向组织隐瞒的问题"写出来，以求过关。这事后来当然不了了之。谁会去追究一个只活了三年的小生命的问题呢？可是自从侯勇知道以后，他却对这个神秘的姐姐充满了幻想。近几年来，特别是当他在山西工厂里闲得闷得发腻的时候，他便有枝有叶地编撰起关于这个姐姐的浪漫故事来：她的白喉后来治好了，她平安地长大成人；40 年代末，她随养父养母到了香港，在那里最好的中学毕业以后，便到日本留学去了；最后，嫁了个美国人，迁到美国定居，入了美国籍；她今年该已是三十四岁，一头披肩的长发，一身洋味十足的衣衫，人还没走近，香水味儿先飘了过来……她会突然出现在侯家的小屋中，演出跪认双亲的动人一幕；她给家里人带了些什么东西来呢？当然，最起码得有胜利牌彩色电视机和森宝牌收录两用机，也许还会有那种一分钟出像的彩色照相机……她该不会带袖珍电子计算机来吧？侯家的人用不着那个，不过既带来了也就收下，可以拿到东单北大街的三羊信托商店卖掉，再用卖得的钱买点别的东西……是把她请到岳父家做客，还是把大舅子、小舅子、小姨子等人请到她下榻的饭店去见面呢？那时候，该死的妻舅和小姨总该懂得，侯家同彭家就算不是门当户对，也总算势均力敌了吧？也许，还可以通过姐姐和姐夫的关系，移民到美国去，所以，应当抓工夫学一点英语，还要学会开汽车，以便去了能很快适应那里的生活……

这次的电话，来自新侨饭店！会是谁呢？侯勇激动得耳朵都冒热气。

进了钱大爷家安放公用电话的那间小屋，侯勇抓起电话听筒，他不禁闭上了眼睛，仿佛圣徒等待奇迹陡现，然而，话筒那边的两声"喂，喂"，立时就把他那连细节都栩栩如生的美梦击得粉碎！

13

那"喂，喂"的声音，一听便能判断出来，打电话来的是葛佑汉。

"侯勇吗？"葛佑汉不大放心地问。

"嗯。"侯勇知道，葛佑汉不希望是侯锐来接这个电话。侯勇把美梦破灭的一腔怨气都体现在这句问话上："你他妈究竟在哪儿给我打电话呢？"

"在我们楼下公用电话这儿。"

"那你他妈干吗说是新侨饭店？"

"嗨，我们这儿反正离新侨也没多远。"

"你怎么知道我回来了？"

"我也是刚知道。六点多的时候，我在东单十字路口遇上了你哥，那会儿我还不知道你小子又流窜到北京来了。"

"你他妈究竟怎么知道的？"

"嘿，这你就别问了，我这人能掐会算。"

"什么事儿？"

"你出来一趟，我跟你细说。"

"我还没吃饭呢！"

"上我这儿吃干烧鱼吧。"

"没那份兴趣。"

"那你吃完饭来吧。"

"吃完饭我还有事哩。"

"你明儿来。"

"明儿我得去办事，办完事回西郊。"

"你他妈小子别不知好歹。你还想不想调回北京了？"

"想啊。"

"想啊！想你还不来找你葛大哥。上回提的那档子事儿，成了！"

"真的？可我岳母她……"

"你小子这回再求求她，不行你给她咕咚跪下。这可是千载难逢的好机会！"

"怎么？……"

"电话里怎么跟你说？你小子来不来？"

"我一时半会儿去不了。"

"你倒跟我拿起大来了！告诉你吧，只要你这回能开出两份证明，我保证你回去就可以打铺盖卷儿……"

"你甭拿甜话糊弄我……"

"信不信由你。你到底来不来？"

"那我吃完饭去吧。"

"这还像句话。"

侯勇就要把电话挂上了，这时他听见葛佑汉找补一句说："别跟你哥说是我打的电话。"

"废话！"侯勇重重地撂下了耳机。

"你轻点嘿！"钱大爷走过来，瞪了他一眼。

侯勇不愿马上回家。他就势坐在钱家的床铺上，掏出烟盒来，先让了钱大爷一支，然后掏出打火机，给自己和钱大爷都点燃了烟。

钱大爷抽上了侯勇给他的烟，也就不再生侯勇的气。里屋的小闺女在喊他吃饭，他便冲侯勇点点头，管自进里屋吃饭去了。

侯勇咀嚼着刚才的电话，滋味复杂。葛佑汉怎么消息这么灵？啊，对了，同飞机的一位同志，不就住在葛佑汉他们那座楼里吗？这个葛佑汉可真厉害，他能最充分地利用一切他所认识以及他仅仅是知道的社会关系，去为自己谋取利益！

侯勇知道，葛佑汉有一个小本儿，记满了人名、职务、地址和电话号码。有的，属于他经常利用的关系；有的，属于他偶一用之的关系；有的，就像冰库里的鱼肉禽蛋一样，属于暂时冷冻"以备不时之需"的关系。

上次出差回来，侯勇和葛佑汉见面时，葛佑汉提出过这样一种"三角互助"的方案：侯勇通过岳母，求岳母的妹妹——某医务部门的领导干部——把某个在市政府工作的干部的儿子，安排到她那个部门当化验员（该部门自定了若干招工名额，只招收本部门工作人员的落考子女，因此还需要侯勇岳母的妹妹暂把那市府干部的儿子认作干儿，她自己没有子女，干儿自然就应当照顾了）；这样，那市府干部便可为侯勇"按政策"办成调动的事——前提是侯勇让父亲开出一纸有慢性病的证明，再让派出所和街道办事处开出一纸父母身边无子女的证明（这还需要先让侯锐一家三口的户口迁出，并且让侯莹早日出嫁）；然后，那市府干部再出面，帮葛佑汉调到一个又高级又闲散的单位去。刚听到这个复杂、细密的方案时，侯勇不免吃惊，他问："那干部既然有权，怎么不直接把他的公子安排到他管的部门，倒还要绕着弯儿来求我呢？"葛佑汉呵呵地笑着说："如今稍微有点身份的人，在'走后门'这个问题上都是'兔子不吃窝边草'；再说，你老婆二姨那个单位可是块宝地，出国的机会多啊；第三条，现在谁也不甘心白吃人家的后门，白吃进去，将来风声一紧，开后门的一检查，你就得玩个物归原状！现在时兴对开后门，最好是交错后门，谁也没白吃谁的，像榫子那么紧咬着，将来就是有人想整顿风纪，死疙瘩结他也解不开，只能是'既往不咎，下不为例'……"一番话说得侯勇汗毛直抖。侯勇有时候自愧自悔，觉得自己在生活的染缸里把灵魂污染得够卑污的了，但在葛佑汉面前，他又觉得自己实际上同白莲花也没有多少区别……他愤懑，他痛苦，为什么走蔡伯都那样的生活道路，成功的机会只有万分之一；而像葛佑汉这样的生活，却能够不断地"有志者事竟成"？

"吭唧"一声门响，打断了侯勇的思路，他抬眼一看，原来是二壮回家来了。二壮和侯勇虽然同在一个院里长大，但他们从来玩不到一块儿。这几年，出于一种微妙的原因，他们两人的关系十分紧张。此刻二壮刚从大门口回来，他在那里目睹了蔡伯都领着侯莹出去，猜出了他们的外出目的，心里正发堵，偏又一回屋就看见侯勇坐在他的床铺上，一副大少爷的架式，跷着二郎腿，抽着过滤嘴烟，心里不由得冒出一团无名火来，他毫不客气地冲着侯勇说："打完了没有？打完了走人！"

谁知这时的侯勇，恰又处于良知苏醒的状态，他愿与一切人友好，更愿自己成为一个纯洁的好人。他仰起头来，对二壮微微一笑，递给他一支烟，和解地说："唉，心烦，我坐坐就走。"

二壮犹豫了一下，接过了烟，大惑不解地望着侯勇一腔的火气不知不觉渐渐地消了。

侯勇主动用打火机给二壮点燃了香烟，然后两眼只望着对面墙上的年历发愣。那年历上有一大幅彩印的体操女运动员的照片，展现着她在自由体操中的一个优美造型。二壮原以为侯勇是让那年历画给吸引住了，细一观察，才发现他两眼的焦点并没有聚在那幅年历上，他不过是朝那方向想心事罢了。这神情倒引起了二壮的好奇心。在他想来，侯勇这几年好比是在路上拣了金元宝的人，得意还得意不过来呢，哪会有什么忧愁？没想到眼前的这个侯勇，竟紧蹙眉头，满脸丧气，似乎心里头堵着的那份不痛快，比他二壮也不在以下。这究竟是为了什么呢？

侯勇猛嘬了一口烟，尔后突然把还剩大半截的香烟掐灭，站起身来，搁下四分钱硬币，道了声"回见"，便扭身出屋。临出屋，又猛地转过身来，嘱咐说："再有我的电话，就说我没回来！"二壮呆呆地望着他，他推开门，大步地走了。

14

里屋在喊二壮去吃饭，二壮恶声恶气地冲里屋嚷了一嗓子："吃你们的！我这会儿不饿！"便一屁股坐在刚才侯勇坐过的地方，心里就像窝着一只活刺猬，形容不出地烦躁与郁闷。

有谁能理解这个二十八岁的小伙子呢？

二壮比侯莹大一岁。当侯莹去内蒙兵团的时候，他去吉林农村插队。令他同炕的战友们吃惊的是，二壮不但非常适应那里的生活，而且，他一点也不想念北京的家。是的，北京这个院落里的家，有什么值得二壮怀念的呢？当时，这间自己盖出来的电话间还不存在，全家六口人，就挤住在那么一间十平方米的小西屋中。屋里除了两只摞起来的旧木箱、一张吃饭时撂下吃过饭赶紧挨墙立起的炕桌，以及一些锅盆碗盏之类的什物外，占百分之八十面积的，就是一张用木板拼成的通铺。二壮和他的父母，他的两个妹妹一个弟弟，每晚就合睡在那张通铺上！在吉林农村，集体户的几乎所有的小伙子都骂那少油无肉的伙食，他们吃着那带着粗盐粒的腌萝卜就像在受刑；只有二壮，他每顿吃得都很香，他并不觉得那高粱米饭，那腌萝卜，比家里的饭菜粗粝多少；逢到集体户吃大碗炖肉时，他便坦率地向那些怕肥的同伴们征求"剩余物资"，就着整瓶的白干，他一次就能吃下一斤的肥肉块，外带着还吃下去五六个大馒头！

随着世态的变迁，集体户崩溃了，二壮也顺应着潮流，回到了北京。刚回北京时，与那些同命运的哥儿们相反，他不是感到心情舒畅，反而更觉得烦闷压抑。住惯了东北那高大宽敞的农舍，他忍受不了首都这胡同小院里的小西屋的低矮狭窄；睡惯了男女分开的宽大的土炕，他更忍受不了家里这男女混杂的木板铺；在等待分配工作的期间，他率领上小学的弟弟，拉着小轱辘车，满世界转游着拣砖头，有时候走过那无人看守的砖堆，他们就同千百个为盖小房子而奋斗的北京人一样，顺手牵羊地弄上那么十块二十块，于是，他终于为家里在原有的屋子外头接出了另一间小屋，这就是如今安装的有公用电话的这间。这样，他才终于有了自己独立的一张床，而全家也才终于改变了男女合炕的状况，进化为"合并同类项"的形式：父亲与弟弟在外屋另一侧的铺上合睡，母亲与两个妹妹在里屋分睡于两个铺上。

二壮的父亲解放前拉洋车，解放后第三年才混上个老婆，蹬了四十来年三轮车，头年才歇脚。其实论身板他完全可以再蹬下去，但为了使二壮的大妹妹结束待业的状态，他办了退休手续，这样，二壮的大妹妹总算去三轮服务社"顶替"了他；当然，妇女蹬三轮车未免不雅，给她安排了个业务员的职务，这职务在侯勇以及他那西郊的小舅子、小姨们看来，也许是极可鄙夷的吧，但在为争夺这个"顶替"位置而败阵的那些三轮车工人的子女们看来，二壮的大妹妹实在是幸福得令人嫉恨而不禁牙痒。

二壮在家等了一段以后，被分配到房修队当了壮工，也算是子承父业吧，他每天主要是蹬着装有灰浆的三轮车，来往于各修理点之间，不蹬车的时候，便给瓦工们打下手。二壮和大妹妹的参加工作，使钱家的经济状况大大地好转起来；钱大爷又不甘心于只领退休金，他每晚到一处仓库去值夜班，拿补差；而家里又设了公用电话，平时由钱大妈一边做补花活计一边看守电话，还在上学的二姑娘和小小子轮流跑腿传呼。这样不久，加以二壮业余弄起了木匠活，陆续给家里打了些家具，他们家的里外屋竟渐渐变得充实、鲜明起来。他们不但有了半导体收音机，而且，是寻机会购置一台别人家淘汰的九英寸电视机，还是干脆抓张票购置一台十二英寸的新电视机？这一问题已在全家之中展开了正式的讨论。

在钱大爷看来，二壮真是没有多少好抱怨的。还想过什么样的好日子？当然，二壮转眼快三十了，该娶媳妇了。如今娶媳妇不光得有钱，还得有房，为了成全二壮，他跟老伴嘀咕好了，先把大闺女嫁出去，然后，他和老伴咬咬牙，带着二闺女和小小子再挤到外屋住，把里屋让给二壮和媳妇过日子！他把这话对二壮说了不止一次。二壮光是鼻子里哼哼几声，没句暖心的话递给他。如今这些年轻人！

钱大爷和钱大妈像着了魔似的，到处托人给二壮介绍个对象。二壮呢？他想些什么？他渴慕着什么？谁知道呢？就是他自己，又何尝说得清呢？

有一天，外屋只有二壮一个人，他拨了个电话给出租汽车站。

"你哪儿？"

"我要车。"

"干什么用？"

"要车！"

"是呀，你干什么用呀？"

"去火车站！"

"啊，什么时候要？"

"这会儿就要。"

"你几点的火车呀？"

"还差半拉钟头就开。"

"你住哪儿呀？"

二壮想了想，说出了胡同的名字，不等对方问门牌号码，便说："车来了，就停在胡同口上吧！"

"你那儿不是离北京站挺近吗？"

"是挺近。"

"那你干吗非要车？是行李多吗？"

"对，行李多，自个儿拿不了。"

"那就让车开到你家门口吧。"

"不用。我们家这儿开不进来车。"

"你那胡同我们的车常过，开得进去啊。"

"反正你就让车在胡同口等着吧！"

"好，一会儿车就到。"

挂上电话，他就跟喝醉了酒似的，有种晕晕乎乎的感觉。

愣了愣，他就往外走。

在院里自来水管旁边，他遇上了洗衣服的侯莹。侯莹听见脚步响，本能地仰起了头。她恰好望见了他的眼睛，他的眼睛准确无误地盯住了她的黑眼仁。他对她微微一笑，微笑里溢出一种自尊和满足的神情。她低下头，继续使劲地搓揉搓衣板上的衣服。

二壮快步走出了院子，小跑着到了胡同口。

不一会儿，胡同口开来了一辆淡蓝色的上海牌小轿车。

二壮走近汽车，弯下腰对司机说："是我要的，去车站。"

那司机是个中年妇女。她怀疑地望望二壮，问："你的行李呢？"

"我不带行李了。"

司机满脸惊愕，她没有拨开控制车门的插销，从车窗内仔细地端详着二壮。

"是我要的车。"

"你去车站，走过去不也行吗？"

"我给钱。"

"你究竟去哪个火车站？"

这个问题救了二壮。二壮赶紧回答："永定门呀！我能走着去永定门吗？坐电车也来不及了，还有二十几分钟就开车。"

司机这才开了门。二壮钻了进去。

二壮坐在后座上，尽量让自己舒适一些。他来回打量着车内的一切，又把脸贴近车窗，紧张地观望街道上的景物。司机一边开车，一边警惕地从车前的小横镜子里防范着他。

二壮感到憋闷，他想把车窗开大点儿，却怎么也打不开。

"你摇摇那个把儿。"司机指点着他。

他把窗玻璃整个摇了下去，一股烫人的、混浊的气浪冲进了车内。

二壮还没有坐够，车子已经停在了永定门火车站的停车场上。

二壮一意识到车子停住了，便立即从上衣胸兜里掏出一张十元的大票子递了过去，诚恳而心虚地问："够吗？"

司机这才相信他并非坏人。

司机找完钱，二壮下了车。司机把车开走了，二壮这才松了口气。他徒步走回了城里，经过陶然亭公园时，他进去坐在湖边的一架长椅上，望着粼粼闪光的湖水，思维里只有些简单的念头："原来坐小轿车没他妈的啥味道……要了我他妈六块多，坑人……"

有谁知道，二壮为什么要干这样的荒唐事呢？

当年，二壮学校里的"政工组"有位专管教育后进生的老师，在他的眼里，凡是文化学习不行、家里经济困难的学生，都是准流氓。他也曾把二壮叫去训话，喝问他："你瞧见'小锛子'的下场了吗？！"

"小锛子"是他们学校里的一个有名的小流氓，犯了事，被公安局抓走了；后来公安局又把他押回来，在操场上开了批斗会；这样的批斗活动，究竟在二壮的心灵中留下了些什么印象呢？那位老师也好，二壮的父母也好，公安局的人也好，谁也猜不出来。当天，给予二壮的最强烈的刺激，是公安局用了一辆小轿车押送"小锛子"，"小锛子"虽然被剃了个光头，戴上了银闪闪的"小镏子"（手铐），但是，他却有幸坐上了小轿车！整个批斗会进行的过程中，二壮净偏过头，端详那辆停在操场一角的小轿车了。在二壮的家族中，他的爷爷，他的姥爷，他的父母，他的叔舅，没有一个人尝过乘坐小轿车的滋味！在二壮前面的，朦朦胧胧的生活道路上，也丝毫不见小轿车的影儿。"'小锛子'丫头养的真行，坐上了他妈的小轿子！"这便是那回批斗会在二壮心灵上播下的种子。

二壮并没有像"小锛子"那样去犯罪，但是，二壮总算也尝到了坐小轿车的滋味。

那天是二壮开支的一天。坐完小轿车，从陶然亭出来，他又到虎坊桥的一家饭馆里，一个人开了一顿，喝了两升啤酒，剩下半桌子好菜，踉踉跄跄地回到了家中。钱大爷骂了他一顿饭工夫，钱大妈叨唠了他整三天，然而他始终没吐露出坐小轿车这回事儿。

这，将是他终生的秘密。

有一项秘密，他自以为能藏住，却藏不住。

他已经完全成熟了。他躯体中产生着一种冲动，这种冲动倘不加以控制与引导，将迫使他干出越轨的事情来。

不管报纸上怎么说，反正，在北京的千百条古老的胡同里，有许许多多二壮这样的并不看报的青年。

他不看报，并不是不愿意看报。他们家不订报。他们房修队订有一份《北京日报》，但人多报少，他们的工作又分散而流动，那报纸只被坐守料场的人控制着，他想看也难看见。街上又几乎没有什么报栏，更没有什么为二壮这种青年而设的阅览室。报纸同二壮无缘。

二壮爱看有男女谈情说爱的电影，渴求着一切性感的镜头，倘若我们的电影院上映真正色情的电影，二壮肯定是最积极的观众之一。

二壮看了色情电影，便会犯罪吗？

恰恰相反。二壮能从一切涉及男女情爱的、哪怕是零星的一闪即逝的电影镜头中，得到很大的性的满足。他看时不吱声，看完也不议论，他默默地回味着，发展着镜头里的动作；晚上，伴随着把自己化为电影中男主角的梦境，他那强壮的身躯，可以得到一种生理上的满足；于是，清晨他早早地起来，就觉得自己又可以做一个规规矩矩、干干净净的人了。

使二壮自己于朦胧中也不免吃惊的是，有一回他的梦境里，自己照例扮演着电影里侠肝义胆的男主角，而女主角从雾中显现后，竟是侯莹的面庞，侯莹的腰身，侯莹的声音……他惊住了；按照电影里的安排，他是应当扑过去，搂住她……然而他的脚跟仿佛被粘住了，他产生了一种异样的感觉，就是面前的这个女郎，他不能碰她一根毫毛,他得尊重她,体贴她,听她的吩咐……

那天早晨醒来,他跑到院子里举石锁,正遇上侯莹上完夜班回来,惺忪着眼儿,蓬乱着鬓发,望见了他,似乎对他微微一笑,掀门帘儿进了家。他觉得心里痒痒的,酥酥的……

二壮的这些埋藏在心底的意念,最早是让钱大伯看出来的。

钱大伯给他去试探过,碰了钉子。人家侯家等着用侯莹再去高攀一次。二壮冷眼旁观着侯家的一切。

今晚,蔡伯都领着侯莹出去了。那等着相看侯莹的,会是个什么样的主儿呢?能成事吗?

二壮不想吃饭。二壮要等着看侯莹回来的动静。

第五章

15

侯勇打完电话,掀帘进屋一看,便不禁心里发堵。

屋里满满腾腾全是人。方桌上摆了几样酒菜,父亲侯勤丰已经下班回来,正与侯锐分坐在方桌两边对酌。侄女小琳琅趴在床边,一边玩一个已经跌破了头的旧塑料娃娃,一边吃着一个棒棒糖;母亲和嫂子白树芬一个坐在藤椅上,一个站在洗脸盆架子前头,兴致勃勃地讲着什么。整个屋子里弥漫着一股子糖醋带鱼的味道。这味道使侯勇深入骨髓地意识到这间屋里的低级与鄙俗,加以刚才的电话弄得他心烦意乱,他恨不得立即发作一番,泄一泄心中的郁闷。

"老二呀,你也来喝两盅吧!"父亲见侯勇进了屋,如获至宝,居然欠起身,像让客人似的来了那么个动作,这使得侯勇把一腔邪火压了下去。在他看来,父亲的姿势、表情,集中体现出父亲的慈祥、善良、庸俗、浅薄、懦弱、诚实……侯勇勉强做出一个笑脸,说了声:"爸,您先喝着吧,我有点累,先去里屋靠靠。"便理也不理正对他点头的嫂子,几步迈进了里屋。

侯勤丰与老伴的不同之处，在于他对三个子女都充满了自豪感与信心。侯锐曾在《北京日报》上发表过诗作一事，至今他仍念念不忘；而且，每当他在邮电所发售载有蔡伯都的剧本的刊物时，他便不由得油然联想起自己的老大侯锐，他总觉得凭老大的才学，早晚有一天，他也会发售刊有侯锐大作的杂志。对于侯勇，他的满意自不必说了，只不过他比老伴自尊，他去亲家家的次数，一年只控制在"十一"和春节这么两次，而且从不在那里留宿，甚至也不在那里洗浴，他总觉得当亲家母才有资格享受的事情，他作亲家翁的不必去沾光。对于侯莹，他仍然坚信是可以找到一个相当不错的丈夫的，刚才听说蔡伯都正给侯莹介绍一位当编辑的对象，他不由得心花怒放，借着酒兴，他笑吟吟地说："好呀，赶明儿老大写诗，女婿编诗，我来卖诗，咱们家都在一行上了！"

侯勇进了里屋，靠在侯莹睡过的床铺上，本没有注意听屋外几个人的谈话，忽然，嫂子的亮嗓门把这样的话语甩进了他的耳中："……咱们东单十字路口的立体交叉桥，听说可能明年春天开工！咱们这儿今年秋、冬还不得拆迁完毕？……"

啊，立体交叉桥！

侯勇的脑海中立刻浮现出电影上见过的鸟瞰镜头：立体交叉桥在大地上划出优美的直线与弧线，穿梭的车辆自由自在地奔驰着……

是啊，有了立体交叉桥，不，甚至还不需要建成立体交叉桥，仅仅是开始拆迁这周围古老的胡同，包括侯家在内的许许多多家庭的命运，将会发生多么大的变化啊！

在拆迁的过程中，侯家起码能够分到一个三间的单元，那就够了。侯锐夫妇和小琳琅尽可以占据一间，父亲母亲平时占据一间，侯勇回家时，侯莹暂去同母亲同住，父亲同侯勇合住一间，岂不天下太平？侯锐夫妇和侯勇都不在家时，家里会多么宽敞，侯莹的神经质，在那宽松的空间中定会得到慰息，因而她也就可以更顺利地嫁出去……侯勇和爱人倘若调回来，怎么住呢？也住得下，侯莹嫁出去空出来的那一间，不就正好留给了他们吗？侯锐一家的户口，一旦拆迁完毕以后，也便可以暂时迁出一段，以利侯勇夫妇调回，反正他们有了漂漂亮亮的房子，那户口干吗非死留在父母的户口本上呢？……

唉，立体交叉桥！

快建成立体交叉桥吧！不，就算一时半会儿建不成，也快点拆迁吧！这对于政府来说，对于那些已经住上了宽敞的房屋、享有着充分的空间的人来说，该并不是一桩十分困难的事！

有了立体交叉桥，侯勇也就不用找葛佑汉，去进行那莫名其妙的三角交换的把戏了；也就不必为自己家与岳父家的强烈对比而痛苦了，也就不会对哥哥和妹妹那般粗暴了，甚至对二壮，也就不会有一种天然的隔阂与仇恨了；侯勇的灵魂便可以不再那么蜷曲，那么萎缩，那么压抑，那么愤懑，那么烦躁……

侯勇就那么靠着，向往着。什么理论，什么宣传，什么道德说教，什么文艺感化，什么会议，什么口号，什么文件，什么精神，什么民主，什么奖励……他认为对他都不管用，啊，我只要一座立体交叉桥，给我一座立体交叉桥！！！

立体交叉桥，这意味着将有限空间向宽阔处开拓，意味着将拥挤的人流向开阔处疏导，意味着给人们提供更多的空间，在人与人的关系上提供更多必要的回避机会，因而也就意味着抚慰、平息大量因空间壅塞而感到压抑与痛苦的灵魂！

这个晚上，侯家的人又说起了立体交叉桥。他们没有意识到，每当他们聚到一起时，这个话题便会自然而然地排挤掉别的话题，而成为他们谈话的一个长时间的中心。

这回，又是白树芬头一个提起立体交叉桥的。白树芬的一个大学同学，后来调到了市政建筑公司工作，她的消息是从她那儿来的，似乎格外具有权威性；其实，那仍不过是一种传闻而已。

16

侯家以及他们那一片的居民，与其说是向往着立体交叉桥，不如说是向往着拆迁。

拆迁！对于北京市成千上万仍旧住在古老的、不方便的、往往是拥挤的平房中的家庭来说，不啻是福音，是通向光明与幸福的阶梯。拆迁总是伴随着这几种情况发生的：要修建庞大的公用建筑；某系统某单位要征用地皮进行扩建；要为首长建筑用房；房屋危险需拆除重建。解放后的头十多年里，政府对拆迁户充满了歉意与关怀，所以，几乎所有的拆迁户所提出的要求都得到了满足，凡拆迁到新住宅的，不但肯定可以改变几代同室的拥挤状况，而且往往大大地扩大了居住面积，改善了居住条件。那时候，拆迁户本身很少提出非分要求，未轮到拆迁的家庭对他们也不嫉恨，因为总觉得市政建设发展得很快，不久也便会轮到自己。主办拆迁的工作人员们那时也比较廉洁公道，很少有因受礼受贿或因"背景"、"面子"而徇私的事情发生。直到今天，人们还津津乐道 1959 年为修建人民大会堂而拆迁的那些住户的可羡命运，他们不但一律迁到了比原有条件好的新住宅楼中，而且，人民大会堂建成后，他们又一律受到了市长的亲自邀请，成为了那富丽堂皇宫殿的首批参观者，并在金碧辉煌的宴会厅中受到了一次终生难忘的款待……

然而，北京市政建设的发展远非一帆风顺。

看看散布在北京城内外的近三十年所建的居民楼吧。50 年代初第一代居民楼的典型，如景山后街两旁的那一组高楼，高大的琉璃顶，宽阔的玻璃钢窗，平均二十多平方米的大开间……绝不实用，但体现着当时人们的心境：社会主义就是如此气派，共产主义指日可待！第二代居民楼所建不多，其典型如西城福绥境大楼和广渠门内大街的"安化楼"，没有大屋顶了，但追求层多体大。那是 1958 年"城市人民公社居民住宅"的活样板，当时的时代气氛，是"共产主义就在眼前"，而"共产主义"的象征之一，便是"楼上楼下，电灯电话"；许多居民在自豪的锣鼓声中搬进去了。开头，他们也曾被人羡慕，但很快地，随着"大跃进"理论上的绝对"成功"和实践上的彻底失败，待建的这类楼房停建了，住进去的人们一天比一天更烦恼与苦闷：电力缺乏，无法安装与使用电梯，住在八层上也只好爬上爬下；以煤气为燃料始终只是一种设想，因此还得从楼下往上搬蜂窝煤；有几年冬天，甚至无法供应暖气，因此家家只好生火炉取暖，于是乎大楼很快便被熏黑了，加以保养工作很差，现在看去，这样的大楼便有如搁浅在沙滩上的生锈的巨轮。从 1959 年到 1962 年，新的居民楼盖得很少，1962 年至 1966 年春天，是第三代居民楼大规模崛起的黄金时代，在和平里，在三里屯，在西郊的许多地区，设计得比较合理的、外观看上去也算顺眼，然而无可避免地互相雷同、显得单调的大片不算太高（以五至六层为多）的居民楼雨后春笋般地出现了，住在这些楼里的居民，至今仍被楼外的大多数北京人视为天之骄子，人们在拆迁时所最向往的，就是这类居民楼里的单元。然而好景不长,1966年夏天的急风暴雨一来,这样的已盖好而未及住上人的空楼,便首先成了到北京进行"革命大串连"的"红卫兵小将"的临时招待所,他们毫不爱惜这些新楼,所造成的破坏,使后来迁进去的居民们费了很大力气,才一一弥补上。到了1969年左右,"随时准备打仗"的气氛甚嚣尘上,大量的资金和人力都投入到"深挖洞"的伟大工程中去了,于是在北京各处都出现了一些名副其实的"简易楼",又名"战备楼",这算是北京市的第四代居民楼吧,它们的特点是低矮、狭小、单薄、丑陋;这类楼房在修建时还往往把一些砖头突出,以形成"敬祝伟大领袖毛主席万寿无疆"之类的标语,后来人们意识到这是无谓的与不必要的,又搭起沙篙架将它们一一凿掉,结果本来就很丑陋的楼墙就更显得不堪入目。"简易楼"几年后便声名狼藉,于是,从1975年邓小平同志第一次复出主持国务院工作起,又开始兴建闻名于世的三门工程,即在崇文门——前门——宣武门一线的原顺城街(内城与外城的分界线)南侧,盖起了一排有如灰色高墙般的多层居民楼。这些居民楼的特点是只求总体高耸集中的"唬人"效果,而设计上很不实用,施工也相当粗糙;这类大片居民楼的修建从那时一直持续到今天,随着近几年人们思想的变化,第一座新建的楼总比前一座建成的楼要多少改进一点,不但更注意内部的实用,也更注意外观的美观协调,这,大致就构成了北京的第五代居民楼。

虽然以上面的眼光计算,三十年来北京市盖起的居民楼已有五代之多,而且近两年来建成的数量与以往相比大有增加,但是能分到新楼单元的,主要还是大机关的干部以及各种需落实政策的高级知识分子、民主人士,一般的市民仍旧排不上号,他们只好照旧拥挤地居住在古旧低矮的平房之中。不用往偏僻的地方去,即以从西单商场向北直抵新街口商业区之间的十里长街两侧而论吧,有多少居住在狭小黑暗的小铺面房中的家庭啊!他们开了家门就是人行道,没有厨房,只好把炉子搁在门外,用漆成灰色的铁皮做个小罩子,罩住那炉子。有时早晨现生火,从拔火筒中冒出滚滚的浓烟,与马路上汽车排出的废气在空中汇合在一起,形成一张罩住北京城的污浊的气网。像侯家这样的住在胡同小院里的家庭,跟他们一比,还算幸运的呢!

这些住在古旧拥挤的平房中的普通市民,既然不可能像大机关的干部那样,有机会分到新楼单元，他们便只得寄希望于拆迁，故而他们经常把拆迁作为一个话题，随时展开着牵心挂肺的议论。有的企望着在自己那一带盖剧场，有的企望着在自己那一带盖旅馆……侯家那一片的居民，则企望着在东单十字路口早日修建立体交叉桥。

随着人们见识的增长，拆迁中的戏剧性因素，特别是闹剧和悲剧因素也不断地增长着。

常有这样的事发生：住着较好平房的人，自愿与住着较差平房的人换房。为什么呢？就因为他打探到了这样的消息：后者所住的那一带将要开始拆迁！

也常可以看到这样的景象：一大片房屋已经拆掉，出现了一片颇大的空地，但独有一所摇摇欲坠的住房仍兀立在那空地之中，里面依旧住着人，屋外的几株蒙满尘土的向日葵也便依旧耸立着，而小厨房里也照例往外飘着油烟……凡懂得拆迁一事的北京人都知道这是为什么：房里的主人向拆迁的部门提出了很高的条件，对方如不应允便坚决不搬！这种拆迁中的"硬骨头"，虽不一定能够如愿以偿，总也会比那些"听话"的拆迁户多得些好处。

还有许多不能直接看到的情况，一些如葛佑汉似的人物，他们本来与一场拆迁并无关系，但他们就像苍蝇扑向变质的鲜肉似的，闻味而至，与拆迁部门的人打得火热，从中得到好处；当然，更有一些为官的、有钱的、近水楼台的人在幕后进行着微妙的，或公然违章的，或表面上符章而实际充满"猫腻"的勾当，结果是一些与拆迁无直接关系的人从拆迁中大获利益，而一些与拆迁有直接关系的老实人、懦弱者，却被剥夺了某些连他们自己也不清楚的应得的好处……

如今，人们对拆迁，已不是二十多年前的那种纯朴的心情了。人们知道拆迁的机会并非易得，所以应当充分珍惜，错过了这一次，那下一次不知多少年方能到来。人们懂得拆迁中会遇到"猫腻"，因而必须分外精明。总之，对于人们来说，拆迁乃是一生中只能遇到一次的大事，是难得的开拓居住空间的机会。的确，拆迁的给房标准尽管在一再地压低，但大体上总还体现着不硬行拆迁、给予改善居住条件的原则。至今仍为狭小的空间压抑着的千千万万的北京市民，对于拆迁，他们真是望眼欲穿啊！

17

外屋关于拆迁和修建立体交叉桥的议论，把侯勇从里屋吸引了出来。侯勇的重返外屋，使父亲非常高兴，他甚而产生了一种感激儿子"赏脸"的心情。

白树芬一见小叔子出来，也便招呼说："你们仨先喝酒吃饭吧，我跟妈、小琳琅等你们吃完了再吃。"

侯勇淡淡地"嗯"了一声。他心里想：你这当嫂子的，说这话就算贤惠了吗？其实主要还不是因为屋子小，没地方，倘若这屋子宽，八仙桌往外一抬，你保管得同时上桌子吃。

侯勇一边这么想着一边过去面墙坐下，同父亲、哥哥一起喝酒。

本来，立体交叉桥这个题目，是最能使他们一家人息掉宿怨的；但是侯勇一摸酒杯，就不禁想起了刚才接到的电话，葛佑汉还等着他去呢！去干什么？去走路子调回北京！欲成此事先需如何？先得让哥嫂侄女把户口迁出去！先得让侯莹嫁出去！什么立体交叉桥，什么拆迁，没影的事儿！有影的事儿便在今晚！想到这里，他便绷着一张脸，对于父亲的问话，只是"嗯"、"哼"地敷衍着。

"老二，吃菜呀！"父亲像对待贵客似的，满脸笑容地招呼他说："吃块带鱼吧，你妈的手艺，退休以后提高了不老少……"说着，便往侯勇的碗里挟红烧带鱼，侯勇端起碗，使劲地一躲，父亲吃了一惊，筷子一抖，一大块红烧带鱼中段掉到了地下。

这情景使侯锐万分愤慨，他不禁红涨着脸，喝斥侯勇说："你怎么回事儿？给你脸你不要！"

母亲发现了这一镜头，忙走过来劝解，先对老伴说："人家老二如今不吃这无鳞鱼！"又劝侯锐，"成啦成啦，好不容易全家团团圆圆的，你就少说两句吧！"

父亲满脸尴尬，确确实实下不来台。他蓦地回忆起当年被单位里"专政"时的情景。他被关在地下室中交代历史上的罪行，每天认认真真工楷书写好几张信纸的交代材料，写完以后，就不免要想点别的，他常常想到的，便是老伴做的红烧带鱼，尤其是当看守人员给他端来窝头和白菜汤时，他就极其生动地回忆起那红烧带鱼的色、香、味，乃至于刚出锅时，带鱼段表面上那闪闪发响的小油泡。

后来"落实政策",放他回家了,迈进家门,他对老伴提出的头一条要求,便是:"买点带鱼烧给我吃吧!"老伴提着菜篮,从东单一直寻觅到哈德门外,才终于买到了二斤带鱼,回家来没歇着,立即拾掇、烹烧……唉,记得那一天侯锐不在家,侯莹也在兵团没回来,就侯勇从插队地点回来探家,侯勇简直是扑上去抢着吃,一大盘红烧带鱼,侯勇倒吃去了三分之二,那情景真是历历在目啊;可今天,侯勇成为"将门贵婿"了,人家不屑再吃这种无鳞鱼!……想到这儿,父亲有点撑不住,眼圈儿顿时红了,鼻子一阵阵发酸,他叹了口气,仰脖喝干了大半杯二曲酒。

父亲的神情,使侯勇多多少少有点良心发现,他便掩饰说:"在飞机上我就有点反胃,这会儿好像更厉害了。我今天不想吃荤腥……"说着他挟了一筷子凉拌黄瓜,吃完又喝了一口酒。

侯锐见侯勇自动下了台阶,也便光是瞪了他一眼,不再说什么,闷头只管喝酒。

一时间屋子里变得异常肃静。

又喝了几口酒,侯勇就起身宣布说:"我还有事儿,得出去。不在家吃饭了,你们吃吧!"

父亲和母亲望着他,光知道用眼神问:"你去哪儿?"却都说不出口。侯锐自然不会沉默,他梗着脖子问:"你怎么这时候还出去?"

侯勇一看腕上的手表,已是八点五分,他没有工夫吵架,他怕去晚了见不着葛佑汉,那家伙经常是神出鬼没的;因此,他便和和气气地对侯锐说:"去趟北新桥,业务上的事,晚上人家在家,晚上去家里找比白天去单位找好说话。"说着他拔腿便要出去。

谁知,临出门他被嫂子白树芬给叫住了。

18

在侯家这小小的空间里,真正对侯勇无所惧让的,只有白树芬一人。

白树芬会置身在这么个空间里,说起来,真是一件她自己当年万万想不到的事。

退回十六年去,白树芬正在家乡南昌上高中,是班上的团支部宣传委员。如今她还保留着大量当年的照片，那些照片上的白树芬，是一个身材苗条、随时随处把两只眼睛弯成两个月牙儿使劲欢笑的姑娘。那时候她最爱唱的歌，是《地质队员之歌》，那歌曲的头一句：是那山谷的风吹动我们的旗……多少次惹出了她满眶的眼泪！听了一次地质局干部的报告，看了一场描写地质队员生活的影片《沙漠里的战斗》，她便认认真真地在日记本上一遍又一遍地书写着"立志作一个地质尖兵"的誓言。那时候的青年多么单纯！党的号召，祖国的需要，人民的期望，这些话一灌进耳朵，心头上立即燃起熊熊火苗。1965年报考大学时，白树芬在志愿表中填满了地质学院的各种专业，当她得到一纸北京地质学院的入学通知书时，她觉得自己成为了世界上最幸福的人，她简直是唱着、舞着来到北京，来到北京地质学院的……

然而，接踵而来的世态，将白树芬的天真状态击得粉碎。他们进校便被派到农村去参加"四清"，据说不管学哪种专业，顶要紧是必须学习阶级斗争这门主课；从"四清工作队"回到学校，刚开始学了一点基础课，忽然爆发了史无前例的"文化大革命"，白树芬犹如一个掉到海中的软木塞，她沉不下去，却浮得分外痛苦，随时被掀腾呼啸的恶浪抛掷着、冲荡着……

白树芬目睹身历了许许多多让以后的历史家们研究不尽的事，她的思想在震惊和煎熬中曾经极度混乱，然而即便在那种情况下，为自己的祖国和人民开采宝藏的意愿，仍像古莲种深埋在煤层一样，存于白树芬心中。多少次，她以为"这下总该让我们学地质了吧"，然而"是那山谷的风吹动我们的旗"的理想，一再如同风扑肥皂泡般地被破灭着。

当地质学院的运动开展得最激烈时，白树芬虽然也附骥于最强大的一派"地院东方红"，但她只是一个挂名的成员，因此她逃到了住在城里一条小胡同的姑姑家中。姑姑家"文革"中也饱受冲击，那里的生存空间也非常狭窄，除了晚上勉强可以临时搭一块铺板给她一个床位，白天简直没有多少转身的地方，于是乎她和同院的比她小两岁的叶玉秋交上了朋友。叶玉秋因病没有下乡插队，在家里待分配，她家虽然也并不宽敞，但总算有一个角落可供读书、谈话，于是她们两个就常常坐在那个角落里，读一点劫后余存的外国小说，絮絮地谈一点只有她们两个之间才能谈的私房话……

后来白树芬听说工宣队已经进校，运动有望结束，她心底里又浮出了"是那山谷的风吹动我们的旗"的歌声，于是便回校去探察究竟。谁知一去，便被工宣队扣下了，说是地质学院已决定外迁，根据"农业大学办在城里不是见鬼了吗？"的逻辑，地质学院办在城里当然也是见鬼，必得搬迁到山沟里去……白树芬被编入了打整搬迁物资的连队。那时的地质学院已经惨不忍睹了，教学楼的楼墙上布满了污痕，窗玻璃很难找到一块完整的，宿舍楼里一片混乱，昔日整齐漂亮的操场这里一堆秽物，那里一个大坑，更不用说到处都有破败的大字报和新涂写的恶俗不堪的标语口号……啊，这里已是文化沙漠，"沙漠里的战斗"终于兑现了！

后来突然又来了一道什么战备命令，工宣队要求大大加快设备拆装外运的速度。当时白树芬他们那个小组负责装运的全是些玻璃器皿之类的仪器，她找到工宣队的一位负责人，试图告诉他：这些东西必须极为耐心地收放包装，否则会造成重大损失，因而可否不必硬性限期完成任务？那工宣队负责人气呼呼地把白树芬训了一顿，咚咚咚地大步来到实验室现场，把两个正小心翼翼因而显得慢慢腾腾地装箱的同学拉拽开，示范性地把剩余的几件玻璃仪器往箱里一扔，"咣当"盖上了箱盖，拿起草绳就捆绑，为拉紧草绳打结，他一只大皮靴毫不留情地踩了上去，只听木箱里一阵玻璃破裂的声响……

这响声埋葬了白树芬心中对从事地质事业的最后憧憬，也送走了白树芬心中最后的一丝温情，一丝向往，一丝对自身以外的责任感。

白树芬意识到，一俟搬迁的苦力活结束，她也便会像已经分配走的同学一样，面临着极为可怖的命运。她接到了先期分配走的同学的来信，那些在运动初期被江青亲昵地搂着肩膀夸奖过的"小太阳"也好，那些在运动当中被当做"修正主义苗子"、"现行反革命"、"五一六阴谋集团分子"而被整得脱了一层皮的"小爬虫"也好，那些以为当个消遥派便可侥幸逃脱厄运的"胆小鬼"也好，除了极个别有背景、有门路的而外，几乎全都被当成废物，处理到了与他们所学专业、所抱理想全然不沾边的工矿、农村。据说因为他们是大学生，因而就是资产阶级知识分子，因而也就是最危险最讨厌最无用的东西，所以必须让他们干最脏最苦的体力活，以利他们脱胎换骨，在接受"再教育"中重新做人……

正是在这种形势下，白树芬在姑姑所住的院中，在叶玉秋家里，遇上了蔡伯都；

正是出于蔡伯都的乐善好义,才介绍她同侯锐见了面;她通过与侯锐确立了夫妻关系,这才争取到了分配时照顾她留在北京郊区,并且争取到了去公社中学教物理课的工作。

白树芬幸福吗?她对幸福的渴求,早已枯竭到麻木状态,所以她现在很少去思考这类重大严肃的问题。她有了丈夫,在结婚之后,她发现这丈夫还算不错,使她避免了吞食后悔这剂最苦的药。后来她又有了小琳琅,小琳琅每日随她在她那个学校生活,这使得她的生活更易于脱离冥想而更接近于实际,因而使得她的心境更易于趋向平衡。开头,她和侯锐一样,为没有自己的家而深深地烦恼,后来,她被这旷日持久的事态也弄得麻木了。她曾劝说过侯锐,就在公社安个家算了,但是不用侯锐跟她讲,她自己也渐渐看出了这样的人情世故:她所在的公社里的那些人,即使不说是全部吧,也有百分之八十以上,在他们眼中,侯锐夫妇没有很快地把自己的工作调回城里,是一件很古怪的事,"你那小叔子他岳父不是什么什么吗?他给你们说句话还不结了?"似乎这应该是一条颠扑不破的真理!到了这二年,县教育局干脆确定了这样的精神:夫妇均在本县教学的,可以优先照顾其中一名调往城内,门路可以自找。既然如此,白树芬也就不再跟侯锐提在农村安家的事,并且,也就更积极地参加到向往立体交叉桥的行列中来。只要一开始为立体交叉桥拆迁,他们夫妻孩子就可以在城里有一个窝了,那时她尽可以让侯锐先调回城来,家中有了足够的空间,小琳琅也便可以留给奶奶看管,到了上学年龄也能在城里入学,受到较好的教育。

白树芬虽然准备着离开那个半山区的农村中学,却认认真真地努力上好每一堂物理课。她还担任着班主任,这是一项开掘学生心底宝藏的工作。学生们从她口中很少听到那种枯燥的大道理,但她那种和善的态度,亲切的眼光,特别是从微小处做起,给人以关怀、帮助的行动,使她赢得了学生们的爱戴。一个雪花飘飞的冬日,她发现孙锁柱放学后还蜷缩在教室的火墙边,便问他为什么不回家,孩子抬起一双哀伤的眼睛,没有吭声。白树芬想起他爹刚娶了后娘,把他打发到土坯房去睡了凉炕。白树芬心里一酸跑回宿舍,从自己床上抽下一床旧褥子,给了孙锁柱。孙锁柱用一双皲裂的手接了过去。白树芬背过脸去,不知为什么,心头上浮现出了立体交叉桥的图像,久久没有消失……

　　都说当嫂子的容易同小叔子处好关系，而最难同小姑子相处；白树芬恰恰相反，她同侯莹的关系是非常融洽的。回到家中，她常揽着侯莹的肩膀，而侯莹也常挽着她的胳臂，说许多知心的话……她同侯勇的关系却相当紧张，她惊异于侯勇的心如同花岗岩般坚硬冷酷，而侯勇也打心眼里看不惯白树芬那种清高的气派。不过，由于侯勇毕竟不在北京工作，白树芬在他出差来京时又尽量避免回城，他们碰上的时候不多，因而也还未曾冲突过。

　　谁想到，在这天晚上，叔嫂之间终于冲突起来了。

19

　　"小勇，你什么时候回来？"

　　当侯勇抬脚就要出门时，白树芬叫住了他，问出这么句话来。

　　白树芬这话问得有理。事关这晚上一家人的睡法。这晚上还不算人丁最盛的，因为侯莹要去上夜班，只有三男三女。但这三男三女之间存在着两层理应互相回避的关系：公媳之间，叔嫂之间；而两层关系中的核心人物正是白树芬。白树芬带着小琳琅一到家，听到了侯勇也已回来的消息，心里就开始盘算当晚的睡法了。当然只好采取"合并同类项"的方法。因为里屋床位比较充裕，所以男性成员自然应占有里屋，而她和婆婆、小琳琅则合睡在外屋的大床之上；他们进了里屋以后，把中间的门反扣上，外屋的三位妇女才好脱衣入睡。这方案本是切实可行的。但现在侯勇宣布他要出去，现在已八点多钟，按他外出的惯例，在外头总要耗两三个小时以上，因此，他很可能要十一点左右才回来，这样，三位妇女要么得等他回来才好入睡；要么就得作出这样的决定：三位妇女睡里屋，三位男子睡外屋。外屋只有一张大床，父子三人得横着睡，把脚搭到拼过去的椅子上，那当然是很不舒服的。白树芬叫住侯勇，就是希望他表个态，或表示不会太晚回来，或表示"你们女的睡里头吧！"

　　谁知白树芬的这话一出口，犹如将一个火星溅到了侯勇心中的干柴垛上，他正极端烦躁而无法排遣，经这句一激，顿时火冒三丈。

　　侯勇并没有意识到嫂子这话的潜台词是"今晚怎么个睡法"，他只觉得自己的尊严遭到了挑衅。在这个家里，父亲母亲对他都是理顺毛的态度，哥哥侯锐虽然敢于对他发怒，但发怒本身其实也是一种对他无可奈何的表现，至于侯莹，那在他面前就连大气也不敢出一口；只有这位嫂子，也不跟他顶，也不跟他吵，甚至说话口气还满客气，但从她的眼神里，从她嘴角淡淡的微笑（侯勇总觉得那是冷笑）上，侯勇深刻地感受到了嫂子对他的轻蔑。这个上过大学的嫂子知道他的不学无术，懂得像他这样的"将门贵婿"实际上处境十分尴尬，也丝毫不惧怕他的骄横无理。

侯勇把脸转向白树芬，恶狠狠地回答她："你管得着我什么时候回来吗？"

白树芬并不退让，面上和颜悦色，语调也并不提高，但两句话把他噎了回去："你要是回你岳父那儿，我当然用不着管；你要是回这儿，咱们就得商量商量，晚上怎么个睡法。"

白树芬把问题挑明了，更惹得侯勇满腔邪火，侯勇的自尊心受不了这个话。这话，意味着他虽攀上了住大屋子的高干，但并不能在那家人占据的空间中获得一个心安理得的位置；这话，也意味着在这个小小的空间里，他毕竟不是一个可以随心所欲的霸主，他还得接受别人同他的商量！

"你爱睡哪儿睡哪儿，我管不着！我爱什么时候回来什么时候回来，爱在哪儿睡在哪儿睡，你也管不着！"侯勇气得浑身哆嗦，嚷了起来。

屋子里其余的四个人顿时乱了起来。小琳琅被吓得"哇"的一声哭了；侯锐简直是从椅子上跳了起来，瞪着弟弟，张嘴想喝斥他，一时又不知该喝斥什么；侯勤丰心惊肉跳地望着剑拔弩张的叔嫂二位，没了主意；当母亲的急得连连自语："这是怎么说的，这是怎么说的……"

白树芬却一点也不慌张，她甚至也并不生气，依旧语气和蔼地说："既然咱们是一家人，同在一个屋顶底下生活，那就不能谁也不管谁，遇上事儿就得一块儿商量。"

白树芬越冷静，侯勇便越蛮横，他满脸肌肉乱抖，不管不顾地说："什么一家人！这儿不是你的家，你给我走！"

侯勇话音没落，侯锐已经冲到了他面前，借着酒劲就扇了他一记耳光，侯勇岂能甘休，当即就揪住了侯锐的脖颈；父亲赶忙过去拦在兄弟之间，急出了一身汗来;母亲心内只埋怨媳妇不该惹是生非,她不由得跺着脚,白了白树芬一眼,朝那拥成一团的父子三人叹一口气;小琳琅吓得扑到白树芬身上,搂着她的腰,哭得更加响亮,白树芬见事已至此,越发感到没必要惧让,她略微抬高嗓门,但语调并不泼辣地一字一板地反驳说:"我走不着!告诉你,我是明媒正娶来的,我户口在这儿,这儿就是我的家,我在这个家里待着名正言顺,谁也别想排挤我!"

一家人正闹着,钱大爷掀帘进了屋,一进屋便扬着嗓门劝解:"嘿,这是怎么了?一家人什么话不能好好说?快别动火,快别动火!"他进屋前已经听出了屋里在争吵,听见别人家闹纠纷,他就勃发出一种管闲事的热情,此刻他目睹着愤怒、惶急、尴尬、羞惭、冷峻的几张面孔,这种热情达于极点,他先把侯勤丰连扶带拉地归到座位上,又把侯锐连拉带拽地推到床边坐下,又请当母亲的坐到藤椅上消气,嘴里还一边叨念着许多谁也听不清也用不着听清的话语;但是,当他想继续安顿侯勇和白树芬时,侯勇已经恨恨地说了句:"哼,咱们回来再说!"一跺脚,掀门帘走了,而白树芬的反应也极为灵敏,她扬起嗓门,故意用一种客气到极点的语调,把话送到门帘之外:"对蛮不讲理的人,我一句话也不再说!"

侯勇以这种姿态出了门,弄得侯勤丰心里好不是滋味,酒和带鱼都从胃里翻到了嗓子眼。他又急又气又羞又怕,他的生活准则就是维系小康之乐,他愿意一家人团团圆圆、和和美美,他最怕家丑外扬,尤其不愿将家丑显露在钱大爷这种他认为比自己低下的人面前;他怕侯勇一腔邪火跑出去闹乱子,更怕侯勇很晚回来还要在这个家里继续争吵;但一时之间他又判断不出是非,媳妇似乎也没有什么错处,她为一家人能睡好,问一声小叔子本无可厚非,侯勇忙着出去,被叫住自然不痛快,说几句气话也算不了什么大事;侯锐见弟弟这么不尊重嫂子,兼以又喝了酒,借着酒劲打了弟弟一下,打得并不重,好像也可原谅……一家人都是好人,都无大恶,但竟闹成了这个样儿,究竟是怎么搞的啊?他那么愣了几秒钟,突然,一种本能促使他站了起来,钱大爷不及劝阻,他已快步出得门去,他是去追侯勇。他急中生智,想追上侯勇,告诉他:"我一会儿就回邮电所睡去,我替老张去值夜班,让他回家去;我不算跟他换班,下次轮着我,我还值班,他准乐意……家里让老大三口和你妈都睡里屋,外屋给你一个人留着,你可千万别再生气，别再吵闹！……"

以自身的忍让，换取全家的和睦，这便是侯勤丰的治家之道，这一回他又打算这么办。

但是，他一直追到胡同口，也没见着侯勇的影子。一阵晚风吹来，他的醉眼模糊了。

第六章

20

北京站那两座对称的大钟敲响了九下。站前的广场上，毫无规则地布满了或立或坐、或倚或卧的人们，另一些流动的人们左躲右让地在他们之间穿行。在广场的人群中，可以看到侯锐的身影。他已经在这里游荡了半个多钟头。

家里的纠纷由侯勇的撤退而暂告休战以后，侯锐就一个人来到了这里。一开头，当轻柔的夜风吹拂着他的面颊、清凉的空气滋润着他的鼻腔时，他产生了一种解脱感。就像一只被关在纸盒子里的甲虫，终于有机会从纸盒中飞出来一样，胸臆为之一宽。在地下铁道入口处，他买了一瓶新上市的"上海可乐"，用蜡管慢慢地吮吸着，回想起这天晚上回家后同侯勇之间的两次冲突，他主要不是为弟弟，而首先是为自己感到羞耻。他仿佛面对着一幅荧光屏，被迫观看自己在前一两个小时里的录像。他，一个读过不少中外古今典籍的人，一个自命能欣赏西洋交响乐和京剧流派唱腔的人，一个整天在学生们面前鼓吹道德与修养的人，遇到弟弟的粗暴无礼，却一筹莫展，只知道拍桌子、瞪眼、喝斥、掴耳光……这难道不也是一种浅薄和庸俗的表现吗？

人，应当随时随处都是高尚的。可为什么在这个世界上做到这一点却如此困难？侯锐抽着一支烟，有意跑到广场上人群最稠密的地方逡巡。那里有两个人在伸长脖子互骂，一群人在那里围观。他们为什么不能想到，在这个星球上，他们起码属于同类，而在这个国度里，他们更属于同胞手足，他们又都在旅途中，这里的空间是如此之大,合不来他们尽可以各奔西东,为什么非要这样为一点点小事吵闹不休?为什么不能多多少少保留一点礼貌?他没有挤进人群围观,他往没有喧嚣声的方位走去,那声音小的地方,人却更多,他看见一些显然是从偏远的小地方来的男男女女,他们就那么随随便便地找个墙根,打开铺盖卷,横躺竖卧地蜷缩在那里。他们为什么来到北京?是否正准备乘火车回去?……有一位显然是从外地而来正准备返回的妇女,她坐在那里,身边搁满了大包小包的行李,其中有一摞是木头搓衣板,足有二十块之多。为什么搓衣板这种最原始、最简陋、最易制作的东西,她要归去的地方竟不能制作,而需要来北京采买,并且要用这样辛劳的办法运载回去?我们这个国家究竟出了什么毛病,竟使得木头搓衣板也成了一种珍贵的物品?……侯锐又看到一个男子,不知为什么他决定不去旅店过夜,而是把一块塑料布卷成一个圆筒,把一头扎紧,人钻进去,用那圆筒包着自己,就在地下铁道入口侧面的窗根下睡觉。他的整个形象使人联想起蜗牛或钉螺,侯锐站在离他十步远的地方,望了他足有好几分钟。啊,原来一个人所需要的空间,可以减缩到同他本身体积相等的限度!是不是我们每一个人都把对生存空间的渴求降低到这个程度,我们的社会就会变得相对纯洁起来,而人与人之间的关系也会变得相对美好起来呢?……

宣告已是晚上九点的钟声,把侯锐的思路从关于全人类的冥想中拉了回来。他不得不再想到自己的家,于是他的情绪又黯淡了下来。他毕竟没有车站上那些席地而卧的人们的勇气,他势必还得回到那个狭窄而拥挤的家中去睡觉。是啊,究竟怎么睡呢?白树芬和弟弟吵了一场,却并没有解决这个问题。侯勇仍是一枚定时炸弹,如果他深夜归来时,发现家里人的睡法不合他的意,他是敢把大家从被窝里薅起来的!

侯勇为什么变得这样蛮横?就如同白树芬变得那样冷峻,侯莹变得那样猥琐,自己变得如此易怒和粗俗一样,很重要的一条原因,便是缺乏自己的足够的生存空间。有了自己的足够的生存空间以后,比如说到下个世纪国家经济发达时,某些每人各有各的房间的家庭中,也许又会出现另外的问题,有的人会变得互相很虚伪,很冷漠,很隔膜。就算是那样吧,但那也总比现在的局面好。我们不能因为生活发展到下一步仍会有缺憾,就拒绝去医治、排除眼前的痛苦啊！

侯锐拖着脚步，返回家里。当他行进在路灯光稀疏而暗淡的胡同中时，他不禁在心里对自己说：你啊你啊，当你思考全人类的时候，你像个高尚的哲人；可是当你面对着家里的糟心事时，你就又成了个十足的窝囊废！我应当怎样才能摆脱庸俗卑琐的心理，使自己对生活充满坚实的信心？也许，我还应当立足于农村，在那里进行不懈的开拓……

21

院子里整个是幽暗的。北京市胡同里的不少老居民，在节约用电上堪称是世界大都会居民中的冠军。这并不是作为一个优良传统继承下来的。在"史无前例"的十年以前，那时候一般一个院子只有一个公用的电表，电费按灯头数目或灯泡总瓦数计算，人们在用电上很少费什么心计，院子里一到晚上总有种灯火灿烂的热乎劲，但人们也确能基本上做到随手关灯，真正意义上的浪费也并不严重。在"史无前例"的热潮过去，人们普遍产生了一种受骗感之后，北京市胡同院的居民们却似乎变得自私起来，互让互谅的淳朴民风变成了一种斤斤计较的风气，几年之中，每家自装电表成了一件必不可少之事，致使家用电表的供应一直紧张到如今；而未能安装上电表的家庭，便觉得低人一等，在计算电费时，也确实常常吃亏。按说，各家自己装了电表，院落中该出现灯火通明的景象了吧？恰恰相反，除少数的人家、少数的院落以外，普遍的状况，是流行开了一种吝啬到极点的用电方式：屋中只安一盏八瓦乃至于六瓦的日光灯，于是乎常常可以看到上小学的孩子搬着方凳子和小马扎，跑到大马路的灯底下做功课，因为那灯光比家里的还强一点。人们一分钱一分钱地节省着电费，以便能把这份钱用到别处。这样的结果，便使得北京市胡同院的不少老居民更加不善于利用晚上的时间读报、看书，因而也就更加增长了庸俗与浅薄，并且使得越来越多的不得不在晚上做作业的孩子，成了近视眼。

侯锐从北京站遛弯回来，进到院里时，整个院子里简直没有多少灯光。他家更是漆黑一片。掀开门帘进了屋，侯锐这才发现里外屋之所以没有开灯，是因为里屋开了电视。他家的电视机,属于他家最贵重的物品之一,由于没有地方安放,便搁在了大立柜里,需要看电视时,便把大立柜左边的一扇门打开,露出搁放在大立柜横隔板上的电视机,抽出电线,插到柜边墙上的插销里。这样安放电视机,天线不好使用,他们便干脆不用天线,好在附近高层建筑不多,离大马路又有一段距离,干扰也少,不用天线影像也算清晰,他们就那么看。屋里没有多少坐人的地方,看电视时,往往就爬到床上,倚着被窝垛看,倒也别有风味。

小琳琅一随妈妈回到家中,就吵着要看电视,当时因为大家都没吃饭,正忙乱中,所以没给她开。大人们的一场风波过后,妈妈让她吃过了饭,她便又吵开了,可谁有心思开电视呢?她闹了好一阵,白树芬拗不过,这才去开了电视。

侯锐回到家里,首先看到的,便是倚在里屋床上看电视的白树芬和小琳琅。

他问:"爸爸呢?"

白树芬回答他:"去邮电所了。他说去替人家值班,好让咱们今晚上睡松快点。"

他又问:"妈呢?"

白树芬回答他:"到后院串门去了。"

侯锐忍不住叹口气说:"老毛病!自己家出了乱子,在自己家叨唠还不够,还要跑到别人家叨唠去。"

白树芬呼应说:"可不。这样子她心里头也许能松快点。"

侯锐瞟了几眼电视,正播映一部编摄得极生硬的电视片,他便坐到床边说:"有什么好看的!你也真是,家里发生了这种事,你还能心平气和地看电视!"

白树芬不以为然地说:"不看电视又怎么着,坐到旮旯里哭去?躺到床上生闷气去?一头撞死去?"

侯锐说:"你别这么顶撞我。我也是为了你,为了咱们这三口人好。别人在场我也不这么说了,好在现在只有咱们在一块……"

白树芬打断他说:"这屋里还有别人呢!"

"别人?"侯锐四处望望,莫名其妙,"别人在哪儿?"

白树芬一点也不像开玩笑地说:"当然还有人。小莹回来了。"

"小莹回来了?她的事怎么样?你没问问她?"

"什么事?问什么?"

"小莹在哪儿呢？"

"她不看电视，她在下铺哩！"

侯锐站起身来，先拉开了灯，然后就弯下腰，把挡住床下铺位的布帘一拉，啊呀，侯莹直挺挺地躺在那儿，两只眼睛睁着，还在发愣。

"爸爸关灯！爸爸关灯！"小琳琅不喜欢开着灯看电视，蹬着腿嚷了起来。

侯锐顾不上应付小琳琅，他把身子弯得更低，又纳闷又关切地招呼着侯莹："你怎么回事儿？你们谈得怎么样？你干吗躺在这儿发愣？"

直到侯莹把眼珠转向他，对他发出一个微笑，他才消除了疑惑与惊讶。

"哥，我累了。累极了。"侯莹说着，也就坐了起来，并且开始找鞋，要钻出来。

22

里屋只剩下小琳琅一个人看电视，侯锐、侯莹和白树芬都来到了外屋，拉开灯，开始了一场不可避免的谈话。

侯锐坐到方桌边，侯莹和白树芬并排坐在大床上。侯莹回来时，只有白树芬和小琳琅在家，她招呼了声"嫂子"，便说"累，真累"，钻到下铺休息去了。白树芬只当她是下了中班回来，也就没问她什么。现在白树芬才知道她是去搞对象回来，一种同情心和责任感促使她提起了精神，来同侯锐一起询问她会面的情况。

侯莹坐在那里，仿佛参加完一场激烈的战斗，疲惫、倦怠，但从她嘴角淡淡的微笑上，又可以窥见她的内心，她对所见到的人是满意的，并充满了幻想。

"你们在一块谈了多久？"侯锐问她。

"嗯，有半拉多钟头吧。"

"都谈了些什么呢？"

侯莹低头微笑，只望着鞋尖："我也不知道。"

"你呀，都这么大了，还这么幼稚。"侯锐叹口气说，"你告诉我们嘛，我们帮你分析分析。"

白树芬伸臂揽住小姑的肩膀，维护地说："干吗都告诉咱们？小莹，你拣能说的说嘛。"

侯莹羞涩地揉着衣角说："谈看电影的事来着。"

"具体是怎么谈的呀？"侯锐有点着急。

"他问我最喜欢哪部片子。"

"你说是哪部呀？"

"《巴士奇遇结良缘》，我爱看，好。"

侯锐大失所望："唉呀，你就不会拣点别的片子说吗？《简·爱》、《孤星血泪》、《马戏团》、《小花》、《归心似箭》……哪部不比这个强。人家是文学编辑，哪能喜欢这种香港的俗里吧唧的东西？"

白树芬反驳说："小莹说的是实话嘛。干吗非得照你教的这个说？搞对象，就得实话实说。《巴士奇遇结良缘》我看着也不错，说人家俗，咱们过的日子就不俗啦？我看咱们更俗！"

侯锐追问："你问他了吗？他爱看什么电影呢？"

"我没问。"

"你干吗不问呢？"

"……"

白树芬又帮着小姑辩解："哪有女的问男的这个的？只有你才那么厚脸皮，跟我搞对象的时候，什么都敢问！"

侯锐觉得细致地询问没有什么意义了，便直截了当地问："你觉得他对你怎么样？喜欢你吗？"

侯莹把头埋到胸前去了。白树芬抚爱地理着她鬓边的发鬈，责备侯锐说："你这叫什么话？先得问咱们小莹觉得他怎么样，喜不喜欢他啊！"

侯锐便问："你觉得他怎么样？满意吗？"

侯莹连连地点头。她怎么会不满意呢？

白树芬用温暖的臂膀把小姑子搂得更紧了。她衷心地盼望着侯莹能获得幸福。她问："你们谈话的时候，蔡伯都到哪儿去了？"

侯莹抬起头来，满眼里闪着感激的泪光："蔡大哥真好。蔡大哥陪着我们聊了一会儿，就一个人到王府井遛弯去了……蔡大哥陪我去东单公园的时候，跟我说好了，他只管介绍我们俩认识，认识完了我们自己谈，谈多久都行。他今晚上还要上人家家去，人家愿意不愿意，他晚上就知道了。他说要是不太晚，兴许就给大哥你打电话……"

"是吗？"侯锐看看手表，已经九点二十几了，"今天他怕来不了电话了吧。是呀，伯都对咱们家的事，就跟对他自己的事一样上心。不过……人家跟你分手的时候，没约你下次再见吗？"

"没……"

"没？怎么——"

"这有什么大惊小怪的。"白树芬分析说，"人家知道咱们小莹乐意不乐意呢！得等着蔡伯都跟你联系上了，才能知道人家的想法，也才能把咱们小莹的意思递过去……"

正说着，母亲回屋来了。她刚才到后院邻居家里，找一位跟她处境相仿的大妈聊了一阵，主题是议论媳妇的难处，以及再好的媳妇也难免在家里惹是生非，两人很是共鸣，这使得她的心情稍许有所好转。她一进屋，见侯莹坐在那里，不禁惊呼起来："小莹，你回来啦！什么时候回来的？怎么样呀，那人你中意吗？"

她的心思又全转移到侯莹身上来了。

白树芬主动向她介绍情况说："妈，人家小莹挺可意的。俩人谈了半拉多钟头哩！"

白树芬的一声"妈"，使当婆婆的彻底消除了对媳妇的不满，她笑着说："是吗？你瞧小莹，这有啥不好意思的呢？跟家里人，你还不能说说你们刚才是怎么搞的吗？"接着就走近前问，"你都问了他些啥呀？他的工资，是不是八十七块五呀？"

"那还能有错，伯都不是都跟咱们说了吗？"侯锐代为回答。

"工资八十七块五，也不算太多呀！他们那儿兴不兴奖金呢？一个月能拿多少哇？交通费、洗理费……都有吧？"

侯莹红着脸，偏过头去说："不知道。我没问……"

"嗨，这有啥不能问的呢？他问你了吗？你跟他说了吗？咱们家不用你一个子儿，你们要成了家，逢年过节的，给你爸和我提个点心包儿来，我们就知足……"

"妈，头一回见面，哪有就谈这些个的……"侯锐插话道。

"不谈这些个谈什么？"做母亲的振振有词地说，"一个四十老几了，一个二十六七了，都是不能再拖的了，还用得着花前月下的，慢条斯理地去对它半年一年的象么？瞧上了，合得来，不吃亏，干脆就抓紧办事儿呗！"

正说着，二壮掀帘伸进了头，他对着侯锐开腔，眼睛却死盯了侯莹两眼："侯大哥，电话！蔡大哥来的！"

侯家的四个人闻讯无不怦然心动。侯锐赶紧去接。

23

"伯都吗？你在哪儿呢？"

"就在他们楼下，也是公用电话。"

"怎么样？他愿意吗？"

"怎么说呢……好像是不大行……"

"怎么怎么，我们小莹怎么不行呢？"

"是呀是呀，我刚才还跟他说，像小莹这么单纯、善良的姑娘，如今已经不多见了。"

"他不是要贤妻良母吗？如今北京城里像小莹这么大的姑娘，有几个够得上贤妻良母型呢？"

"他也说小莹可能是个贤妻良母，但是……他觉得小莹太无知，太没有常识……"

"才谈了半拉多钟头，怎么就见得呢？！"

"你别急。我也是这么跟他说。他说，小莹连香港是怎么回事都不清楚。小莹看了香港电影，觉得好，可小莹以为香港是台湾岛上的一个城市，是国民党统治着……"

"小莹是这么说的吗？……他该知道，小莹他们在学校根本就没上过地理课，况且就是有地理课，也讲不到香港……"

"可他总觉得小莹的知识水平太差了一点，太缺乏共同语言……他说，他毕竟并不是想找个洗衣服做饭的保姆啊……"

"话怎么能这么说呢？！"

"你别生气。要生气就生我的气吧。都怪我,我应该考虑得周全点再牵线……小莹回家怎么说,她愿意吧?"

"你问这个还有什么意义呢?"

"是呀,真对不起。我发现我其实一点也不会办这类事。原谅我……"

"你就会编剧本。瞎编!"

"是呀,生活要复杂得多,微妙得多。我把握不住……别生我的气。我本想明天往你学校写信,告诉你,可那就得让小莹多幻想两天……我不该折磨她,所以这么晚了,我还是决定给你打电话,好在你们这电话方便,二壮他们也不是外人……"

"你当初就不该贸然牵这个线!"

"是呀,真对不起。你可得好好跟小莹说,别刺激她……"

"我怎么说?你来跟她说吧!你瞧你办的事……"

"我改天一定去你家,亲自跟小莹好好地说……你就说,这个不行,不算啥,蔡大哥以后再给你介绍个年轻点的……"

"我开不了口。你知道我们小莹这些日子为这种事儿犯过病……"

"所以得好好地跟她说。别说人家觉得她无知。"

"那怎么说?说人家对她满意,可就不想跟她结婚?"

"……嗯,就说人家一看,觉得自己大得太多,怕耽误了小莹的青春,所以……"

"那我们小莹要说,不怕他大,不怕耽误什么青春,我还怎么说呢?"

"是呀是呀……你就把责任全推在我身上吧,就说蔡大哥做事不细致,没把人家的想法摸清楚,人家原是想找个三十几岁的……"

"说不通。有更年轻的愿意跟他,他死不要?"

"唉,那你说怎么办呢?"

"我只能如实地告诉她。让她知道自己的无知,对她有好处。也许今后她还能逼着自己读一点书。"

"那……也好。不过你应当婉转点,不要伤了她的自尊心。"

"伤她自尊心的罪魁祸首是你!"

"……"

"啊，我也是赌气才说这个话。你别介意。"

"我心里很不好受。我本想为你家做一件好事，没想到……"

"行了行了。我们还是都感谢你。你再接着帮忙。"

"我不灰心。经了这事，我更觉得对小莹负有特殊的责任……"

"以后别找这么高级的人物了，给她找个普普通通的人，不要求她把香港弄得那么清楚的人……能跟她一块好好过日子的，就行！"

"对，看来是得从这么个角度考虑。"

"我还是得谢谢你。谢谢你及时打来了这个电话。"

"这个讨厌的电话。"

"这样的电话越晚打就越让人讨厌。"

"也向你母亲道歉吧。你父亲还不知道吧？"

"怎么不知道？他刚才回了趟家，又折回单位值班去了。他听了很高兴。我父亲母亲都迷信你，认定你是我们家的福星……"

"你一定在他们面前为我美言几句，我不是什么福星，但我愿意为你家这些善良的人们效劳……"

"伯都，我的心软了。刚才我还怨恨你，现在我真的原谅你了。"

"可我自己并不能原谅我自己。我现在有一种空虚的感觉。我觉得我的剧本，我的名气，我的灵感，真是一钱不值！……"

"为什么？你可别这么想！"

"不能不这么想。我发觉我对实实在在的生活本身，还是那么无知，那么无力，那么无能……"

"别这么说。"

"好，就说到这儿吧。"

"你别灰溜溜的。我都不灰溜溜，你何必灰溜溜？"

"当然。我们要努力冲破灰溜溜，我仍要顽强地开辟通向幸福的道路。"

"是呀是呀。伯都，你受累了。你还回家吗？还是就住在他那儿？"

"当然还要回家。"

"快十点了，你抓紧时间吧。谢谢你及时打来电话。"

"讨厌的、可又不能不打的电话。"

"好，我挂上了。欢迎你有工夫来我们家。"

"我会去的……挂上吧！"

24

侯锐接电话时，二壮在一旁耸起耳朵听。他听出侯莹没给人家看中时，心里头说不出来的痛快。那丫头养的谱儿真叫大，还得知道香港是怎么回事儿才能要人家，臭讲究！"没常识"，就你们那号捏酸假醋耍笔杆子的有常识！……话说回来，香港究竟在哪儿？反正离北京特远特远，不在台湾，不归国民党管，那归谁？归小日本？归美国大鼻子？他妈的，我们没常识，可谁给我们讲过这些常识呢？！

侯大哥这人还算懂道理。听他说的这话："以后别找这么高级的人物了，给她找个普普通通的人，不要求她把香港弄得那么清楚的人……"我就不要求她把香港弄得那么清楚，你们给她找我不就结啦！是呀，"能跟她一块好好过日子的"，我就是嘛，我能给她打出大立柜，打出捷克式酒柜（捷克又他妈的在哪儿？也不清楚。不清楚也一样能打出他们那号酒柜来，有图样子就行！），我还能让她少干活，陪她逛天坛，给她置件像样的呢子大衣，攒钱给她买块日本电子小坤表……

钱大爷到仓库上班去了，小弟弟到邻居家看电视去了，里屋的钱大妈和小妹妹已经入睡，大妹妹在单位值班没回来，二壮一个人待在屋子里，关上灯，和衣靠在床上，正好凭他的素养和愿望去遐想……

他该采取什么样的行动，才能得到侯莹呢？爸爸仗着酒胆去开过口，让侯大妈羞了回来；妈妈也曾在与侯大妈闲聊之中，透露过这层意思，人家侯大妈硬是装作没听出来，光拿别的话打岔……

也许，该写一封信给侯莹吧？可这信，该是怎么个写法呢？二壮活了这么大，除了看过一些小人书，几乎没读过任何一本文艺小说，像他这样缺知少识的胡同院落里的青年市民，北京城里真不老少，只不过他们像墙缝里的土鳖一样，不引人注意，常常被人们忘记其存在罢了。万万不要以为只有那些会用西班牙、夏威夷两种方式弹奏吉他琴、会背诵波特莱尔的《恶之花》并且也能写像象征派诗歌、会搞抽象派绘画和会谈论克罗齐美学观点的青年，才值得我们去研究其存在价值，像二壮这样的活鲜鲜的京城青年，他们的生存价值，难道不是更值得我们去关心，去反映，去研究，去帮助他们自己领悟、获取吗？二壮现在想不出来该怎么写一封给侯莹的信，他脑海里甚至不知道有"情书"这个字眼。他只知道，那些正经的流氓"拍婆子"时，也兴写条子的，但那样的条子他只听说过而并未见识过，所以也无从模仿……

啊，请原谅吧，如果我们如实地记录下汇涌在二壮那厚实苗壮的胸脯里的冲动——或者可以不原谅这支揭破他内心隐秘的笔，但一定要原谅像他这样的无数的北京胡同里的青年市民……

二壮躺在那里，他生理上产生着一种燥热和骚动，他眼前活生生地浮现出侯莹的脸，侯莹的胸脯，侯莹的全身……他想，没法子，只好逮个机会……干脆，当她上夜班去的时候，在胡同当中那段路灯坏了长久没修、最黑最背的地方，冲过去搂住她……或许，不该那么鲁，那就一下子站到她面前，干干脆脆地告诉她："我要你。你跟了我，准有你的好！"

……这是不是就犯法了呢？二壮眼前浮现出了"小锛子"的嘴脸，"小锛子"被剃成光秃，手上铐着"小镏子"，被推进了小轿车……呸，小轿车没他妈什么意思，划不来……二壮懂得犯罪不好，犯罪对不起爹妈，也对不起自己，并且也对不起侯莹；他并不是想把侯莹当"婆子"玩玩，他是实心实意地想娶她当媳妇啊！他究竟得怎么着行事，才能得到她呢？

忽然，二壮想到了一条路子，他一下子从床上坐了起来，他拍着自己的脑袋，他笑自己笨，他为自己刚才的那种犯罪冲动而自愧。其实这事多么简单，多么保险——他该求蔡伯都给他传话呀！蔡伯都新编的话剧，他在电视上看过，那戏里不是写了讲恋爱的事儿吗？蔡伯都那戏里头的人和事，平常日子里谁见过？可既能编得有枝有叶，也就兴许真能出那样的事。他不是反对嫌贫爱富吗？他不是主张恋爱自由吗？只要他能说通侯莹，我们的事儿就能成！侯莹不讨厌我，从她那眼神里我还看不出来！都是她爹她妈，总想拿她再攀一个高枝儿，让她也迷了心窍；蔡伯都要给我们说成了，他还能再编一出新戏哩！

二壮真恨不能马上给蔡伯都打个电话，他知道蔡伯都住的那个楼区的公用电话号码，可这都什么时候了，人家那儿的传呼电话可不像这儿，早关门了，那就明天、明天、明天！

想到这儿，二壮高兴起来。他哼着香港电影《三笑》里的调调，开始铺床展被，可就在这时，他忽然听到一种号啕大哭的声音，他立即判断出这是谁的声音，肝肠立即抽紧，心发疼，脑发闷——他咬咬牙，一跺脚，奔哭声响起的地方而去。

第七章

25

侯锐接完电话回到屋里时，侯莹正对着镜子用梳子拢头。因为她想到该赶着去上夜班了，所以心里头格外慌乱，用梳子使劲地把头发拢顺，能多多少少地压抑一下心里的慌乱，故而她拢了好一阵还没停止。

侯锐一进屋，三个人都盯着他看，侯莹是从镜子里看见侯锐的，仅仅看到了一个侧面，她便本能地意识到：又吹了！她手一抖，梳子掉到了地上。她愣在那里，没有马上俯身去捡。

做母亲的仍固执地沉迷在大红缎子色彩的幻想中，她迫不急待地问："怎么着？下一回在哪儿见？什么时候见？"

白树芬从侯锐的表情上已经猜出了结果，她在婆婆身后向侯锐使着眼色，然而未能阻止住侯锐说出实情。

侯锐觉得越早击破母亲和侯莹的幻想越好，这样可以使大家冷静下来，另外再寻线索，实事求是地解决问题。他走到方桌边坐下，用一种冷酷的语调说："还见什么？人家瞧不上小莹，嫌小莹太没常识，连香港是个什么地方也说不清。香港是跟广东省连着的那么一块地方，现在还由英国派总督管着，可小莹以为香港在台湾，以为是国民党管着那儿……就凭这一条，人家就受不了。人家是出版社的文学编辑，总得找个有共同语言的人，怎么能找个连普通地理常识也没有的人？……"

母亲听不懂侯锐摆出的逻辑，她只知道小莹又没让人家看上。极度失望中，她跌坐在大床上，也不知是埋怨那位编辑，还是埋怨小莹，喃喃地说："搞对象就正经搞对象呗，胡诌八咧什么香港呀！香港跟你有什么关系？屁关系也没有不是？这是怎么说的……"

白树芬刚想劝劝婆婆，忽然侯莹一下子走进了里屋，她赶紧跟了进去。里屋的电视还没演完，但小琳琅早已倒在床上睡着了。白树芬关上了电视，拉开灯，只见侯莹呆呆地坐在小床上，脸上木木的，竟没有一点表情。

白树芬坐到小姑子身边，拉过她的手来，只觉得小姑子的两手冰凉。她用自己的双手搓揉着小姑子的双手，劝慰她说："小莹，没什么，别想不开。这人太老，就是他乐意，咱们还得挑挑他呢……你也还不算大嘛，机会多的是……"

正劝着，侯大妈进了里屋，她一见侯莹那副嘴唇微展、两眼发直的呆相，心里不由得涌出一股怨气来，当即叨唠说："瞧你这副模样，难怪人家瞧不上你。什么香港不香港的，我就不信是为那个瞧不上你，还不是因为你这死鱼相，你就不会活泛点吗？说了你多少遍，你还是搓衣板似的，谁喜欢你这样的娘儿们！……"

白树芬搂住侯莹的肩膀，恳求地对婆婆说："妈，您就别说这些个了。小莹心里本来就难过，咱们别给她添罪受了……"

母亲长叹了一口气。她忽然想起，侯莹该上夜班去，再不动窝准得迟到了，于是便催促说："行了行了，我也不叨唠你了。快上班去吧，别迟到误工的，又扣你的奖钱。咱们糟心事够多的了，可经不起再扣奖钱！"

侯莹本是愣愣地发木，一听这话，忽然泪珠子扑簌扑簌地直往下掉，但她没有哭出声来，连呜咽也没有，她任大滴的晶莹的泪珠从面颊上滚下，也不去擦拭。白树芬一见她这样，出于一种复杂的联想，鼻子也酸了，忍不住眼里也涌出了泪花。

母亲一见姑嫂两个是这么幅情景儿，心里愈加烦躁，她还有一种朦胧的迷信心理，觉得这情景儿非常之不吉利。怎么今天这么晦气，没一桩事情顺心，这屋里简直就没落下一点喜兴事儿！出于一种厌烦的心情，她提高嗓门吆喝起来："小莹，你给我上班去！对象对象你捞不着，奖钱奖钱你舍得往外扔！树芬你也是瞎胡闹，你添哪门子乱？都几点了？还不快催着你小姑子上班去！"

侯锐走进了里屋，他有点后悔刚才自己的做法，他劝解说："妈，您瞧小莹这会儿心里怪难过的，就让她歇一班吧。二壮他们也许还没睡下，我给她厂里打个电话去。"

白树芬也帮着说："是呀，就别让小莹上班去了。让她今天跟我睡下铺，我慢慢劝说她。"

母亲的执拗劲涌了上来，她动肝火了，大声埋怨说："你们倒都挺会享福的，说不上班就不去了。我这个当妈的说话你们只当是放屁，怪不得你们背地后净嘀咕我。我为个什么？我还不是为了你们好？我一天到晚白为你们忙活了！"说着她心里一酸，忍不住就扯起衣襟抹眼泪。

侯锐见这屋里除他以外全成泪人了，心里好不是滋味。唉，在这拥挤的空间里，为什么竟壅塞着这么多的烦忧？

侯锐正待把三个人统一地劝劝，突然，侯莹以迅雷不及掩耳之势，一下子蹦了起来，白树芬没拉住她，侯锐也没拦住她，她飞快地窜出了里屋，到了外屋，钻洞般地缩到了大方桌底下！

侯锐、白树芬和母亲跑到外屋，一见这情景，全傻了。

侯莹疯了！这个概念像一粒子弹射到了他们心上，他们心里全炸烂了五味瓶。

26

香港在哪儿？《巴士奇遇结良缘》里头，不就是香港吗？香港不是没解放吗？没解放不就是国民党管着吗？国民党管着不就是台湾的地方吗？……啊，没常识，我没常识，人家要有常识的，得知道香港是怎么回事的，可我打哪儿去知道这号常识呢？《巴士奇遇结良缘》里也没说清楚那儿是谁管着呀……

我敢情是个没常识的人，没常识的人就没人要……可那回蔡大哥不是还夸过我吗？他亲口跟我说的："嗬，小莹，你知道得真多啊，我可得好好跟你学学！"蔡大哥那不会是戏弄人吧？不，他是真觉得我懂得比他多。那回是说起什么事来着？啊，说起他要给秋嫂买料子，是我告诉他的，派力司没有凡尔丁结实，可裁条裤子比凡尔丁看着挺括；海军呢爱起毛，要做大衣，宁愿买粗花呢的……王府井那几家服装店，"红叶"才是乙级的，百货大楼虽算甲级但手艺不好，"蓝天"是甲级的可工钱太贵；顶实惠的，还是"新颖"，要做呢料衣服就去"新颖"……长毛绒配皮筒子作袖子可不行，还得买驼绒；驼绒是不大好买，甭去王府井，那儿净是外地来的，哪儿是买东西，就跟不要钱似的，见什么抢什么，其实东四人民市场上货也挺齐全，到那儿买驼绒，倒比王府井好买；别买那种花条的驼绒，"怯"！要买就买清一色的驼绒……这些常识，那编辑懂吗？哼，我不知道香港在哪块儿，他还未必知道"新颖"在哪块儿呢！……

再也不去了，就是蔡大哥再来花言巧语，也不去见了……真没劲！干吗非得找对象？干吗非得结婚？干吗非得活泛？干吗非得机灵？啊，李薇，你来看我了，你好，这世界上就你跟我合得来，你坐下，挨着我坐，我不怕鬼，我怕的是人！跟你在一块，我心里头倒踏实了，跟人在一块，他们就老得催我去公园搞对象，要么让我在家里等着，听信儿，要么就轰我去上班……他们愣把我从床上拽起来，不让我睡觉，他们愣推着我，把我推到我不乐意去的地方去！李薇，你陪着我哭，我哭不出声来，因为我累了，我太累了。我这么活着有什么意思？我没有一个自己的家，我连一张自己专门用的床都没有。我找不着对象，没人要我，因为我死板，我不活泛，我没常识，我不知道香港归谁管……我也不漂亮，连蔡大哥都说我出老，说我过去像朵花，现在像什么？他没说，他没说我心里也明白……

啊，李薇，那渠里的水凉吗？什么色的水？粉红的？对了，我喝过粉红色的水，喝了一杯，又喝一杯，又喝一杯……谁在对我笑，二哥！二哥他在对我笑，他干吗对我笑？我给了他糖纸，那就是钱啊，用那钱能买水喝，我不爱喝别的水，就爱喝那粉红色的水，你也爱喝吗？我带你去喝，我知道哪儿有卖的，就在那大方桌底下。那可真是个好地方，那儿好宽敞，宽敞极了，不信你跟我去看，那儿准比你那水渠好玩，真的！……

干吗这么看着我？香港！香港有巴士，巴士奇遇结良缘！上班去，哈哈，上班去，上班搞对象去，跟对象一块儿喝那粉红水儿，一张小孩儿酥糖纸买一杯，粉红的水儿比渠里的水儿凉。水里有张脸，李薇，你别吓唬我，我怕我二哥，我嫂子可对我好。香港我不知道，我知道"新颖"，"新颖"是甲级的。梳子掉在哪儿啦？二壮也得笑话我，二壮真够壮的，二壮干吗不跟我来鲁？编辑！编辑是干什么吃的？不稀罕！东单公园有几个门？胡同口那儿的垃圾桶太满，都溢出来了。臭德性，甭管我，奖钱，奖钱拿来买料子，买派力司，买了去"新颖"，香港就准比"新颖"好？哪儿也没有那大方桌底下好，那儿好、好、好……上班，上班，上班，不上班，不上班，不上班……二哥！我买！李薇，你敢不敢！小孩儿酥糖糖纸，快，快，快……大方桌，买一杯，一杯粉红的水儿！

27

"小莹，你出来，你倒是出来呀！"

侯锐不能不过去拽侯莹，难道就让她那么缩在大方桌底下？可是他刚把侯莹从大方桌底下拽出来，侯莹便爆发性地号啕大哭起来，一边号啕大哭，一边用两个拳头擂哥哥的胸脯；侯锐稍一扶持她，她便挣命似的乱挣起来，这情景把母亲的心给吓得缩成了一团。她顿时后悔不迭，刚才不该那么逼命似的催她去上班！

白树芬见侯莹真的疯了，反倒冷静了下来。刚才心里所漾起的关于自己命运的哀愁，销声匿迹了，她过去紧紧地搂住了侯莹，把她往床边拉，力图把她安顿到大床上歇息下来。刚拉到一半，侯莹突然挣脱了她的搂抱，一边嚎哭着一边使劲地用拳头打她的肩膀，那拳头石锤般沉重，白树芬疼得"唉哟唉哟"地叫了起来。外屋的一片嚎叫，吓醒了里屋的小琳琅，小琳琅从睡梦中惊醒，立即大哭起来。

正在这最混乱的时候，二壮冲了进来。他看了两眼，便毫不犹豫地走上前去，用两只壮实厚大的手，抓住了侯莹的两个手腕，制止了侯莹的乱打。侯莹起初还拼命地挣扎，但二壮的大手是那样地有力，终于使侯莹的双拳不能挥动。侯莹被制住了以后，突然中止了嚎哭，呆呆地凝视着二壮，二壮也目不转睛地望着她，侯莹凝视了那么几秒，又忽然眼珠一转，无声地从眼眶里滚出了一串大如珍珠的眼泪，紧接着，她全身一软，散了架般摇晃起来。二壮把她手腕子一放，她竟随势瘫倒在了二壮的身上。

二壮冲进屋来的这一幕，仅仅有几秒钟，母亲的反应，先是极端的反感，几乎要嚷叫起来："你给我出去！不用你管！"但二壮把侯莹制止住以后，侯莹即刻中止了嚎哭，这又使母亲不得不庆幸事态的好转，从心里冒出了"多亏他力气大"

的感叹。及至侯莹瘫倒在二壮身上时，母亲又焦急起来，想让二壮赶紧躲开……

二壮并没有注意周围其他人对他的反应。他扼住侯莹的双腕以后，注视着侯莹的面容，心里生出了无限的爱怜。侯莹的鬒发全乱了，被冷汗粘贴在白得如纸般的额头和面颊上。侯莹的眼神是呆滞的，但从她的瞳仁里，似乎仍能看出一种求人可怜的表情。当侯莹瘫倒到二壮的躯体上时，他浑身像通了电似的遭到了又痛苦又甜蜜的一击，他觉得自己简直也要昏倒了，又觉得这是极其宝贵极其幸福的时刻……

二壮很快恢复了理智，他没等屋里另外的三个人反应过来，便把侯莹拦腰一抱，将她抱到大床上躺下，拽过枕头给她枕着，俯下身去便掐她的人中。侯莹"嗯"了一声，头在枕上滚了滚，睁了睁眼，又闭上眼，眼角不住地往下淌眼泪……

"好，没危险了。"二壮这才说出头一句话来。

"二壮，谢谢你了。"侯锐这才表态。

"二壮，你坐吧。"白树芬这也才开口。

母亲没说什么，她坐到床边，握过侯莹的一只手，心里一阵酸楚，幽幽地哭了起来。

"大妈，您别这样。您这样，该又惊着小莹子了。"二壮郑重其事地劝告着她。

母亲这才忍住哭，冲他点了点头，算是承认了他的好心。

白树芬进里屋照料小琳琅去了，侯锐俯身瞧了瞧侯莹，侯莹仿佛疲劳到极点的人，进入了半睡眠状态。

"她是怎么回事儿？受啥刺激了？"二壮明知故问。

"她这些天老上夜班，白天休息不好，心里头闹得慌……没什么，歇一班，睡睡觉就能好。"侯锐掩饰着。

二壮还坐在那儿，瞅着侯莹，舍不得走。

"谢谢你了，二壮。天不早了，你也该歇着了。"母亲总算下了早打算下的逐客令，不过那口气比几分钟前未曾发出的要客气多了。

"大妈，大哥，有事要我帮忙，随时叫我吧！"二壮临出门，还扭过头来，盯了床上的侯莹一眼。

二壮刚走没一分钟，侯勇回家来了。

28

北京夏末秋初的夜晚，是最捉摸不定的。也许郁郁闷闷，衔接着一个阴湿冷
峭的早晨；也许清清凉凉，倒引来一个暑气回升、燥热难耐的白天。

侯勇的心情，就像这夏末秋初的北京之夜。

从葛佑汉家里出来，让迎面的晚风一吹，他反胃了。生理上的反胃，引起了
心理上的反胃，感情上的反胃。

葛佑汉都教给了他些什么？就着泸州大曲和拌海蜇丝，葛佑汉满面油光地启
发他说："小莹子一时嫁不出去，也有嫁不出去的好处。你带她到安定医院看看病，
开开药嘛……三去两去，邻居们知道了，谁不说她有那个病？有那个病，就能开
出证明来，证明她不能照顾老人，得让你回来照顾；你回来了，开导开导她，吃
点见效的药，她的病也就好了，也就可以接茬搞对象了……你光想着快点让她出
阁，她要就出到你们胡同里呢？就嫁到东单呢？就算她跟蔡伯都介绍的那个主儿
成了，在这崇文门安了家，离家也才一站地嘛，人家该说她离老人不远，能照顾
老人，就不给你开证明了……你呀，要想办成事儿，一得脸皮厚，二得心硬，心
硬不下来可不成啊！你要不爱听这话，就当我没说！"

是，是不爱听。当侯勇走在崇文门通向东单的人行道上时，他想起葛佑汉这
些话就恶心。可他说了，自己听了，脑子里就像让火钳子给烫上道道了，怎能就
当他没说？

葛佑汉这话也许并不怎么恶毒。本来嘛，小莹那些个表现，不是癔症是什么？
癔症就是精神病嘛，就该到安定医院去看看嘛；她有那么个癔症，就是没法子照
顾老人嘛……

葛佑汉还教给了他些什么？品着饭后的茉莉花茶，用牙签剔着牙缝，葛佑汉
笑嘻嘻地给他出谋划策说："侯锐他们不愿意把户口迁到公社去，你就让他们迁到
蔡伯都那儿去嘛。蔡大编剧不是宇宙世界中国北京数一数二的大好人吗？侯锐跟
蔡大编剧不是能够抵足而眠、托妻付子的超级朋友吗？他们把户口暂时迁到那儿
放一段，等你跟雪韵回了北京，他们再迁回来不就结了吗？你先跟蔡大编剧去说
嘛，你说动了他，他去劝侯锐迁户口，侯锐总不能还跟磨盘似的推不动吧？你再

记着，要想办成事，一得趁人家脸皮儿薄，二得趁人家心肠儿软，不会这两招也不成啊！这话你要也不爱听，还只当我没说！"

当然，也不爱听。可他说了，自己听了，就好比一块石头落到井底了，捞出来哪有那么容易？……让侯锐他们把户口迁到蔡伯都那儿，也确实是个比较妥善的办法。蔡伯都他们那楼房虽在城外，户口可还算城市户口，城市户口在城市范围迁来迁去，只要派出所有点熟识的人，递几支过滤嘴烟就能办成事儿；城市户口要真迁到远郊去了，再迁回来可就得费老鼻子劲了，光有点熟人就办不成事了，就得靠过硬的关系撬开后门才成哩……

可是，蔡大哥真的就那么好说话吗？他那人的确是脸皮儿薄、心肠儿软，可蔡大哥有一回不是说过这样的话吗？他说："你们房子的确小，北京市千千万万的居民住的房子都小，可谁也不应该用排挤别人的法子来为自己腾宽房子……大家都来为盖房子出力啊！为自己、为别人盖房子，为中华民族盖房子，'安得广厦千万间，大庇天下寒士俱欢颜'啊！"他那不是编台词儿，他那话是专门说给我听的，我当时恰恰为调回北京的事儿，跟哥哥谈不拢，刚拌了嘴……

是呀是呀，为什么北京市不更大规模地盖房子呢？没有钱？钱都鼓捣到哪儿去了？！没有工人？哪条胡同里没窝着百十来个待业青年？！没有材料？只要想盖房，没有拢不来的材料！……你不盖房子，人们不甘心拥挤着住、混杂着住，就只好用明的、暗的、千奇百怪的法子，排挤别人，来腾宽自己的房子！

前面就是东单十字路口。十点钟了，总算没有"灌香肠"的局面了，可还得用红绿灯指挥来往车辆，车辆还得停停再走，显得那么别扭，那么寒酸。立体交叉桥啊，你何时才会出现在那儿？立体交叉桥啊，你勾走了我的魂儿，我盼你盼得发狂，我兴许得上了一种"立体交叉症"，也得上安定医院治疗！……

侯勇就在这样一种心情中回到了家里。

一进屋，他只见侯莹穿着搞对象时的那一身衣服，躺在大床上似睡非睡，妈妈和哥哥愁眉不展地坐在方桌两旁，而嫂子正坐在侯莹身边，把一支体温表插入她的腋下。

"这是怎么了？"侯勇心头又惊又喜，又算计着又混乱着。他万没有想到，机会会来得这么快，实现葛佑汉指点给他的方案会如此自然、如此便当，因而他的心有点来不及硬，然而他非得硬下来不可。还没有听完母亲絮叨而悲切的叙述，他便皱拢眉头，作出一种堂皇正大、郑重严肃的神态，指责母亲和哥、嫂说："你们怎么搞的？光知道在这儿发愣，干些没有意义的事儿……还不赶快把小莹送到医院去看急诊！"

"这都什么时候了，还去看病……"母亲心里一阵阵发紧，她想说的意思其实是：这算什么病呢？疯病吗？可不能带着小莹去看这个病，这要传扬出去，不光小莹再难见人，当妈的脸上也无光啊……

"小莹不过是受了点刺激，有点神经质。"侯锐也说，"我刚才给他们厂子里打了电话，给她告了假，就说是头疼。她好好睡一觉，充分地休息休息，就能恢复过来。"

"她这样子病得不轻，有病就得治病，哪能讳疾忌医？！"侯勇愈加一本正经起来，"耽误了，犯得更厉害，到时候怎么办？"

"小莹不发烧。"白树芬从侯莹腋下取出温度计，对着日光灯辨认着，"三十六度八。正常。"

"她这种病本来不一定发烧！"侯勇看也不看白树芬，他还记着两个来钟头以前他们之间的争吵。他只对着侯锐说话，"不发烧的病有时候比发烧的病更厉害！"

"不发烧，人家不让急诊。"侯锐说，"今晚上就让她睡吧。明天再陪她去'同仁'看看。"

"'同仁'治不了她的病！"侯勇强调说，"'北京'、'协和'都治不了她的病。""同仁"、"北京"、"协和"这三家医院都离他们家不远。母亲、侯锐和白树芬原先都以为他不过是建议把侯莹送到这些医院去看病。

"她这病，得送到安定医院去治。"侯勇终于说出了最关键的话，"安定医院随时可以看急诊，不管发烧不发烧。"

"安定医院！"母亲一听到这四个字，脑子里就像挨了一棒槌。谁不知道安定医院是专治疯病的医院。一个黄花闺女进了安定医院的门，就算出来是个一丝病也没有的美人儿，那也万难找着对象了。谁敢沾安定医院的边儿！

"安定医院？"侯锐一听这四个字，也不免吃了一惊。除了目睹着侯莹钻到方桌底下的那一瞬间，他产生过"妹妹真的疯了"的想法外，当他冷静的时候，他始终认为侯莹不过是一时的神经质。不过，神经质是不是也就是初级阶段的精神病呢？

"用不着去安定医院。"白树芬明确地表态。她毫不含糊地盯着侯勇说，"咱们不能轻率地把小莹往那种地方送。"

"你不是我们侯家的人，不用你管我们侯家的事。"侯勇把眼睛对准白树芬，同她双目对峙着。他觉得自己的心这时候硬得跟鹅卵石也差不离了。

侯勇这话击败了白树芬的自尊心。是呀，她何苦非得这么深地介入侯家的事？侯莹的确有点神经失常，她何必阻拦侯家的人送她去安定医院？一赌气，她进了里屋。小琳琅在床上睡得正熟。她靠到小琳琅身边，搂着小琳琅，一阵心酸，眼里冒出了泪花。小琳琅随她姓白，她总可以管这个姓白的生命的事吧？……

正在这时，侯莹忽然惊醒了。她坐了起来，双眼似睁非睁地望着前面，嘴里吐着呓语："你别走，别走……我怕，我怕呀……"

侯莹这么一来，母亲和侯锐都慌了，他们觉得侯勇的建议也确实有道理。而且，侯勇是那么严肃，那么认真，那么固执，他毕竟也是侯莹的亲哥哥啊，他能不是为着侯莹好么？

决定下来了——这就把侯莹送往安定医院。侯勇去敲开二壮的屋门，打电话给出租汽车公司，让他们来车。

当侯勇走出屋门，朝一片漆黑的二壮住屋走去时，他的心又忽然软了下来。侯莹真的疯了！他痛楚地意识到了这一点。这并不是他所真正企望的。他想到了大方桌底下的事。他仰望星空，那被拥挤的屋顶所限制住的星空，也不过是一方较大的方桌桌底。他该在这星空的"桌底"下卖什么样的汁液？又有谁来用糖纸买他的汁液呢？为什么人的童年时代总不免一闪而过？为什么人长大以后就得为衣食住行操心？为什么人们几乎都不愿在苦地方待着，都愿往甜地方调？为什么即便人们产生了愿留在苦地方建设祖国的想法，又很容易被葛佑汉这类人的情况，也就是不公平的情况，刺激得失去了内心里美好纯洁高尚的感情？当这种感情丧失以后，人们又为什么往往反而去依靠葛佑汉这种人来谋取猥琐卑俗的个人利益？又为什么明知自己所追求的其实是猥琐卑俗的个人利益，却又不能自拔？而倘若自拔出来，又为什么反会被周围不是少量而是许多人所瞧不起？这种人情世态已形成了多久？为什么人们眼中心中对这种人情世态都一清二楚，而人们的口中笔下，一到公开场合，又都不愿、不敢承认，连蔡伯都那样的最真诚的作家的作品，也只能是浅浅地触及，闪闪地躲避？……

从侯家走到钱家，只有那么二三十步远，但侯勇每迈一步，都那么矛盾，那么痛苦，那么艰难。

终于走到了。他刚敲了一下门，里头灯就亮了。他敲了第二下，门就开了。二壮不像是从被窝里钻出来，他两眼炯炯地望着侯勇。

"得送小莹去医院。我来打个电话，让出租汽车公司来车。"

"干吗非坐汽车？贵还不说，还指不定有没有车，指不定什么时候才来……"

"那——"

"我蹬三轮把她送去。我们房修队料场就在胡同里头，有人值班。我十分钟就蹬到院门口等着。你们赶紧去准备铺的被褥。"

侯勇点点头。他扭过身去。他的心此刻虽然包着硬壳，内里却软得像鸡蛋清和鸡蛋黄。新鲜的蛋清和蛋黄，在蛋壳里没有遭到破坏时，是有希望孵化出新的生命来的。

尾声

这天晚上十点四十七分，城区一家邮电所的值班室响起了急促的电话铃声，靠在床上读《旅游》杂志的侯勤丰赶紧去接电话。电话是侯锐打来的。他告诉父亲，侯莹病了，不是一般的病，得往安定医院送。《旅游》杂志从侯勤丰手中掉在了地下。他肝肠寸断，可他离不开，邮电所只有他一个人值班。他能说什么呢？他只能颤抖着说："早上一来人，我就回家去……不，我先去医院……"搁下电话，他发愣。他的脚踩了那本杂志，也没有发觉。他靠到床上，掏出手绢揉眼睛。后来，老头儿幽幽地哭了起来。夏末秋初的北京之夜，有一个老头子这样地哭着，谁来给他慰藉？谁去为他造福？……

十点五十八分，一辆平板三轮飞快地驶离了东单十字路口。蹬车的钱二壮两个宽阔厚实的肩膀大幅度地摆动着。平板三轮上铺着褥子，侯莹仰面躺在褥子上，枕着枕头，盖着被子，被子一直盖到她鼻子下面。她睁着眼，望着天上似乎舞动着的星星，还有不时在星空下交错移动的无轨电车的电线。平板三轮一侧坐着母亲，她把一只手伸进被子去，握住女儿的一只手。女儿的手是柔软的、温暖的。她惊疑地望着女儿的一双眼睛，这双眼睛此刻竟如此清澈、晶明。女儿究竟有没有病呢？母亲叹着气，惊疑，焦虑，不愿想明天以后的事。

在这辆平板三轮车后面，侯锐和侯勇并排地骑着自行车，两个人都望着前面，没有说话。

当侯锐驶离东单十字路口时，他的思绪飞腾起来。他首先想到留在家中的白树芬和小琳琅，真古怪，今天晚上她们才第一次独享了家里的全部空间，平均每人七点五平方米强……在这茫茫都城之中，有多少人享有着七点五平方米以上的居住空间？又有多少个人家仍然是每人只平均占有三平方米，乃至两平方米的居住空间？看起来，过多或过少地占有居住空间，都会造成精神上的畸变；那么，究竟一个人应占有多少平方米的空间，才是恰当的呢？……人们不能总在屋子里生活，人们还要走到街上来活动，街道是城市居民共用的空间，东西长安街体现着我们人民共和国崛起初期的气魄，它仿佛在挺直宽阔的身躯宣告：欲知我们社会的前景，请看我的姿容……然而整整三十个年头过去了，南北街道，特别是东单北大街，竟大体还是那么一副古旧的面貌。三十年前这条街上能有多少车辆通过，三十年后的今天，光自行车的流量就增加了不知几多几何级数，人们时常壅塞在这狭窄的通道上，怎能不急躁、粗暴、摩擦、冲撞？……啊，立体交叉桥，你何时在这里出现？离这里两站路的建国门立体交叉桥，修了足有五六年之久，至今仍未全部畅通！我亲爱的北京，你要改变古旧落后的面貌，为何竟如此之难？而你的面貌不改，在你古旧的肌肤里流动的血液，也就是生活在千百条古旧的胡同里的市民，又怎能保证不变得狭隘、浅薄、自私？……

他们一行驶过了大华电影院。这座电影院基本上还是几十年前名叫"光陆"时的老样子，电影院门口的电影海报上的那些角色，似乎都在惊诧地目送着这一组人，而侯锐望着海报上的那些角色，更加思绪万千……他们来到了灯市口东口，该转弯了，啊，这个街口的两侧，都在建筑新楼。已经快十一点的深夜里，塔式起重机的长臂还在哨音指挥下移动着，混凝土搅拌机发出沉闷的声响。这景象使侯锐焦灼的心上流过了一股温流，尽管这样的景象在城内还不够普遍，尽管这样的楼房落成后不一定能由他们这样的普通市民享用，然而，毕竟还是在进行着住宅建设……快一些吧，拆掉北京城的旧房子盖起新楼，改造街道，修建一系列的立体交叉桥、一系列的街心花园、喷水池……在这静悄悄的夜里，那些能够决策、主持、支派这一切的公仆，是在无所挂念地酣睡，还是在为下层市民的疾苦操心劳神？当又一个清晨来临时，他们是继续无休无止地扯皮，还是继续明智坚韧地工作？啊，他们要能详细了解我们这小小家庭的喜怒哀乐就好了。这是普普通通的一滴水，肉眼看去平常，可放到显微镜下去观察、分析……也许竟会有重要的发现！

侯勇此刻的思绪和哥哥大不一样，也心里空荡荡的，仿佛丢失了什么东西，却又找不到另外的东西来填塞。他不知道是应该庆幸还是应该忧愁。他忽然觉得自己真是滑稽，为什么不能就当个山西人呢？又为什么没有回西郊岳父家去住宿，甚至没有往那里打一个电话？立体交叉桥看起来是得等到驴年马月才能有影儿了，那么，明天怎么过？下一步怎么走？……侯勇啊，他还没有清醒地认识到，为了让自己变得纯洁、豁达，首先需要的是，在心灵上架起一座立体交叉桥……

夜里十一点整。平板三轮已经驶过了首都剧场，钱二壮用全身的力气蹬着三轮车，心里洋溢着一种异样的快乐、幸福的情绪。他看出来，侯大妈他们是多么害怕安定医院。他们准定以为侯莹进了安定医院以后就更没人要了。那些臭讲究的不是玩意儿的东西们，侯莹都是他们给坑害的，他们不要她了更好。钱二壮的信心比什么时候都足，他把三轮车蹬得嗖嗖嗖地像插上了翅膀。驶过了美术馆，他扭过头来，大声地对母亲说：“大妈，别犯愁，有我呢！”

母亲听了这话，心里一惊、一热，忍不住抬眼盯着二壮那结实匀称的后背，心里滋出了一棵原先怎么也顶不破种子壳的小芽儿来。

侯莹躺在那里，把二壮这话听得清清楚楚。她现在非常清醒，非常舒坦，并且非常健康。她不发烧，不头疼，不恶心，不难受。她知道人们正送她到哪里去，她知道那完全是没有必要的，然而她既不畏惧，也不愧悔。她现在觉得总挂念着李薇真是好笑。为什么要让李薇等着自己？为什么要害怕活着的人们？活着多好，呼吸着这清凉的空气，仰望着这幽美的星空，并且可以感觉到身前有一扇壮实可靠的脊背，一颗平平常常然而可亲可近的热烈跳动着的心……她头一次清醒地认识到，幸福原来并不遥远，它早就躲藏在你的身边，并且早就躲藏在你的心里。

侯莹甜甜地微笑了。

1980 年 10 月写毕于垂杨柳

银锭观山

1

我几乎整整失眠了一夜。

天亮的时候，我从恶梦里醒来，稍一定神，便立刻下床，匆忙洗漱。从镜子里，我看出上月染过的头发，已然露出了白根。如果不是昨晚收到了那封信，今天既然是星期日，我一定要好好把头发染一染、弄一弄。眼睛底下也该按摩一下了，但这都顾不上。我得赶紧行动。

其实昨天我回来得并不算晚。进了楼，打开信箱取出晚报和几封信，爬上六楼，走进自己的单元，忽然想到厨房里没有酱油了，我疲乏地坐到沙发上，不禁觉得异常地孤单。如果我爱人老方还在世，那么厨房里的东西永远也不会匮乏，甚至我刚进单元，便能听见他烧饭的动静。唉，如果还能听到他往热油锅里倾倒青菜的那种声音，我该多么幸福！

我实在懒得再下楼去副食店打酱油，于是决定到邻居贺大妈家要一点酱油。结果她扣留了我的酱油瓶，硬拉我在她家吃饭。我就在他们那儿吃了一碗地道的炸酱面。贺大妈、贺大爷和他们的孙儿、孙女对我热情周到，但是从他们那里回到自己空落落的单元，我心里倍觉凄清。我不喜欢人家把我当寡妇怜悯。

因为心情不好，我拖到很晚——大约十点半钟，关上电视机以后——才去看信。一封是老家来的，用的虽是母亲的口气，但写信的其实是我老哥哥。那中心意思是：老方毕竟已经去世两年多，我是否该考虑考虑"下一步"……这封信我看了一遍便搁到一边，取过另一封来。这第二封信信皮上的笔迹很陌生，信封右下角写着"××医院药房陈缄"字样。那所医院看来是街道一级的小院。我从来没到那儿看过病，也不认识什么姓陈的人。我拆开这封信，信纸是用一张处方笺代替的，只见上面简单地写着：

> 冉佳卉同志：
>
> 　我以极其沉痛的心情告诉您，您过去的学生郑海波不幸于本月二日逝世。恳盼您能想起他来，并感到内疚。
>
> 　　　　一个您不认识的青年人、郑海波的生前好友陈矗
> 　　　　　　　　　　　　　　　　1981 年 7 月 2 日

我刚读完便本能地从沙发上站了起来，其震惊程度，不亚于两年半以前从医生口里听到对老方癌症的宣判。我拿着那封信，凑拢落地灯，又看了一遍。确实是"不幸于本月二日逝世"，并且意味深长地敦促我"想起他来，并感到内疚"！

当时我就想下楼往陈矗他们那里打电话，打听郑海波家的地址，立即去问个究竟，并表达我最真挚最痛切的哀悼与慰问……但是时间已经过晚，我只好在痛苦的猜测中，熬过漫长的一夜。

现在总算已是早晨。我得立刻出发，先乘车去那医院，找到陈矗。

2

近半年来，乘公共汽车时开始有年轻人给我让座，那都是我成缕的白头发惹出来的，所以三个月以前我决定染发。每回刚染完头发，自自然然地站在公共汽车的人群里，我就觉得自己无形中恢复了朝气，情绪也就活泼起来。

上车不久，便有个小姑娘给我让座。那一定是我的头发根泄露了"天机"。我谢了她，落了座，两眼茫然地望着车窗外熙攘的车辆和行人，思绪犹如强风吹过秋树，乱飘着无数互相追逐、碰撞的记忆叶片……

"恳盼您能想起他来"，我怎么可能忘记他呢？"并感到内疚"，可我为什么该感到内疚呢？

难道该为那回的"作文事件"内疚吗？不！

……那是 1977 年秋天的事，我正好教郑海波他们班语文，他连续三次都没有交作文，我忍无可忍，把他叫到教研室来谈话。我记得很清楚，他那天穿着一身酱紫色的运动衣，脑门上挂着一串串亮晶晶的汗珠，他那结实得仿佛能当鼓敲的脸蛋绯红绯红的——但那显然并不是紧张和害臊所致，而只不过是因为他刚在操场打过篮球。

我问他："你为什么不交作文？"

他彬彬有礼地反问："您问的是哪一次作文？"

我恼火了："哪一次？你一次也没交过！你为什么不交作文？"

他若无其事地微笑着说："您最好一次一次地问我。"

我忍住火气，板着脸问："第一次你为什么不交？"

他坦然地说："我不喜欢《我的家庭》这个题目。"

我张开嘴却又闭上了。我猛地想到，有一天他们班的班主任张老师曾在食堂提起过，郑海波的父母正在闹离婚。沉默了几秒钟，我接着问："第二次你为什么不交呢？也是不喜欢题目吗？"

"恰恰相反，"他告诉我说，"喜欢极了，所以我一连写了三篇，每篇各用一种人称。"

"那你为什么不交上来呢？"

"我都不满意。改来改去改不好，都撕了。"

"那么最近这一次呢？也是写好了不满意，撕掉了吗？"

"不。是还没有写完。"

于是我教训了他一番，告诉他再过十个月便要参加高考，如果不培养出一种定时完成作文的习惯，纵使能细水长流地写好文章，到了考场上也准得丢分。

"没关系，到时候我准能交卷。"他满不在乎地宣布，"我下星期把作文改好交给您。"

到了下个星期一，他果然把作文交来了，翻开一看，我吓了一跳。整本作文簿写满了，足有一万字左右，是篇完整的短篇小说，而且抄写得工工整整，显然凡有疑问的字、词他都查过字典和词典，一些改过的字句，是用纸条粘补上去的。

看完这篇作文我踌躇着不知该怎么评分，于是我再把他找来，这回他穿着一身显得略小的工作服，我猜是工厂里发给他妈妈的，他那茁壮发育的身躯把工作服撑得紧紧绷绷。我敏感地意识到他父母已经离婚，并且他是随在印刷厂当工人的母亲过。我很和气地问他："你写这篇作文，没参考过什么杂志上现成的小说吧？"

他干脆地说："我不看杂志上的那些小说。"

我有些怀疑："那么，你是怎么学会写小说的呢？"

他笑了，露出两只尖尖的、雪白的虎牙："我没故意学。我借印成书的小说看，只看名著，看完琢磨。正好我知道那样的人那样的事，又正切您出的题目，就这么写了一篇。"

我夸奖他说："如果你这真是自己创作的，那简直可以给杂志投稿，说不定能刊登出来……作为中学生的作文，我简直不好给分了，你知道我还从来没给谁的作文打过一百分呢！"

他坦然地说："如果您觉得值，那就给我这篇打一百分吧！"

我没给他打一百分，因为我终于找出了两个别字，给他打了个九十九分。

他呢，后来果真把那篇作文寄给了一家有名的文学杂志，那杂志的编辑按稿后所附通讯处找到学校里来，发现作者不过是一位才十七岁的中学生，大吃一惊。不过最后他们没有刊登郑海波的小说，可能是他们觉得那篇东西还不足以使他们下这样的决心：为文坛推出一位十七岁的新人。

我曾热心地建议郑海波或把那篇东西压缩，或另写新的作品，寄给《少年文艺》一类的杂志，但他对写小说的兴趣不知怎么的很快便衰退了，他向我宣布："我爱上了物理学。"

典型的"五分钟热气"！到了高二下学期，我当他们班的班主任，真是要多古怪有多古怪，爱上了物理学的学生竟突然宣布不再上物理课！

教物理的戴老师是一位有三十多年教龄的老教师，他对此大为光火，喘吁吁地跑来找我告状，一边用手绢擦着谢了顶的脑壳，一边激动得双下巴直颤悠。

我立即把郑海波叫来，当着戴老师的面，质问他怎么可以放弃学习物理。

"不是放弃，恰恰相反，是为了更好地学习物理，"他心平气和地回答，"戴老师讲课总是讲得太满，我听着别扭。我想以后上物理课的时候我就到阅览室去，自己看课本和参考书………”

戴老师觉得这是对他的污辱，他教了三十年物理还是头一回遇上这号学生，他气得满脸青紫地抗议说："你懂得什么？竟敢这么评价我的教学？可以召开个座谈会嘛，让别的同学们说说，我教得怎么样……"

郑海波把脸转向他，一副诚恳然而坚定的神情："按说您这么教挺好的，别的同学们大概都满意，我过去也能接受，可我现在受不了啦，我觉得您的教法妨碍我独立思考，我不想浪费时间，所以我决定自己看书学习。做实验嘛，反正实验室课后向高中生开放，我自己去做就是，有了疑难问题，我会主动找您请教的……"

"你既然不听我的课，我也不回答你的问题！"戴老师一气之下转身走了，他是去找校长，他觉得绝不能开这样一个先例！

我简直不知该怎么办才好，当校长把我找去询问这件事时，我试图为郑海波作一点辩护，但是校长挺直腰板，庄重地说："我们不是大学，不能允许学生这样。你要做工作让郑海波同大家一起上物理课，否则，以旷课论处！"

可我拿他又有什么办法！旷课论处就旷课论处，他旷了四次物理课以后，我不得不找他家长。然而他跟着妈妈离开爸爸另过后，一直没把新搬的地址告诉我，我问他，他咬着嘴唇，保持沉默。好在我知道她妈妈所在的工厂，我打电话给他妈妈，那电话在传达室，他妈妈过了好久才来接。传达室里一定有人在聊天，嘻嘻哈哈的声音很响，结果我讲话他妈妈听不清，我不得不提高嗓门："郑海波有旷课行为，我得跟您见见面，共同想个办法，说服他纠正这种行为！""是吗？！"我听到一个母亲吃惊而痛苦的声音，可我顾不上安慰她——问题还没解决呢！我们约定了会面的时间：第二天傍晚她来学校。

可是第二天傍晚她没有来成。她心脏病发作，住进医院了。郑海波来告诉我这个消息的时候，眼睛里毫不隐晦地流露出对我的怨恨……

难道，我就该为这件事感到内疚？

汽车到站了，我艰难地挤到门边，刚迈下车，车门就在这身后"砰"地关上了。我知道这是售票员在警告我：今后要提前做好下车准备！可是走在人行道上，我思想仍然不能集中。也不知是人家总故意碰撞我，还是我总无意碰撞了旁人，反正我朝那街道医院走去的一路上，就仿佛在一片被大风掀动的树林中穿行。

……后来郑海波终于恢复上物理课，不过他严肃地向我宣布："是为我妈妈上。"班干部反映他上物理课时用两团棉花球堵住耳朵眼，照旧自己看书……

他的古怪和执拗还不止于此。

毕业前夕，学校大抓高考复习的阶段，他忽然一整天没来上复习课，可到了傍晚学校里人散得差不多的时候，我拎着提包刚走出教研室，他却突然出现在我的眼前：推着辆自行车，戴着顶旧草帽。

"我来向您请假……"他开口说。

"你又来稀奇的了，"我忍不住厌烦地说，"还有半个月就进考场，你是不是不想考大学了？"

"恰恰相反——"

又是"恰恰想反"！你所猜测的总是同他的实际想法和动向相反！这个学生！

"——我打算换个地方复习。我估计这样办能复习得更好，进考场就更有把握。"

"你要到什么地方去复习？"我惊讶地问。

"到海边去。"

"海边？什么海边？"我简直目瞪口呆。

他又有一整套的想法："您看，我的名字叫郑海波，其实我长到这么大还没见过真正的海呢。我生在咱们北京的什刹海边上，什么什刹海、北海、中南海，其实都不过是一些小小的湖，我妈因为我生在这样的'海'边就管我叫海波了，名不副实。所以我想趁这十来天，自己骑自行车去塘沽，看看真海，跟地道的海波亲近亲近……"

不管他有多荒唐，结果你总不知不觉地被他引向一场讨论，想不进行讨论而对他直接下令，那是非常困难的。

"等考完后再去，不行吗？那时候你无事一身轻……"我试图劝说他。

"考完以后，我就去我妈他们厂当临时工。已经都说好了。您知道我妈她供我上高中已经不容易了，我得报答她。"

"你要真想报答她，就得发奋复习，争取考上呀！你这么往海边一逛，能复习好吗？"

"学校里的这种复习呀，简直是乌烟瘴气！我一天也忍受不了呀！我要让海风吹着我，把脑子清醒过来……"

"我们老师下了这么多工夫，为你们好，怎么叫乌烟瘴气！难道你连这以后的'复习篇子'都不要了吗？"

"复习篇子"指的是我们各科教师为他们编选的八开油印综合练习。说来那是我们这所重点学校的一项骄傲，尽管我们在每篇顶上都特意印了"仅供本校使用，请勿外传"字样，还是有不少学校想方设法搜罗我们的"复习篇子"，还曾出过一桩外校学生家长从我校学生手里高价收买"复习篇子"的事情，校长每提及此事总是一边摇头一边微笑。

"我最讨厌咱们学校的这些'复习篇子'！"郑海波又来邪劲了，"我一篇也不要！我自己给自己复习！"

就这么着，他骑车去塘沽了。我不得不向校长再次汇报关于这位"个别生"的超级怪事，校长这回虽然照旧吃了一惊，但没有发出什么严厉的指示，他愣了一阵以后，叹口气说，"总不会有人跟着他学吧？就让他去吧，只要他按时回来考试……"

的确，郑海波的这种种举动，从来没有第二个学生效尤。这究竟是因为他比他们低得太多，还是因为他比他们高出太多，我至今难以判断。不过有一点我是清楚的：同学们对他绝无恶感，甚或还有一种钦佩的情绪，就是那来汇报他用棉花团堵住耳朵上物理课的班干部，用的也是一种类似刘兰芳演播《岳飞传》的口吻——他为这样的同学出在自己班上而不在外班，流露出强烈的自豪。

……"恳盼您能想起他来"，这样的学生，我怎么能够忘记呢？用不着这个陈蠹来恳求我！

不知不觉，我已经走到了那所街道医院门前。

3

我刚推开药房的门，就响起一个尖脆的声音："到窗口取药！不许进来！"

我迈进去，劈面站着一个古怪的姑娘，说她古怪，不是指她的身材和装束，她身材甚至可以说相当苗条，穿着掐腰的白色工作褂，紫罗兰色的"的确良"衬衫的大尖领翻在外面，整个给人一种亭亭玉立的感觉。她的古怪在于她的面部，她的脸蛋长得很匀称，眉毛和眼睛也好看，嘴也很秀气，然而她的鼻子上和双眼下面好大一块地方，都厚厚地涂着一种芝麻酱似的药膏，望去就仿佛戴了一个狰狞的假面。

显然，她从我脸上的表情看出我被她几乎吓了一跳，忍不住笑了。她一笑，那张脸就更显得可怕，我忙把目光移开。

"我这是治雀斑呢。自己按偏方配的，特别灵。别看我现在跟鬼似的，下星期他们就再不敢叫我'小麻雀'了！"她一边解释，一边端详我的面部。我也是有雀斑的人，老实说，当老方正热恋着我的时候，我也曾萌生过寻找偏方的念头……我听见她说："您要想治，我可以让您抄下偏方。"但是她仿佛突然一下又意识到她本是来驱逐我的，于是口气一变，质问说，"您怎么跑里头来了？"

"我不取药，我找人。"我向她解释，"我敲了门，你没应声，所以我就自己进来了……"

"你找谁呀？"她问。

"陈蠹。他在吗？"

"啊，他不在。他晚上才来值夜班呢。"我的心正往下一沉，她仿佛偶然想起似的说，"对了，您是出版社的吧？他留了一张条子，说要是您今天白天来了就交给您。"她走到一张桌子前，从一个大药瓶下取出一个折成"又"字的条子，看了一下上面写的名字，惊讶地问我，"您姓'再'？还有姓'再'的吗？"

我接过条子，告诉她："不，我姓冉，'冉'字没有'再'字上头那一横。"

我迫不及待地当着她展开了那张条子，是用一张废处方笺的背面写的，上头只有一句话："详情您可到后海北沿鸦儿胡同××号打听。"我想，那里大概就是郑海波的家，他妈妈在家里该是多么悲痛！

"你认识郑海波吗？"我禁不住问面前的姑娘，"你知道他是得什么病死的吗？"

她摇头。虽然罩着那一层药膏，很难看清楚，但我觉得她的表情相当淡漠，我听见她用无所谓的口气说："天天都有人死，天天也都有人生。我怎么会都知道？"

我道谢，出了药房，心里堵得慌。可能这姑娘确实不认识郑海波，陈蠹也没把郑海波的情况跟她讲过，然而我还是不能容忍她那冷酷的口吻。

那街道医院离后海北沿不算太远，我无心再去挤车，决定走着去郑海波家。

……我同郑海波最后一次见面，是在什么时候呢？瞧，我们开头打的那些交道，都还历历在目，可后来的事情，反而模糊了……当然，这主要是因为我的命运发生了一系列重大的变化，既有巨大的喜悦，也有巨大的悲痛：不等郑海波他们那一届学生高考发榜，我便回到当年因"右倾机会主义"罪名而被调离的出版社，彻底地平了反，恢复了党籍，并很快被任命为副总编辑，可跟着就是老方癌症的发作与确诊，从1978年夏天到1979年春天，我的一颗心就仿佛又沐浴着阳光又溅落着雨点，直到1979年秋天，我才能在繁忙的工作中抑制住失去老方的悲痛……

离开中学，到了出版社，仿佛从什刹海边上来到了塘沽新港，我的接触面大大地扩展了，交往的人、经手的事更多更杂也更难对付，很自然地，我难得见到当年的同事们和教过的学生了。不过偶尔他们当中也还有人来我家看我，记得有一回郑海波同班的那个班干部——就是来反映郑海波用棉花团堵住耳朵眼上物理课的那位，他已经是北京大学的学生了——来到我家，我向他问起郑海波的情况，他把双手一拍说："他呀！还是那么'格涩'，上星期日我去他家，您猜他在干什么？"

我不禁吃惊地问："他在家里？我恍惚听说，他考上西北工业大学了嘛……"

"是考上了呀。他去报了到，进行体格复查，查出来有风湿性心脏病，结果，人家又把他退回来了……"

我为他抱屈："高考前的体检，他通过了的呀！我记得他那张表上，心脏一项只写着'有轻微杂音'，按说不至于妨碍他上大学啊！"

那当年的班干部继续向我报道说："反正他是让人给退回来了，成了待业青年。他自己跟我说：这下恐怕工作也捞不着了，哪个单位愿意要有风湿性心脏病的人呢？……他的情绪相当低落，可他的想法和行为还是那么古怪，您猜我去他家的时候，他在怎么看电视？"

"躺在床上看？"

"他坐得很端正，可那九英寸电视机您猜他怎么摆？他把它竖着立在桌上，因此屏幕上的画面是歪着的……"

"啊呀，他的神经怕是不大正常吧？"

"恰恰相反——"当年的班干部模拟着郑海波的口吻,"他的神经很正常。他告诉我,他实在忍受不了那又假又俗的节目,那样的节目,只配那么歪着出现……"

"节目不好可以不看嘛!"

"他说:'我还偏要看看这个屁是怎么放完的。'那节目完了,他才把电视机正过来。"

"他的性格真是一点也没有变。"

"我问他打算怎么办,他说:'先治病,把身体锻炼好;这段时间先自己在家看点东西。'"

"他在家看些什么书呢?"

"说出来您可能不信。他床头撂着一厚本杂志合订本,原先我以为那是什么文学杂志,要么就是《科学大众》或者《中国青年》……"

"是什么?"

"是《中国妇女》!他说是专门借来看的,为的是填补他常识上的一个空白——他想了解一下关于妇女运动方面的问题!'"

这种消息使郑海波在我心目中的印象,更显得怪诞和乖戾。

然而他已经不是我的学生,我不可能用很多心思去关注他。我得承认我一度几乎把他忘记了。

啊,对了,那也许是我最后一次见着他。1979 年冬天,是个飘雪的日子,我正在办公室终审一部书稿,忽然有人打来电话,起初我以为是部里的钟司长,我们约好那天要通一次话的,拿起话筒我本能地问:"老钟吗?你去美国考察的日子定下没有?"

电话里却传来这样的回答:"恰恰相反,我是根本不可能去美国考察的小郑!"

"哪个小郑?"我有点发懵,"你是哪儿?"

"我这儿是公用电话。冉老师,我是郑海波啊,您真的把我忘啦?"

真的把他忘了?不可能,我只是在有些时候把他忘记,即"假把他忘了",我又惊又喜地嗔怪他说:"你怎么回事儿?这么长时间你都不去我家看我,你知道我还住在老地方嘛,是你把我这个冉老师忘啦!"

"忘了我能给您打电话?我现在有急事要找您。"

瞧，他一出现，准给我出难题。

我便告诉他："我正上班呢，现在在审稿子，等一会儿要开党委会，晚上定好要去看一位老同志……"我目光扫视着台历上标出的日程，几乎是恳求地说，"明天和后天也是全天有事，你大后天晚上到我家去吧……"

"不。您既然在，又没开会，我这就去您那儿。我顶多只占您半个钟头时间。我一会儿就到。"说完，他就把电话挂上了。

有什么办法，过了一阵他果真来了，我只得推开书稿接待他。令我吃惊的是他没有穿棉衣，而是穿着一身深蓝色的绒衣绒裤，脚上是一双沾满泥浆的球鞋。他肩上有正在融化着的雪花，头发上冒着缕缕蒸汽，一双眼睛还是那么坦诚无畏，不过他显然"抽条儿"了，站在我面前，有着一种十足的男子汉的气概。

我让他坐下，他便落座在我办公桌对面的沙发椅上，我看他双颊仍旧红红的，不禁问："你的病好了吗？怎么大冷天的不穿棉衣就来了？"

他笑着，嘴唇里露出那一对白生生的虎牙尖，告诉我说："医生说我还没好，我自己觉得差不多了。我天天坚持十公里快慢交替走，这比吃药的效果强多了。"

我问他："你妈妈好吗？"

他简单地说："好。现在她的工资加上奖金，比以往多出三十多块，我们的生活不困难了。"

我问："你现在还在坚持自学吧？有什么需要我帮助的吗？"

他说："我自己眼下倒还不需要您帮助，可您得帮助帮助他们——"说着他就把一个鼓鼓囊囊的牛皮纸封套搁到我的办公桌上，我立即认出那封套上用红字印着另一家出版社的名称。

"这是怎么回事？他们是谁？"我纳闷地问。

于是他告诉我：这一年多里他和附近街道的待业青年，无形中构成了一个交往的圈子，他们这里头有三个人自学英语进步很快，合作翻译了一部书稿，是有关微电子技术的，他们给一家出版社寄去了，先是石沉大海，后来经过一再催问，退回来了，可连封手写的退稿信也没有附，只夹了一张油印的退稿条。他想起来我所在的这个出版社也是技术科学性质的，便决定来为他的"哥儿们""走后门"。

他把那部译稿往我眼前一推，直截了当地说："你帮他们出版吧！"

我把那部译稿和附带的外文书从封套里拿出来翻了一下，便对郑海波说："我们这儿倒有个编译室，不过我们三年以内的出版计划已经都拟定了，该翻译的书都约好对口单位的专业人员去翻译了……"

"计划应当灵活。专业人员的水平未必就高。"他还是一贯的思想和做派，咄咄逼人地盯着我说，"在稿子面前，应当人人平等。"

我没有话说，答应把那部译稿交编译室的同志们去审阅，他见我答应了，脸上绽出一个开朗的笑容，立即站起来说："那上头写着他们的通讯地址。好，没事了，我不耽搁您工夫了，我走啦！"

我忽然觉得他并不怪诞乖戾，而且相当可爱。我以前怎么没注意到他那笑容里所包含的力量和美？仔细回想，他以前也这样对我笑过……

我看看表，他仅仅同我谈了不过一刻钟，我挽留他，希望他多坐一会儿，再谈谈他自己的情况，他却坚决告辞，走了。临出门的时候，他对我说："您别忘了我就好。该找您的时候我还会再来的，谁也拦不住。"

……是的，那也许就是我们最后一次见面。

后来他为什么没再来找我？是让谁给拦住了？他是个拦不住的人啊……

……大约在他到办公室找我的一个月以后，有一天我在食堂排队打饭时，正好同编译室副主任站在一起，我顺便问他："上回我转给你们的那部待业青年的译稿，究竟怎么样？"

"不能用，退回去了。"

"编辑亲自写退稿信了吗？就是不能用，也该鼓励他们一番啊！"

"写了信了吧。"

我也没有再问。实在我也是太忙，过问待出版的书已经力不胜任，又怎可能仔细过问每一部退稿？

难道这也属于我应"感到内疚"的事情？

……的确，除了我家里因失去了老方而不如往昔热闹，我的工作和社交活动越来越丰富多彩，我在国内出差，我到国外考察，我出席茶话会，我应邀到副部长家里做客……到1980年春天，我被任命为社长，我不仅用不着再审那些令人头痛的书稿，而且就是一般的来往书信，也有秘书专门负责处理。外面给我打来的电话，总机先要问清缘由，然后再有所选择地给我接过来。正如人们所说，我得"集中精力处理方针大计。"

对了，得交代这样一个事实：我有一个女儿，她 1977 年考进了安徽合肥的科技大学，每到寒暑假将近，我的心就总不免浮动起来，我盼她回北京来团聚。她一回到家里，我就觉得家里不是多了一个人，而多了两个人——老方和她仿佛一齐温暖着我的心。每当她假期结束要回合肥的时候，我的心就一阵阵发紧，我的秘书很敏感，在那一类日子里，他总是尽可能报喜不报忧，或者大幅度地把交我亲自处理的东西加以缩减。

……记得是去年暑假将尽的时候，有一天我下班回家，女儿告诉我说："有一个小伙子来找过您，他说姓郑。"我心不在焉，只想着该怎样和女儿度过这最后的几个夜晚，以及该给她带些什么东西，我在厨房里给女儿炒她最爱吃的鱼香肉丝，忽然听见她笑着走过来说："……那小伙子真有意思，我问他：'你是找我妈妈的吗？'他回答我说：'恰恰相反，你妈妈应当主动找我！'哈哈哈……他是怎么回事，妈妈？"

我这才把郑海波的形象从脑子里久不开启的柜门里释放出来，可同时感到纳闷："我应当主动找他，为什么？"

"我也是这么问他的呀，"女儿对我说，"他的表情好严肃，他没跟我解释理由，只是让我一定告诉您这么一句话——"

"一句话？什么话？"

"是这么句话——我耐心等待一年，只等一年。"

"等一年？等什么？为什么要等一年？"

可是刚谈到这儿，我女儿的朋友们就敲门找她来了，我请她们几个姑娘吃鱼香肉丝和麻婆豆腐，大家还都多少喝了一点丁香葡萄酒，于是郑海波的形象，又重新缩进了我脑子里的某个柜子里。

……算来差不多恰好是一年了，郑海波肯定是没有等到他所等的东西，便一病而逝了。昨晚得到他的噩耗以后，我苦思冥想了好久，究竟他等待的是什么？和我有什么关系？

啊，"恳盼您能想起他来，并感到内疚。"这话究竟还是有道理的。近一年来我的确把他忘记得差不多了，或者说，不是忘记，而是把储存他形象的那扇柜门关得太死了……如果我能早一点开启这扇柜门，也许，还能及时给他和他妈妈一些帮助，不至于酿成这样一个悲剧的结局？

不知不觉地，我已经走拢地安门附近了，再往北走一段路，从后门桥沿什刹海前海东沿往北，便能找到鸦儿胡同了。真的，我为什么没能早一点打听到他家的地址，抽时间去看看呢？

4

刚走到后门桥桥头，忽然迎面遇上了杭季熟。

生活中经常有这样的事：想见的人你总没机会见上，而不想见的人却偏偏迎面而来。

杭季熟是解放初我在华北革命大学时的同学，后来我分配到出版社工作，他却一直在行政机关当干部，我因为"犯右倾机会主义错误"被下放到中学的时候，他恰恰在他那个局里被提升为副处长，从那以后我们基本上没有什么联系，只记得曾在西单商场偶然遇上过，双方淡淡地点一下头，泛泛地说上几句话，也便各自走开。1980 年秋天，我们凑巧出席了一次共同的会议，他才知道我的境况发生了很大变化。我也才知道他已经是办公室副主任了。本来我和他没有多少话好说，但是有一个巧合使我们产生了一种共同语言：老方死于癌症，他的妻子也死于癌症。于是会议期间，在休息的时候，在餐桌上，每逢凑巧坐在一起，我们就谈一个题目：癌。

后来就发生了可想而知的情况，一些好心的朋友，开始给我们撮合。在他们眼里，我们俩真是现成的一对。可我忘不了老方，也不喜欢他。这件事本来就像开过花的竹子似的，不可能抽出什么新笋。但是上个月去北戴河休养，偏偏他也在那儿，我们都不游泳，于是他便常常在饭后主动邀我散步，有时我婉谢，有时我也同他走走。

我们总在离海比较远，但又能看见海的地方，闻着海水的腥味，听着松树上阵阵的蝉鸣，边走边谈。其实主要是他说、我听，我只是偶尔反问一下，或者简短地陈述一下我的看法。

在这种谈话中，他总是不断地骂文艺界，骂作家，骂电影导演，骂歌唱家，骂画家……当然罗，文艺界确实存在不少问题，骂一骂也是可以的，谁让他们那么出名呢？你出了名，就得付出被人点着名字批评、指责乃至于痛骂的代价。我有时候也会骂一骂他们。奇怪的是杭季熟对他们何以那样地痛心疾首？

开头，我以为这是因为他把文艺界出现的问题估计得过分严重，也就是说，仅仅是出于看问题片面；或许，他可能是头脑中"左"的框框多了一点，有些教条主义，要不就是他期之过切故求之过苛……

后来我渐渐摸透了他的心理。给我留下很深印象的，是有一天傍晚散步的时候，他忽然激动地用手敲着我的胳膊肘，让我朝海滩那边看，我抬眼望过去，只见一群泳装的青年正围着一个肩上披着浴巾的中年人，叽叽嘎嘎地不知正说些什么。那个中年人头颅很大，剃的又是平头，因此模样显得很特殊。看样子他是在微笑地向那些围随的青年人说着什么，青年们却不等他说完便热烈地争论起来。

"你看，那不是褚亦峰吗？不知又在向青年们灌输些什么！"杭季熟愤愤地说。

"他的作品我也读过几篇，"我对杭季熟说，"是我女儿拿来让我读的——我跟她都喜欢。青年人喜欢他是必然的嘛！"

"你知道有的老同志怎么看他吗？"杭季熟面带几分诡秘地说。

我并不想打探"有的老同志"对褚亦峰的看法，我问："你自己怎么看呢？比如说，他那篇《听涛》，觉得好还是不好呢？"

"我没看。"他坦然地说，"可我知道，有些老同志认为《听涛》简直是污蔑党的传统！"

"你还是看了再加褒贬吧，"我劝他说，"我觉得不错。而且，我知道有一些老同志还是很肯定他这几年的创作的。"

"那些肯定他的老同志，大概不知道其人的底细吧？"杭季熟竟激动起来，他冷笑着朝褚亦峰那边望去，毫不留情地说，"沉渣的泛起！"

我觉得这话很刺耳，便停住脚，质问他说，"此话怎讲？是不是因为他当年有'右派'的问题？不是已经彻底平反了吗？而且，你别忘了我当年还是'右机'

呢！那么说我现在也是沉渣的泛起啰？"

他来挽我的胳膊，我闪避了一下，他满脸歉意的微笑，安抚我说："我怎么会把你跟他等量齐观呢？再说，谁没挨过整啊！啊呀，你可不知道，'三反'、'五反'的时候，他们把我整得好苦！……"

这时候海边的褚亦峰和青年们已经欢笑着迎向海浪走去了，杭季熟望着他们的背景，强调地对我说："我指的是褚亦峰参加过《穿云岭》的创作，这样的人，现在却又这么红！"

《穿云岭》是"四人帮"时期的一出戏，内容是写"同走资派斗争"的。可我知道，那是当时主持文化工作的人指定褚亦峰参加创作班子的，主要是让他给润色唱词。我很奇怪，杭季熟为什么忘记了他自己的账，我记得他在"文化大革命"后期，曾经是他们那个"口"的"革命大批判组"的主要笔杆子之一，他不是起草过一系列署名"洪萱斌"的文章吗？那些文章搜集起来足可印成一本比《穿云岭》厚几倍的书，然而他却理直气壮地在这里说人家是"沉渣的泛起"！

从那天起我觉得很难再跟他在一起散步，于是我就或者提前约好几个女伴一起散步，或者躲在屋子里读书。然而我回北京的那天，他非要送我到火车站不可。

下了汽车，等火车的工夫里，他主动要过我那简单的行囊，帮我提着，这回他没有骂文艺界，没有提及"沉渣"，而是蔼然可亲地问及我的身体状况，提醒我回去以后一定要注意有劳有逸……最后，他仿佛偶然想起似的问："我觉得跟你相处很愉快。你对我的印象怎么样？"

我回答说："我对你还谈不上了解……"

我只能这么说。难道我能说出真心话来吗？我觉得他这人的特点是随时要维系这样一种心理平衡：他的所作所为总是对的。因为他"三反"、"五反"的时候挨过整，所以他提及那些整过他的人便愤愤然，凡涉及"三反"、"五反"时政策有过"左"之处的文件、文章，包括文学作品，他一律欢迎，然而因为他"反右"的时候整过人，所以他对一切涉及"反右"扩大化的文件、文章，当然还有文学作品，一律反感。他讨厌一大批揭露"文化大革命"伤痕的作品。并不是因为他真的担心这类作品会有损于人们投身于"四化"的信心和热情，更不是因为他对那场"革命"真有什么感情和信仰，而仅仅是因为这些作品总提醒着他曾有过"洪萱斌"的存在，这也就是为什么当他想到褚亦峰曾参与过《穿云岭》的创作，便激动得发抖的原因。他并不是痛恨褚亦峰的不纯洁，在内心深处，他对褚亦峰有一种视为叛徒的仇恨，然而你也不要以为他就欢迎"四人帮"卷土重来，他很珍视近几年里他所获得的实惠，他丝毫没有"耻食周粟"的感情，他心安理得地起草或圈定着否定"四人帮"的材料和文件，名正言顺地搬进了宽敞舒适的新居，他所要维护的，仅仅是一个"一贯正确"的自己。

跟他在北戴河分手以后，火车还没开到昌黎，我就把他撂到脑后去了。我的生活里不需要他。

不幸我竟在今天，在后门桥这么个地方，和他狭路相逢。

他依然穿得笔挺，头发梳得光光的，手里拿着一把足有一尺多长的折扇，他肯定是一眼就望见了我那露出白根的头发，并且注意到我衣衫不够平贴，他大概还看出我心神不定，因此他头一句话便是："出了什么事吗？你怎么到了这儿？"

我本能地伸手理一理头发，勉强地对他微笑了一下，告诉他说："没有什么。我是到后海那边去看以前教过的一个学生。"

"看一个学生？"他不胜惊异。在北戴河的相处，使我能窥透他的心思。他不理解我为什么要缅怀那段当中学教师的生活，为什么在已经进入了另外一个社交圈子以后，还要主动去同一个相对来说要低几档的社交圈子接触。

我不必向他撒谎，于是我告诉他："一个以前教过的学生死了，我心里很难过，想到他家里看看，了解一下情况，安慰安慰他的母亲。"

他既然遇上了我，便不能轻易放过我，他笑着，双眼里射出逼人的光，质问我："从北戴河回来以后，我给你打过几次电话，总机老是说你不在，是真的不在吗？"

当然不是。我嘱咐过总机，他来的电话不必接过来。但是我不忍心把这一点直说出来，因为这毕竟不礼貌。于是我便含混地说："最近一段我常在外头跑……"

他也便不再追究，而是微微俯下身子，关切地问："你要去的，是后海什么地方？"

我顺口而出："鸦儿胡同 ×× 号。"

没有想到，他把折扇往另一只手上一拍，笑吟吟地说："啊，我猜出来了，你的那学生，是姓郑吧？他叫郑什么？"

这回轮到我吃惊了，我急切地说："他叫郑海波，你认识？"

"对了，郑海波，好像是这个名字。"他脸上露出一个轻蔑的笑容，微微地摇着头说，"这号青年呀……"

我很难想象，他同郑海波能有什么关系。我不禁更加急切地问："你是怎么认识他的？"

他潇洒地甩开折扇，在胸前摇着。那折扇上画着折枝墨梅，还题着诗，盖着印，像是什么名家的真迹。我心里飘过这样的思绪：尽管他曾大骂画家脱离工农兵生活，但是他却并不手持一把画着高炉出铁或练兵场上的折扇，总之他的批评和爱好都是对的……他无视我的急切，松弛地微笑着，伸腕看看手表，建议说："唉呀，都十点多了！你怕是一早就跑出来，都没顾得上吃东西吧？这样吧，我们先到那边饭馆里随便吃一点东西，坐下来，慢慢谈。"

"不——"我本能地拒绝着。我不喜欢跟他坐到一起，除了打听关于郑海波的事，我跟他实在也没有多少话好说。

"你不是想知道那个——是叫郑海波吧——他的事吗？我们边吃边谈嘛！"

说实在的，奔波了两个多钟头，我也确实饿了，腿也有点酸，坐一坐，吃一点东西，也好。于是我顺从了他。

后门桥边上就有一家饭馆，刚开始营业，人不算多。我们找了一张靠犄角的桌子坐下。我坚持要各自买自己的饭，他拗不过，只好依了我。但他去买来了啤酒和酒菜，如果我连这个也不吃他的，未免过于拂他的面子，再加上我感到口渴，有一点啤酒喝也好，就接过了他斟满的啤酒杯。

这家饭馆上菜很慢，我心里却很急。我希望能快点打听出郑海波的消息，快一点到他家去。

杭季熟却不慌不忙地挟着酒菜，品着啤酒，且不正面回答我所提出的问题，而是骂上了青年人。

文艺界、青年人，在杭季熟的口中，这仿佛是社会的两块病灶，据说是文艺界带累坏了青年人，使他们丧失了对未来的信心，而青年人却又是文艺界坏作品的拥护者，因而又宠坏了文艺界。他这样泛泛地骂的时候，我沉默着没有答茬。我抓紧时间喝啤酒解渴。我知道人这样骂无非是要显示自己的正确。说到待业青年，杭季熟更是连连摇头，他在喝掉一杯啤酒的工夫里，就浅笑着讲述了五六个关于这类青年的小故事：整天跑来跑去看电线杆子上贴的各种告白，跟人家打算对换工作的人恶作剧啦；聚在后海小花园里打扑克赌小钱啦；从百货公司套购热门货易地抛售啦；好高骛远、想入非非，到处投稿、写信、告状啦……

我实在听不下去，就打断他说："如果你的儿女当中也有待业的，你就不会这么说了！"

他姿态优雅地摇着大折扇说："你我的儿女就是待业，也不至于像他们那样荒唐；我的一个侄女两年都没考上音乐学院，我兄弟给她买了一架钢琴，我帮她请了名家指点，一个月上一次课，学习作曲，她就懂得上进……"

"可是，千千万万普通职工的待业子女，没有这样的条件啊！我们不应该一旁嘲笑他们，而应当尽心尽力地帮助他们……"我争辩说，"更何况就是家庭条件很差的待业青年，也有不少很知道上进的。郑海波就曾经找过我，介绍三个待业青年翻译的书稿。那三个青年的家庭也只不过是一般的职工家庭，住房拥挤，经济上也不宽裕，可他们很刻苦，自学了五年英语、两年电子计算机知识，他们联合翻译出了一部关于微电子技术的书……"

"你们社给出版啦？"

"没有。这部译稿离出版看来还有一段距离，不过——"我强调说，"只要他们继续努力，我相信他们是能够成事的。"

他用筷子轻轻挟起一粒煮花生，灵巧地投进嘴里，咀嚼着，脸上浮出一个讽刺的微笑，用一种意味深长的语调说："待业青年就像雨后的蘑菇一样，年年成片地滋生出来，可怎么得了啊！"

望着他那居高临下、心满意足的神态，我真恨不能啐他一口。这个人既蔑视蘑菇般渺小的待业青年，又对现在的"云雨"怀着幸灾乐祸的心情，而沉浸在一种唯独他正确无误的乐趣中，这是怎样的一个灵魂！当然，他没有贪赃枉法，没有投机倒把，没有刑事犯罪，甚至连交通规则也没有违反——他过马路大约总顺着人行横道线，但是我以为他玷污和背叛的是我心目当中最神圣的东西——共产党员的称号。

我不想再多跟他空谈，我直截了当地问他："你到底认识不认识郑海波？你知道些关于他的什么情况？如果你根本不认识、不知道，你就不该把我骗进来吃饭！"

　　他喝干一杯啤酒，把杯子往桌上一顿，掏出一方折得平平整整的手绢，轻轻印干嘴角上的酒痕，这才摇着折扇，告诉我说："我并不认识这个郑海波。不过这个青年从去年起就不断来我们局里无理取闹。开头是接待组的人跟他周旋，后来情况反映到了办公室，我过问了一次。他异想天开地搞了一份什么计划书，有半寸厚的样子，里头又有一、二、三、四……甲、乙、丙、丁，又有表格、地图……他那个东西跟我们局的业务沾不上边嘛，可他非说我们应该给他答复……你说这不是神经病吗？"

　　"你们后来怎么处理的？"

　　"当然是不再理他。那份计划书一度入了群众来信档，接待组的人中午午睡用一叠档案袋当枕头，头一份就是他的计划书，上头写着他的通讯处：鸦儿胡同××号郑××，我见过几次，所以有印象……那样的档案我们一年清理一次，他那份莫名其妙的计划书，大概跟别的没用的东西一块儿送造纸厂化纸浆了吧！"

　　我的心仿佛被重锤击了一下。从我意识深处忽然飘来女儿的声音，那声音恍若在一个空旷的大厅中回响："……那小伙子真有意思，我问他：'你是找我妈妈的吗？'他回答说：'恰恰相反，你妈妈应当主动找我！……我耐心等待一年，只等一年。'……"

　　"你怎么了？那就是你教过的学生吗？……"另一个声音把我从冥想中拉回来，我面前还是杭季熟那张颧骨红红的、油光滑润的脸，我发现他正凝视着我，用一种充满好意的声调说，"……你何必为他的死这么操心呢？这样的'磨菇'已经是太多了，少一个国家也少份负担！你快吃饭吧，你的菜已经来了……"

　　我本能地低头一看，菜果然已经搁到了桌上：一盘冒着热气的蘑菇菜心！

　　"不，我不能吃蘑菇！"

　　我只记得我嚷了这么一声，而不记得我是怎么走出那家饭馆的了。

5

尽管我处在极度的冲动中，有一阵我眼里没有了成形的街道和行人，只有相互晕染的团团色斑，可待我稍微冷静了一点，眼前的团团色斑恢复成焦点清晰的画面时，我发现我已置身在什刹海前海东沿的一处自由市场中。这么说，我并没有走错路，我的下意识还是在把我引向往鸦儿胡同去的方向。

许多经常出差北京的外地人，他们自以为已经熟悉了北京，可是当我向他们问及什刹海的时候，他们总不免茫然："什么什刹海？"至于那些来中国旅游的外国人，尽管旅行社给他们安排了一大串的游览点，他们回去以后可以拿着一大叠彩色照片津津有味地回忆"北京之旅"，却几乎没有人知道北京城里还隐蔽着一处极富特色和情趣的风景区——什刹海。

什刹海位于北京城的西北部，除了前海南部靠近地安门西大街，其余部分几乎都不挨着主要街道，而被七歪八斜的小街和胡同所荫蔽。严格地说，什刹海是由三个互相连接的湖面组成的。从西北往东南数去，头一个是积水潭；积水潭的水是从西郊玉泉山那边的泉眼涌出，经昆明湖、高粱河、护城河而来的，然后流过德胜门内大街的德胜桥，注入第二个湖面，这便是后海。什刹海的风景，主要集中在后海，它是一个东西长南北狭的瓶形湖，环岸有着高大粗壮的垂柳和白杨，南侧还有一个小公园，后海的湖面在接近前海时逐渐收缩，然后流过一座桥，注入前海，这座桥便是银锭桥。据说它过去的形状很像一个银锭，然而岁月流逝，人事变迁，几经修整，现在它已经看不出银锭的模样了。尽管如此，相比于北京城内现存的诸桥而言，它倒还颇有点古朴的味道。什刹海前海呈圆叶状，湖水最后往南经过暗沟流入北海，北海和与它相连的中海及南海名声大震，恐怕就不用介绍了。

什刹海前海原来也是相当美丽的。20 年代和 30 年代湖里曾遍植荷花，夏日湖边柳荫下有各种京味小吃摊子，以及唱大鼓书、拉洋片、表演摔跤和中幡的种种圈子，湖北还有茶楼酒肆。到了 30 年代末这里便衰败荒芜了，以至于到解放的时候，湖面已经成了臭气熏人的污黑泥塘。北京市人民政府所从事的首批市政建设项目，就有疏浚什刹海的工程。人民解放军战士和民工们在很短的时间内，便把从积水潭到前海三块湖面清理得水碧如眼、岸齐如眉,后来又砌了水泥岸基、安装了墨绿铁栏,并且环湖栽植了垂柳和白杨。挖湖时取出的淤泥,最后在前海湖心堆出了一个圆岛,在上面栽了一簇垂柳,如今这些垂柳已经粗壮高大,柳丝飘拂,树顶上有几个喜鹊,花尾喜鹊时时穿柳飞翔、喳喳欢叫。

不过近些年来,不知是谁出的主意,前海的西岸被一个单位拦进去成了他们的属地;东岸和北岸紧挨湖水也盖了些丑陋的房屋,并且用高高的砖墙拦住了人们的视线;这后门桥迤北的一段,铁栏已然破败无人修复,却又辟为一个杂乱的自由市场,确确实实给人一种煞风景感觉。如果说有的事我们国家一时还无力做到因而不必呼叫,那么像维护什刹海的风景,也就是维护北京西北城的自然生态和原有的古典美、民族美这一并非不能做到的事情,我们为什么不能发出呼喊,要求尽快采取措施呢?

当然,我从后门桥那家饭馆里跑出来,置身在前海东岸的自由市场上时,占据我当时意识中枢的,还不是这类关于什刹海的思绪,我只觉得我应当快一点找到一处公用电话,我必须先把这个电话打了,才能前往鸦儿胡同。

我朝前走了一段,终于发现一处院门旁有个公用电话的黄牌,于是赶忙走了进去。

安装公用电话的那间屋子很小,看得出是近年来北京杂院居民们自盖的小房子之一。公用电话前正站着一个胖姑娘,她一头浓黑的披肩发散在肩膀两侧,穿着一身扎眼的玫瑰红连衣裙。显然她是在打青年人惯有的那种马拉松电话,一边倾听着对方的逗趣话,一边放肆地咯咯咯乐着,而两只穿银色高跟凉鞋的脚不断交替地别到一侧去。

真不耐烦等她打完,然而我又只好在一边等待。因为不得不等待,我才环视了一番这间小小的屋子。靠里边有一张单人床,一个小伙子正坐在床上不紧不慢地做一件事:往一根超过一米长的竹签子上穿山里红。那小伙子头发留得很长,并且蓄着小胡子,上身只穿着件圆领衫。令我感到新奇的是他那圆领衫上印着鼓楼的图像。位于这什刹海东北部的钟楼和鼓楼,是在前海和后海岸边散步时重要的"借景",犹如在昆明湖边散步时,可以把并不位于颐和园内的玉泉山当做周围风景的一个有机组成部分,构成一种"借景"似的。不过我们的颐和园在发展旅游业务上，也还没有细致到发售印有玉泉山图像的圆领衫这一步；这个小伙子身上所穿的印有鼓楼图像的圆领衫，是哪家工厂印制出来的呢？难道是附近的地安门百货商场特意订做并推销的一种货品吗？

显然，那小伙子也是个待业青年，他坐在那张床铺上，床头柜上放着一只大笸箩，里头不知是从哪儿搞来的已经有点发蔫的头年的山里红，他是在一边看电话一边穿糖葫芦。那是一种现在北京城里已经很难见到，甚至我以为已经绝迹的糖葫芦，它穿好竟有一米多长，上头的山里红由大变小，顶端颤颤悠悠，而且，它上头蘸的似乎不是小糖葫芦上的那种冰糖，而是麦芽糖熬化的糖稀。这种糖葫芦过去每逢春节在南城和平门外琉璃厂往东的厂甸里大量发售，但这二十年连那里也已经看不到了，只是在我们的某些为外国人印制的画报上，还经常印出欢乐的北京人举着这种糖葫芦的照片——是不断把二十几年前拍下的照片加以翻印——以取悦于形形色色的"外宾"。记得今年春节时我参加一次宴请某国出版商活动时，他那位戴着两个中国玉石耳环的夫人就拿着我们印有那种照片的画报，缠着我询问："什么地方能买到这有趣的食物？"当时我答不出来，而现在眼前却有个小伙子在穿这样的糖葫芦！我注意到，他已经穿好了两串，都插在了靠窗的一个木架子上，只不过还没有蘸过热糖稀。

那位胖姑娘居然还没有打完她的电话，我心里真是起急。有什么办法，只好再等一等。也许是我的烦躁已被那小伙子觉察，他抬眼望了我一下，我的目光跟他有一个短暂的交流。于是我近乎本能地问他一句"你这糖葫芦是打算拿去卖的吗？"

他头也不抬地回答说："做出来再说。没准我们哥儿们先自己'开'了它。""开"就是吃掉的意思。近十年来北京青年——特别是胡同里的市民子弟，所谓的"胡同串子"——有一套他们自己的语汇，比如"震了"、"盖了"、"没治"都意味着"真好"，"没得说"表示拥护和够朋友，等等。亏得我当过十多年中学教师，所以完全听得懂他们的意思。

我一边跟他漫不经心地说着话，一边焦急地注视着打电话的胖姑娘，同时心里飘过了这样的思绪：多么古怪！我要去一个死去的青年家里表示慰悼，却不得不面对着扎眼的玫瑰红和印着鼓楼图像的圆领衫，世界上的风、马、牛是经常汇拢在一起，搅成一团的啊……

"你这有鼓楼花样的圆领衫，是在商场里买的吗？"我问完关于山里红、糖稀的事，又随口这么发问。

"恰恰相反，"他也随口回答我说，"我们正想往商场里卖这号圆领衫……"

"恰恰相反"！这不是郑海波的口吻吗？我不禁一震。难道……我仔细端详着眼前的小伙子，嗯，除了性别和年龄，他实在没有多少和郑海波相同的地方，郑海波的额头不像他这么窄，而鼻梁又不像他这么高……可是，"恰恰相反"这不可能已经成为了北京青年们的通行语汇啊！怎么他也有着这样的口吻？

正当我疑惑万分的时候，胖姑娘终于打完了她的电话，她朝小伙子一扬下巴："嘿，你给我垫四分'钢蹦儿'吧！"便穿过假珠子串成的门帘，一路响着高跟鞋敲击地面的声音，飘然而去。小伙子头也不抬，冲着她的背影来了一嗓子："没得说！"手里继续着他那穿糖葫芦的工作。

我赶紧迈步上去打电话。

一下子就拨通了，我们社的总编室里值班的小田在问我："你哪儿？"

我告诉了她，她显然有点吃惊，毕竟我很少在星期天往社里打电话。

我跟她说："小田呀，麻烦你了，你能不能打开档案柜查一下，有没有一份从鸦儿胡同寄到咱们社的计划书，寄出的人名字叫郑海波，什刹海的海，波浪的波，对，是自发来件，寄给我的……"

小田大概有点发慌，她或许以为我正在参加一个什么重要会议，需要紧急查阅一项什么重要资料，等她听明白我要查的不过是所谓群众自发来稿、来函当中的一份待业青年的"计划书"时，她的口气就松弛了下来，她告诉我说："……上星期刚处理了一批积存的东西，都是自留底稿不用退还的废稿，还有没有保留价值的来函来件……当然是送给废品回收公司，他们大概已经化了纸浆吧？……"

我有点生气地问："为什么你们处理得这么急？事前都不给我打个招呼？"

小田争辩地说："不是你们社领导规定的吗？废稿和没有保留价值的函件，每一年处理一次……你要查的是去年夏天寄来的东西，当然都一块儿处理掉了嘛！"

我仍然抑制不住气恼："可那东西肯定写着是寄给我的呀……"

小田的口气万般委屈："是您交代给我们，别把写着您名字的东西全都堆到您办公桌上去呀，那份什么计划书准是跟咱们社业务搭不上钩的东西嘛，谁知道您隔了这么久又偏要看呢？！"

她完全占理，我只能生自己的气，唉，我只不过是一个小小出版社的社长，可我就为自己立下了这么威严的规矩，什么自发性来函来件别都往我办公桌上送呀，什么来电话先要问清是否重要的、亲密的人物方能给我接过来呀等等，其结果是我至少害死了一个名叫郑海波的活生生的青年！

我用发凉的手挂上了听筒，愣在电话机前没有动弹。我内心里充塞着铭心刻骨的内疚和悔恨。郑海波他等待了整整一年，然而他什么也没有等到！也许他压根儿就没盼望能从杭季熟那种干部把持的部门得到支持，可他一定曾寄希望于我这个毕竟对他有着一定了解的昔日的老师，他本以为我地位变化之后能够竭尽全力地给予他帮助，可是我却用官僚主义的冰水把他淹死了！刚才我在杭季熟面前还自以为灵魂比他高尚呢，可就脱离群众，特别是脱离青年这一点来说，就官僚主义这一条来说，我究竟又比他高出多少？！

我怎么去见郑海波的母亲？她难道需要我空泛的不起作用的慰悼？倘若她问我："你那里还有我儿子寄给你的计划书吗？请你交给我！"我怎么回答她？我能这么说吗："那份计划书我们送出去化成纸浆了，您手里该还有他留下的原稿吧？"倘若她听完这话，泪如泉涌地捶着床铺说："这孩子临去世的时候把他那份原稿烧掉了……"我该如何自处？难道我能用杭季熟那样的逻辑安慰自己并安慰他的亲友：郑海波不过是一只雨后的"蘑菇"，这样的"蘑菇"现在实在是太多了，因此少一个是一个，这样国家还少一份负担；而且他的那个什么想入非非的谁也不需要的计划书消失了也好，省去多少机关多少干部的多少麻烦！……

可我不能这么想。且不说我是一个共产党员，就是我把自己降低到一个最最普通的中国人的地位，我只要真爱自己这个民族，我就该为青年一代着想。我究竟都为他们——民族未来——贡献了什么？我究竟对不对得起他们？

我脑子里倏地飘过了北戴河海滩上的那一幕；一群青年围着作家褚亦峰。有趣的是一张报纸上印着褚亦峰的照片，旁边的说明写道："青年作家褚亦峰……"其实他仅仅比我小五岁！那些在海滩围住他的青年人，看去也都二、三十岁了，连褚亦峰这么老的"青年"稍微拔了一点尖儿，尚且有人一旁气不忿儿，甚而咒他为"沉渣的泛起"，那些围随他的二三十岁的青年人，又有多少充分发挥他们聪明才智的机会呢？我脑子里又流过了舞台与银幕上的场面：一个生活中已经抱了孙子的喘吁吁的"四凤"，还在《雷雨》中摆出窈窕少女的身姿而不愿让台；另一个早已有人叫他外公的男演员，则宁愿用二十几根小绳子把脸上的皱纹拉到脑后绷平，挣扎着在蒙纱的摄影镜头前装出小伙子的憨态……为什么不能给真正的青年人以出头的机会？这还说的是那些已经有了工作的青年人，像郑海波那样的待业的青年，在某些中年和老年人心目当中就更排不上号了。当然，国家有困难，暂时确实提供不了那样多的就业机会，但起码要尊重他们，关心他们，对他们的种种要求、愿望、设想、计划，绝不能漠不关心、麻木不仁！"某些中年和老年人"，我干吗要把自己除外？我有什么资格把自己除外？我就是其中的一个！陈蟊在信中"恳盼"我能想起郑海波来并感到内疚，他是太客气太宽容了，我是应当用不着人家"恳盼"便自己醒悟的！

另一位打电话的同志进了屋，这才把我从愣神中惊回到现实里。我匆匆放下四分硬币——也就是那位玫瑰红姑娘所说的"钢蹦儿"，走了出去。

6

再往前走，就该到银锭桥。我闻到了一股特殊的气味，那是烤羊肉的香味。在银锭桥北岸东侧，有一家有名的清真饭馆，叫"烤肉季"。它以烤羊肉这一营业项目而闻名。西城宣武门内还有一家"烤肉宛"，与它齐名。这种烤肉并不是新疆的那种烤羊肉串，也不是把肉放到烤箱里烤。这家饭馆里有一只特制的烤盆，底下燃着炭火，上头是一只巨大的宛如倒扣着的陶盆，上面布满星星般的漏孔。烤肉的方法，是用特制的近半米长的大筷子，把切好的嫩羊肉片蘸满事先调好的作料，连同切好的葱段，挟到那上头去，不断翻动，于是在一阵"滋滋滋"的响声中，羊肉中的脂肪便流淌开来，而瘦肉便被烤熟了，并吸进了作料的美味。这种烤羊肉究竟好不好吃，品家们自然会有不同的评价，但吃它同用火锅吃涮羊肉一样，似乎其味道是否可口倒在其次，主要是追求自烤自吃的那么一种乐趣。不过近十年来这"烤肉季"的烤肉装置设在二楼之上，而通向二楼的楼梯口赫然写着"请勿擅上,供应外宾"。普通中国人可以在楼下买已经烤好的现成盘肉,当然,还要视楼上的烤肉装置(据说有两套)是否得闲而定。

虽是盛夏,"烤肉季"门口依然停着大使馆的小轿车,二楼上传来一群阿拉伯人的哗笑声,可见他们并不怕烤盆的热气,一定吃得津津有味。我尽管肚子很饿,可闻见那飘来的烤肉气味,却并没有产生食欲,不知为什么,我反倒更觉悲痛与抑郁。我想到郑海波就居住在这"烤肉季"附近,他大约经常要从这家饭馆门前走过,并且经常要到隔壁的粮店买切面,可他很可能就从来没有吃过这种烤肉,而他等不到这家饭馆进一步发展,等不到楼梯口那块"请勿擅上,供应外宾"的牌子摘下,等不到这种烤肉不仅物美而且价廉的时候到来,便永远地消失了!

走过"烤肉季"门口不远,便是银锭桥。我已经是在桥的北岸,鸦儿胡同的东口便在北岸不远处,本不用上桥,但我还是忍不住走到了银锭桥上。这小小的平桥两边既不是石栏也不是铁栏,而是砖砌的墙栏,厚厚的,显得笨重而质朴。

我倚着西侧的墙栏,朝后海望去。后海就仿佛一只平躺的宝瓶,"瓶口"在这桥下,瓶身逐渐开阔,而终于又在远处收缩为"瓶底"。夹岸古柳垂着缕缕丈余长的绿丝,在微风中摇来摆去,湖面上漾着节奏谐和的微波,使人顿觉远离市嚣,别是一种境界。

最令人惊奇的,是站在银锭桥上朝西望去,在湖面终止的远处,在一抹灰绿色的市区轮廓线上,清晰地、优美地呈现着西山那青黛色的山影。那山影仿佛可以伸手触摸,并在你心里唤起一种特殊的感觉。

据说过去有所谓"燕京十六景"的说法,除了"太液清波"、"琼岛春荫"一类贵族味甚浓的景色外,也包括三四种平民味十足的景色,"银锭观山"即为其一。"燕京十六景"中的许多景色早在时代变迁中荡然无存,平民味的风景点更难得到尊重和保护,例如那本应能在德胜门外找到的"蓟门烟树",恐怕就很难寻觅到一点残踪剩迹了吧。

这银锭观山的景色却依然屹存。尽管那杂乱的自由市场几乎已快蔓延到这里,尽管那城市西部的建筑轮廓线有使由此西望的景色遭到破坏的可能,但至少目前这里仍是不折不扣的一处优美风景——银锭观山。

老方在世的时候,不止一次地说过我:"你这个人呀,就是太爱动感情!"他这话里既有赞赏更有批评。是的，或许我不必这么善感多思。1959 年春节我回老家看望母亲，仅仅住了二十多天，那些我所看到的人和事，本可一上火车便摞到脑后，然而我在卧铺席上却辗转反侧不已；回到家里，老方做了那么一桌子好吃的东西给我"接风"，我本可坦然地边吃边同他聊些别的，可我却吃不下去，任凭那些热菜在眼前变冷，我激动地把所见所闻以及归途上的所思所想，一股脑儿向他倾诉了出来。我宣布说："我得写成材料，把农村的真实情况向党中央反映！"后来我果真这么做了，一年后我不得不接受这样做的报应——单位里开完开除我党籍的会议，我没有回家，我在路上走呀走呀，开头是在大街上，后来是在胡同里，最后不知不觉就来到了这座桥上。记得那是冬末的黄昏，湖面上冻着冰，但接近桥头的部分还是淡蓝色的湖水，里面浮着一些枯枝碎纸；两岸的垂柳没有落尽它们的枯叶，风吹来，柳丝痛苦地扭动着，仿佛在竭力摆脱不可解的苦恼……我也是站在这个位置，也是这么朝西方望去，啊，银锭观山！西山的影像是那般清晰，那般莹洁，就仿佛整个是玉石雕成的工艺品，山上飞动着秋林般的晚霞，已经沉下去的夕阳，正把它最后的几束光柱奋力地投向上面，于是那秋林般的晚霞被穿透了，云片如风中枯叶般瑟索着、飘落着……

正当我那么呆呆地站在这个地方，痴痴地望着远处的西山时，老方来到了我的身旁。我不知道他是怎么找到我的。每当我处于挫折和危难中时，他总是奇迹般地突然出现在我的身边。他久久地同我并肩站着，一起"银锭观山"。他简直是什么也没有说，他同我站在一起，这就够了。

后来我被下放到中学教书。开始不许教政治和语文，只许教历史和地理。报到以后，回到家里我对他说："我觉得自己仿佛从楼上降到了楼外。"他这时候才对我说："你记得银锭观山吗？并不是只有站在楼上才能看得远，站在平地上，有时不但可以看得更远，而且还能有特殊的收获。你就'银锭观山'吧！"

我就"银锭观山"！在中学这块小小的"平地"上，我结识并且理解了许多最普通的人，特别是许多来自胡同杂院里的最普通的劳动群众的子女——当代青年。他们叫我懂得了许多以前至少是没有真懂的东西。

可惜老方不可能跟我一块站在这银锭桥上西望了，否则，我可以问他："我值得为郑海波的事这么动感情吗？我现在应当怎么做？"

他会怎么回答我呢？他也许还会说："你这个人呀，就是太爱动感情！"可语气里一定充满了鼓励与支持，然后，他将给我出些什么主意呢？……当然，他一定同我想的一样：首先要找到郑海波的那份"计划书"。

7

那会是怎样的一份"计划书"呢？

老实说，我得做好思想准备，那也许又是一个乍看见得吓上一跳的"计划书"。我领教过的。

记得是 1977 年年底，我给郑海波他们班布置了一项任务，要求他们在自愿结合的基础上，分组进行一项内容单纯的社会调查，然后每组写出一份调查报告，算是一次作文。我给他们举了一连串例子：到附近的纸盒厂调查生产情况；到街那面托儿所调查阿姨们的辛勤工作；到百货商店调查销售额的增长；到邮局调查报纸杂志的发行状况……我要求各组在出发调查以前，组长要来向我汇报一下他们的调查计划。

几乎所有小组的组长都来汇报过了，基本上都在我预计的范围之内，我给他们开了学校的介绍信，分别嘱咐了他们一些注意事项。唯独郑海波他们那五个男生结成的小组迟迟不来汇报。

正当我要去找郑海波的时候，他自己到办公室来了。他眼里闪着兴奋的光芒，显然对他们的计划非常得意。

我问："你们打算去哪调查呢？"

他坦然地微笑着，嘴唇嘻开，露出那两颗可爱的白生生的小虎牙，把一个小本子递给我。

那小本子是用烟盒纸订成的，大约有十页的样子，封面上画着花边，正当中用美术体隶书写着："对部分来京上访人员的调查计划"。

我不禁一惊。我对他说："这怎么行呢？你们怎么能去进行这种调查呢？"

他只是指指那烟盒纸订成的小本，催促我说："您看呀！"

刘 心 武 文 存 6

　　我翻过封面，露出一个目录，字体和格式都像印刷出来似的，目录上开列着：
一、调查的动机；二、调查的目的；三、调查的方法；四、调查中应注意的事项；五、
调查过程登记表；六、调查报告写作分工；七、调查后的打算。

　　一切他们都已经想好并设计好了！

　　我设法劝阻他们去进行这项社会调查。我告诉郑海波，他们年纪太轻，太缺
乏社会经验，而那些跑到北京来"上访"的人员情况特别复杂，中央也从不鼓励
外地的人来京"上访"，这里头牵扯到许多政策性很强的问题……而我所布置的
不过是一次作文练习，他们还有别的那么多课程，离毕业和高考的时间已经很近，
因此他们最好放弃这样一项不恰当的计划，而改为调查别的，例如调查中山公园
唐花坞的花卉陈列情况……

　　郑海波只是静静地微笑着，耐心地听我把劝阻的话讲完，然后朝办公室窗外
偏偏头，通知我说："我们一会儿就去陶然亭联合接待站。"

　　我朝窗外一望，他那小组的四个忠实的组员，齐扑扑地站在那里等着他出去
带队。

　　我真怕他们惹出什么事来。然而他们什么乱子也没惹，他们连着去了三天，
分头同三十个不同的"上访"者进行了交谈，为其中十七个人代写或帮助修改了
他们的"上访材料"，对其中二十四个人提供了不同程度的物质援助，并且把其
中一个他们认定确凿是诈骗犯的坏蛋扭送到了派出所。他们的调查报告贴在了教
室门外的走廊上，不仅在我们班，而且几乎在整个高年级中引起了轰动。那调查
报告不是由一页一页的稿纸构成的，而是写在整开的一张大纸上，并且附有他们
为每位调查对象画的速写头像，以及概括他们中大多数人不幸遭遇的统计图表。
我记得那图表上以"遭受'四人帮'残余势力压制"一格的标志线最高。

　　事后我给他们小组记了个满分。郑海波走来对我说："冉老师，恰恰是因为我
们年轻，缺乏社会经验，所以才需要进行这种调查呀！"

　　我能说什么呢？

　　像郑海波这样的青年，你要他们完全按照我们中年、老年人划定的框框去做、
去想，那是不可能的。

　　你可以劝阻乃至制止他们去做某些事，但你无法劝阻乃至制止他们去想某些

事。我们已经想过并想好的道理，他们绝不满足于仅仅是听取和照办，他们往往还要再想一遍。

郑海波绝不会因为大学把他退回来了，他就不把自己当做大学生般地自尊。他也绝不会因为你不给他分配一个职业，他就认定自己不能对我们国家的各行各业行使主人翁的权利——他要思考、分析、褒贬、建议，乃至于提出他的"计划书"。

在褚亦峰那样的过了四十五岁的老"青年"还没完全站住脚跟的情况下，在三四十岁的等待多年并且已经作出了一定成绩的科研人员、演员、干部还不能获得研究员的职称、"四凤"那样的角色、发号施令的权利的情况下，二十来岁的郑海波型的青年却并不以为他们应当缩进角落里安分守己地等待、等待、再等待。

他们往往是想好了便行动。

1977年最后一天的晚上，各班都要举行新年晚会。那时候郑海波他们班的班主任张老师已经病倒住院，我开始接任他们班的班主任。郑海波是班委中的生活委员，因此也就是新年晚会的计划者和组织者。在头一天中午，他忽然跑来跟我说："冉老师，咱们班的新年晚会换个教室举行吧！"

那个时候我对他的性格已经相当熟悉，因此这样一个建议并不令我吃惊。我问他："换到哪儿去呢？换到阶梯教室去，对吗？"

他很满意我立刻猜中了他的心思。

"您跟校长去把阶梯教室借到手吧，别的，您就不用管了。"

他们已经是高二的学生，新年晚会这类事我何必细管。我去跟校长说我们班要借阶梯教室，校长问："为什么要搬到那儿搞活动？你们班请了很多外面人来吗？"

我说："是的。"

校长也就答应了。可是我到底不清楚郑海波他们都请了谁来。可能请了一些同学的家长。也可能是请到《枫叶红了的时候》那出戏的演员，班上一位女同学的舅舅恰好是那出戏的主角，我记得她曾说过："我要把舅舅他们拉来跟咱们联欢！"那当然是很有趣的事。

新年晚会开始了。阶梯教室被布置得花团锦簇，班上那位女同学不是吹牛，她的舅舅和两位女演员确实莅临了我们这小小的班级。但是大家正欢笑着，门一开，郑海波领进来几个带小孩的男男女女，他们是谁？他们穿得破破烂烂，而且显得很脏，小孩流着清鼻涕，没有戴手套的双手像胡萝卜一样，长满了冻疮。这完全不是过新年的模样。这不可能是哪位同学的家长和弟妹。

"同学们！"郑海波站在他们面前，向大家宣布说，"我们请来了几位外地的同志，还有小朋友，跟我们一起联欢！"

班上的同学们立即噼噼啪啪地鼓起了掌来。他们无比信赖郑海波。他请来的人必定是应当热烈欢迎的。我现在应当愧疚，因为我当时不仅仅没有鼓掌，而且还有点气恼：他请来的是些什么人？！

很快便搞清楚了：那是郑海波从"上访"人员中挑选来的客人，后来他告诉我挑选的标准是两条：一、确实有冤情的；二、拖儿带女的。

当同学们以少男少女的纯真态度，把点心、糖果和玩具往那些"上访"人员及他们幼小的儿女手里塞去时，一位跟我年龄相仿的女同志失声地哭了。后来我知道她是一个小县城里的中学教员，她的遭遇确实令人无比愤懑和深深同情。当新年晚会结束，一些同学纷纷邀请她带着那仅仅三岁的女儿到他们家里过夜时，她一面谢绝着，一面把那张有着曲曲弯弯泪痕的削瘦的脸正对着我，问我说："您是怎么教出这么好的学生来的？"

我的灵魂惭愧得发抖。

第三天照常上课的时候，校长来追问我这件事，他说传达室反映，我们班的新年晚会似乎带进来一些可疑的人物。

我把情况向他讲了一遍，告诉他说："没有什么好怀疑的。都是好人，值得同情的人，需要温暖的人。"

校长不想再进行追查，他只是说："可是你应当告诉郑海波他们，这样的人还有很多很多，我们是不可能统统给予他们帮助的。还得依靠组织，依靠国家。学生还是应当把心思搁在好好学习上，为人民把学习搞好了，客观上也就是帮助了他们。"

校长的"客观说"也许的确是对的，然而此刻想起那个新年晚会的情景，我仍激动得不能自制。要知道当时向弱者无私地提供温暖与慰藉的那些青年人，他们自己实际上也是弱者———场要么上大学要么在家待业的生死搏斗在前面等着他们。像郑海波那样的后来没能上成大学的中学毕业生,杭季熟说他们是"蘑菇",

可是"蘑菇"们的那种正义感、同情心和牺牲精神,我以为要比杭季熟辈的无原则、嫉妒心和自私性不知高出多少倍!

……离开了银锭桥,我不知不觉地沿着后海北沿的湖边朝前走去。我心底里翻涌出一幕又一幕的回忆。我简直不敢面对这样一个现实:郑海波他已经死了!

……为什么有的人总也死不了,而有的人轻轻易易地就死去了呢?

8

"佳卉同志!"

我身后传来我最不愿意听到的声音。

一扭头,是杭季熟急匆匆地朝我走来。

他走拢我身前,一手轻轻提起雪白的"特利宁"衬衣中缝,一手打开折扇大幅度地扇着,忍住气喘,满脸诚恳而热情的表情,不容我打断地说:"误会!纯粹是误会! 佳卉同志,刚才你误会了我的意思。其实我是很理解你的心情的(这个字放在句尾他一律发 di 的音)。关于那个小郑死亡的消息,我听到心情也是很沉痛的。现在的青年人当中有一种轻生的思想倾向,我们老同志是必须重视的。前不久看到过一个关于青年人自杀的材料,我们北京市数目不少哩! ……"

我仿佛被马蜂蜇了一下,不能不厉声打断他的话:"什么? 自杀? 你的意思是郑海波他不是病死的,是自杀的! "

尽管我的大脑皮层已经为郑海波之死发出了大量的信息,有回忆,有猜测,有推理,有悬想;然而,直到听到杭季熟这些怪话以前,我连半秒钟的这种闪念——郑海波是自杀而死的——也没有过。这根本不可能,不符合他的性格,也不符合前后的事理。

"当然,还需要进一步了解。"杭季熟若无其事地说,"就是自杀,青年人嘛,也可以谅解。我们老同志工作做得不够嘛! 你看这什刹海,水很深呀! 他家离这里又很近,一时想不开,心理障碍排除不了,跑到这里来往下一跳……都是可能的。你去他家了解清楚也好,解剖一只麻雀嘛,把问题反映上去,看他们上头有没有一个统一的好办法……"

他说得多么轻松,"跑到这里来往下一跳",那可是活鲜鲜的一条年轻的生命啊!"看他们上头……"现在的"上头"对他来说是"他们",那么,他的"我们"是谁?

我没有再听他往下说的忍耐性,我干脆地对他说:"郑海波根本不可能自杀。像他这样的年青人是大多数,他们可能不满、苦闷、愤慨、过激……可是他们向往、追求、试验、奋斗,除非得了不可治愈的疾病,他们会很顽强很执著地生活下去!你不要再来妨碍我了,我不要听你的议论,你要去哪儿就去哪儿吧,我们赶快分手!"

杭季熟不但没有转身走开,反而潇洒地倚在铁栏上。他微笑着,那是一种显示出成熟者面对着不成熟者的微笑。他语调变得格外和蔼温柔地对我说:"佳卉同志,我们都不是小孩子了。不能感情用事。不看到你平静下来,我不能离开你。我有义务关心你的健康和情绪。"

他有义务!谁赋予了他这种义务?难道我需要他来尽这种义务?

"你走吧,"我毫不掩饰对他的鄙夷与厌烦,向他宣布说,"你不走,我走。"说完便转开身,径自朝前走去。

他竟在我身后发出一种貌似爽朗的笑声。这个小人,到了这种地步,他还要把自己装扮成一个正确者、胜利者。我听见他把折扇使劲地一合,并且往另一只手上拍了一下,用一种不但海涵而且十分亲昵的口吻对着我的背影说:"我就住在后海南沿 ××× 胡同 ×× 号,你走累了到我那里坐坐,清茶总是有得你喝的。"

我感到恶心。

我没有回头,一径朝前走。他的声音消失了,估计他确实转身过桥,回家去了。但我痛苦地意识到,他将还要来纠缠我,这当然并不是因为他对我这个人本身真有什么感情,想尽什么义务,而是因为那些附着在我身上的种种因素,举个例说——我同领导他们那个局的某个副部长的相互信任的关系——对他就很有吸引力。生活就是这样,哪怕你仅仅是一根草,蜘蛛也可能把网结到你这里来的。不过这也没有什么了不起,他再来纠缠就想办法再给他碰点钉子。问题是现在必须彻底地排除他。他滚开了,好,我又可以沉浸在原有的思路中了,我刚才正想到些什么、正为什么而激动不已?

……对了，我回忆起了那一年的新年晚会。有着那样一颗火热的心的人，他怎么会仅仅因为一份"计划书"屡寄不应，便投湖自尽呢？一定是他那风湿性心脏病恶化了，而又救治不及，所以才发生了目前的悲剧。不过即便是这样，他临终时也一定死不瞑目……我毕竟还是来晚了，我不能原谅自己……

……我就那么边想边往前走。忽然，我发现前面有两个青年人，靠着铁栏杆，面对面坐在自带的小凳上，他们当中是一张炕桌，上头摆着些花花绿绿的东西。他们似乎早就注意到我了，特别是脸朝着我的那个姑娘。她长得很漂亮，甚至可以说是个美人，她的头发看得出并不是烫成那样的，而是天然起鬈儿，她的额头很宽很白，饱满的双颊却犹如月季花瓣那么娇艳，她的眉毛和眼睛表情都很丰富。我望着她时，她也恰好望着我，她眉毛耸动着，似乎是表示惊异或好奇，然后她把眼光投向坐在她对面的小伙子。那小伙子肩膀很厚实，本来背对着我，经她眼光一传递消息，便也扭过头来看我，那小伙子脸上的线条颇粗犷，除了嘴显得过大，整个形象应当说还是英俊的，他们的年龄，估计和郑海波相上下。

唉，倘若郑海波还活着，此刻正坐在他们旁边，那该多好呀！

我本想从他们身边绕过去，可是，当我走过那小伙子身边时，我忽然发现，他所穿的那件圆领衫上也印着鼓楼的图像，和看公用电话那个小伙子穿的一样。这个小小的发现使我不禁刹住了脚步。这么一停步，就免不了更仔细地观察他们，我这才看清楚他们正在干什么——那小炕桌上摆着些铅丝、木片、糨糊瓶、染好颜色的纱布、金银纸剪出的图案、小蜡烛……原来他们是在制作一种莲花形的小灯笼，已经有两个做好的，摆在了一边。

我既然停住了脚步，那姑娘也便仰起头来，看着我，微笑着，于是问她："你们是做来玩的吗？"

她笑了，站起来，这一站，我才发现她原来是个瘸子——她拾起躺放在地上的木拐，夹到腋下，挨拢铁栏边，朝湖里指着，对我说："是这么玩的……这叫湖灯，晚上点着了蜡烛，水里映着倒影儿，才叫好看哩！"

我靠拢铁栏杆，朝湖水里望去，果然已经有三个湖灯漂在岸边，我能设想出来，倘若夜里燃上蜡烛，该是多么美丽。我不禁夸赞说："做得真巧！以前读清朝人写的笔记，大概是《燕京岁时记》吧，里头好像写到过这玩意儿，我以为早就失传了，原来你们还在做！"

那小伙子见我们俩这么说话，挺着急的样子，可只是张嘴，却发不出声音来，于是姑娘便飞快地给他打上了手势，原来那小伙子是个聋哑人。我见他俩都是残废青年，想到他俩很可能分配不到正式工作，心里头不禁一酸，可是看到他俩劳作的成果如此优美，而相互间又这么友爱坦诚，心里头又不禁一喜。

"您是路过这儿的吗？"那姑娘问我。

"我是要到鸦儿胡同去找一家人。"我告诉她。

"您走过梭了。"姑娘指点我说，"您得退回去一段，进烟袋斜街，稍微往北一点，那才是鸦儿胡同。"

"我其实知道，"我对她解释说，"因为想心事，下了银锭桥，不知不觉就走到这儿来了。

那小伙子望望我，似乎是很激动地用手语问着那姑娘什么，姑娘只对他微笑着摆手，仿佛是怕我能看懂他那手语。这又何必呢？

我朝他们点点头，便转身往鸦儿胡同而去。当我快走拢烟袋斜街的时候，我看见那个看公用电话的小伙子，骑辆自行车，从东边飞快地闪进了烟袋斜街里面。他那自行车车把上，插着三串高高的、颤悠悠的糖葫芦，他是给谁送去呢？

9

走进鸦儿胡同以后，我看看手表，十二点五十，这是个很不妙的时间，郑海波的妈妈这时候可能正在吃午饭，她一定会奇怪，我为什么偏要在这个时间去看望她？可是我顾不得这个了，我想，只要我好好地向她解释，把从昨天晚上到今天上午我心里想到的一切统统讲给她听，她是会理解我的，她一定会允许我同她分担作母亲的哀痛……

我找了好一阵才找到我要去的号数。刚迈进那古旧的院门，劈面便遇上了看电话的那个小伙子，我怀疑他是故意在那里等着我，因此本能地产生了一种不快。他见了我便招呼说："您来啦？"

我朝他点点头，问他："你不是在那边看公用电话吗？"

他坦然地说："是呀。那间小屋归我。可我们家住这个院里。我三顿饭都回来吃。"

这么一解释，当然我也就明白了。我问他："郑海波他们家在这院里吧？"

他拿眼睛上下审视着我，问我："您是他们家什么人？"

我告诉他："我教过郑海波，当过他的班主任。"

他瞪着我，毫不留情地问："你怎么人都死了才来？"

我只好低声下气地向他解释："我昨晚上刚知道……我心里头确实很难过……"

"他去年给你寄了个计划，等你给回音，足足等了一年，你都不理！"我注意到他不再用"您"而用"你"字来称呼我，我低下头，默默地忍受着。

"他妈本来也有病，这下更重了。你们害的不是一个人，是人家一家！"小伙子继续训斥着我。

我只恳求他："把我带到他家去吧，我要向他妈妈道歉，我要尽一切努力帮助她……"

"好，那跟我走吧。"小伙子转过身去，在前头引路，我默默地在他身后跟随着。

原来那是一个非常大的杂院。不知道当年是一个庙宇还是一个贝勒府之类的地方。什刹海之所以叫什刹海，就是因为当年湖边有许许多多的庙宇，有的是独立的庙宇。有的是圈在王府、贝勒府当中的庙宇。这个杂院当中少数一些房舍还依稀保持着当年的面貌。回廊已经砌上墙，也成为住室了。月洞门残破不全，垂花门油漆剥落，穿过一进又一进，绕过这家添盖的小房子，小心不要碰翻那家的花盆，老人在咳嗽，小孩在嬉戏，某一家在烧糖醋带鱼，另一家的录音机正播放着苏小明的《军港之夜》，这里的葡萄架上已经缀上了串串葡萄，那里的大丽花还没有绽开花盘，往上登几步梯子，往下过一个斜坡，怎么又是一个套院……我跟在那小伙子后面，高一脚低一脚地朝杂院深处走去，心中感慨万千，虽然郑海波死去了，但院里其他的人们却照旧在过着琐细的日常生活，也许人们也曾为他悲伤、叹息，然而除了最亲近的人，大概人们也在逐渐把他忘却，毕竟他只不过是一个二十来岁的待业青年，"雨后的蘑菇"……

终于，领路的小伙子把脚步放慢了，我跟着他走进了一个小小的偏院。那偏院只有两间西屋一间南屋，北屋的位置是隔壁院子南屋的后墙。偏院中有一株高而秀挺的椿树。我们走进那偏院时院里空无一人，然而一眼望过去，那西屋门上贴着一行字，猛地迸进我眼里，把我吓了一大跳——

我们要你的脑袋！

这是怎么回事？我疑惑地看着领路的小伙子，他不动声色，只是指指西屋的门，对我说："请进！"

我得承认，在那几秒钟里，我心里涌上来一种惊诧、恐怖、委屈、抗议相交织的复杂情绪，我万万没有想到会陷于这样一种处境！

不过既然事已至此，我只能镇静。我迈步上前，拉开了西屋的门，一进去，我才恍然大悟。

那外间屋，分明是一间理发室。墙上挂着大镜子，镜子前是土法制作的铁木结合的理发椅，当然还有其他种种理发的用具。

我一进屋，就有一个胖姑娘迎了上来，身上穿着玫瑰色的连衣裙，脚上是银色的高跟凉鞋，原来她就是我在公用电话那儿遇见过的姑娘。她不等我吱声，就一本正经地问我："您染发吗？"

所谓"我们要你的脑袋"，其实不过是"我们要给你理发"的一种幽默化的说法。这些青年人，亏他们想得出来！

我对她摇头，同时问那个小伙子："你怎么把我带到这儿来了？我要到郑海波家去啊！"

小伙子隔窗指指南屋说："他们家就住那儿。你瞧，他那爸爸有多缺德，把他妈甩了，他妈带着他就在这么间小屋里住了三年，多进去两个人就转不开身了……"我默默地顺他所指，凝望着那小小的南屋，那南屋的门虽然没有锁着，但一侧小小的厨房里没有什么声息，窗里似乎合拢着窗帘，想是郑海波妈妈已经吃完午饭，躺到床上休息了……我在心里对自己说：明白了——为什么当年郑海波不愿意把这个地址告诉我，不愿意我来进行家访，谁也有个自尊心啊！

我站在那西屋里，犹豫着。我是否应当干脆让玫瑰红姑娘给我染完头发，等郑海波的妈妈休息够了，再去访问她呢！

"你去吧，"小伙子像是看出了我的心思，用近于命令的口气说，"没关系。

郑海波他妈睡不着觉。您一进去,她就会坐起来。"我注意到他最后恢复了用"您"来称呼我。

于是我便出了西屋,奔南屋而去。

10

南屋的门不但没锁,而且也没有关严,我用手指弯轻轻地敲着门上的玻璃,敲了好多下,里头才传出郑海波妈妈心力交瘁的声音:"谁——呀?……进来吧。"

听见这声音,我心里一阵酸楚。除了那回为郑海波罢物理课的事,同她通过一次电话以外,我还始终没有见过她。固然学校里后来也开过几次家长会,但像郑海波那样的学生,无论是教师还是家长,都不对双方的会晤抱浓厚兴趣——他实际上已经完全以成年人自居,你要想解决他的问题,必须直接同他本人面谈,所以他妈妈不来出席家长会,我也并不为怪。我想到这个大体上与我同龄的印刷厂女工,饮下个人生活上的苦酒不足四年,又强吞下了丧失爱子的悲痛,她肯定是五内俱伤,我该怎样把全灵魂中的温情与力量凝聚在一起,奉献给她?……

我拉开门,迈进了屋,那是一间狭长的屋子,因为几扇窗子都拉上了墨绿的窗帘,屋子里光线非常幽暗,我模模糊糊地看出来,在大立柜的这一面,有一张单人铺,空着;在那一面,紧里边,也有一张单人铺,郑海波的妈妈肯定是躺在那里,她似乎把枕头垫得高高的,身上盖着一床毛巾被……她是不是病了?我下意识地深呼吸了一下,想闻闻屋里有没有药味。

她难道没看见我吗?没感觉到我已经快走拢她的床边了吗?我轻声地招呼着她:"郑妈妈,我是冉老师,我教过郑海波,我来看您来了……"她竟不回答我,这是为什么?难道她在极度悲痛中已陷于抑郁和麻木?

当我走拢她床前的一瞬,突然我觉得身后有谁的脚步声,紧跟着,不知是谁"刷"地一下子拉开了所有的窗帘,院里的日光立刻扑进了屋内,我觉得自己仿佛猛地堕入了梦境之中,脚跟仿佛钉在了地上,再不能动弹一寸,而双眼不禁猛地一阵痉挛性地眨动——我看见躺在床上的那人随着窗帘拉开,阳光扑进,一下子坐了起来，面孔清清楚楚地正对我，并且字字用力地发话说："非得这样，您才来吗？！"

那坐起来的并不是郑海波的妈妈，并且根本不是一个女人，而确确凿凿是郑海波本人！

我发出了一声呼叫。事后他们常常模仿我那一声呼叫，但没有谁再能准确地将那一声呼叫还原——包括我自己，因为那短暂的一声呼叫里包含着无限丰富的感情：惊恐、愤慨、醒悟、庆幸、埋怨、疑惑、询问、惭愧、谅解、狂喜……

然后，据他们事后报道，我竟扑上去，用两只拳头捶着郑海波的肩膀，一边笑着骂他，一边任热泪喷涌而出……而我自己反记不清楚了，我能记清楚的，则是大家已经挤满了一屋的情形——对，大家，就是说不仅有已经和我并排坐在一起的郑海波，还有那看公用电话的小伙子、穿玫瑰红连衣裙的胖姑娘、那架拐的漂亮姑娘和那强壮的聋哑青年，以及另外几个我头一回见到的待业青年……特别值得一提的，是一位亭亭玉立的姑娘，我在街道医院的药房里见过她，此刻她已经洗去了脸上所涂的药膏，其实她那些淡淡的雀斑对她的容貌有什么妨碍？从某种意义上来说，那些雀斑就好比是从花心里飞散到花瓣上的花粉，衬托得花瓣更富生气——她是他们当中唯一的非待业青年，她半年前分到了那个工作，但她仍与他们为伍，她的真名字是俞婉珍，不过她化名"陈蠹"给我写的信真看不出是少女的笔迹——那个子虚乌有的"陈蠹"能把我召来，当然也决定了她上午在药房里的那场表演，并且刚才她在屋里模拟郑海波妈妈的声音，以及神不知鬼不觉地恰得其时地拉开了窗帘，也都显示出过人的才华，怪不得大家都说应该把她推荐给电影导演，去主演一部比如说是反映待业青年生活的片子……当然，这都是后话了。

这一幕发生以后，郑海波带头向我道歉："冉老师，您别生气，我们让您受惊了……"老实说，我不可能一点不生气，郑海波这回的"死亡行动"未免搞得太过分了！他把我的感情激荡得那么厉害，我的心灵付出了多么厚重的代价……可是，这件事过去得越久，我便越转而感激郑海波和他的伙伴，他们给我上了多么生动、深刻的一课！他们是看得起我，估准了我一定会去，才下决心那么干的……

稍微冷静一点以后，我就问郑海波："你那个计划书呢？给我看看吧！我大老远地跑来，担惊受怕，不就为的是看到它吗？"

郑海波笑吟吟地站起来，露出两颗我非常熟悉的小虎牙，在同伴们一阵活泼的喧闹声中对我说："走，您到西屋看去吧！"

我跟着他们重到西屋。原来那西屋外间是理发室，里间是——算什么呢？展览室？活动室？琳琅满目，全是新鲜东西。

这群小青年！他们的预谋全盘兑现——包括他们准确地估计出我会急得顾不上吃饭或吃不好饭——在屋当中，他们早已拼好了两张方桌，上头摆满了他们事先准备好的东西，他们是要同我聚餐。

我被他们推搡着坐到了正当中，我笑着说："这算干什么？有这么看计划书的吗？"

郑海波得意地对我说："这是活的计划书，立体的、直观的、有色香味的计划书！"

俞婉珍把一碗黄中带红、红中带黄的东西往我眼前一放，笑着让我拈一点吃。我仔细一看，那不是海棠果吗？是蜜饯海棠吧？拈起一个放嘴里一品，咦，味道好奇特，有一股浓洌的酒气，我不禁问："这是怎么做的？怎么这么个味道？"

他们闹嚷嚷地让我表态："好吃吗？""香吗？""不觉着怪吗？"

我坦率地说："也许有的人喜欢，我可不习惯！"

他们都笑了。他们乐意听我说实话。

郑海波告诉我说："这叫醉海棠。您以前光知道有醉枣吧？这醉海棠的做法是胡同里的娄大爷教给我们的，它跟做醉枣不一样的地方，是还要加糖、兑茶……"

我不禁耸耸肩膀："这醉海棠也算你那计划书里的一项吗？你是想开个食品厂呀？"

郑海波这才向我讲解说："不是那么个简单的想法。我们是想把这什刹海，逐步开辟成一个富有特色的风景区，不仅要恢复历史上有过的那些好东西，还要加添上我们新创造出来的好东西……我们要在这什刹海周围，加栽一批果树，特别是要栽海棠树，您知道有名的西府海棠吧？西府不就是当年的摄政王住的宅子吗？就在我们鸦儿胡同西边那块，那里头现在还有好些棵特大特棒的海棠树……"

"这一带的院子里除了枣树，就数海棠树多，结出的海棠盖了帽儿了！"看电话的小伙子一边吃着醉海棠一边抢着说。"盖了帽儿了"就是"特别特别好"的意思，有时候他们说成"官盖了"，也是这个意思。

穿玫瑰红连衣裙的胖姑娘接上去说："除了海棠，咱们这儿还应当多种柿子树，还有香椿，香椿虽说不结果子，可春天用香椿芽儿摊鸡蛋别提有多香了……"

那腿有毛病的漂亮姑娘又插上去说："还有榆树呢？榆钱儿采下来和在面里一炸，老榆树皮的嫩里子刮下来磨成面儿，和上新棒子面捏成小窝窝头一蒸，唉，那新鲜劲儿不都赛过鸡鸭鱼肉吗？"

我笑着说："嚄，你们是想把'仿膳'给顶了呀！"

郑海波用我非常熟悉的口吻继续解说："恰恰相反，凡是'仿膳'拿手的，我们都要避开。'仿膳'那是'清宫风味'，贵族化的东西，当然现在劳动人民过上了好日子，也可以去领略一下，外国人感兴趣，也是必然的。那种风味跟北海公园的风景也是和谐的，雕梁画栋配山珍海味嘛！可我们这什刹海呀，要开辟成一个风格完全不同的风景区，除了前海的'大观园'那类的地方以外，整个海边上应当形成一种平民化的气氛，不要在这里盖高层建筑，不要把钟鼓楼挡住，不要盖那种大红大绿的仿琉璃瓦顶的翘角的亭子，不要种牡丹芍药玉兰，就靠朴朴素素的垂柳湖波动人的心，添栽树木就栽海棠、丁香、珍珠梅、柿子树、香椿树、榆树这一类比较大众化的品种，依我们的意思要搞花坛就栽土茉莉、指甲花、蝴蝶花……或者干脆弄点瓜棚豆架，配一点平顶的宽敞的凉棚，保持原木的色调，里头就卖大碗茶，再附带卖一点醉枣、醉海棠、大串子糖葫芦……"

说到这儿，那看电话的小伙子笑着向屋角一指，我望过去，他穿好的三串大糖葫芦正插在那里，原来那是为实施他们这宏伟计划所进行的小小实验之一……

"……而且，我们建议把那杂乱的农贸自由市场从这海边迁走，这里将来要开辟一个游乐场，完全是平民风味的，要恢复拉洋片儿，当然，内容得全部革新，比如说，洋片儿上要画鲁迅小说里的故事……还要表演中国武术，表演摔跤和中幡——就是用手指头和脑袋舞弄两三丈长的大竹竿，这是我们什刹海地区长辈们的特技之一，我们要继承……要有新型的大鼓书、快书、评书表演，还可以变传统魔术，不要那种穿'天鹅湖'里小洋裙子的打扮，得是地道的中国人打扮……还卖风筝、空竹、风车、泥人、面人……"

那聋哑青年一个劲地打手势，天然鬈发的漂亮姑娘代他补充说："还有挂起来的、提在手上的、夜里漂到水里点上蜡烛的各种灯笼……"

这几种灯笼的样品都已经挂在、搁在了屋里，我不及细细鉴赏，且听郑海波继续讲下去："不是我们不喜欢洋式的娱乐，现在好多公园安装了登月火箭、宇宙飞船一类的大型电动游乐机，还有各种各样的电子游戏机，我们也挺爱玩；再比如魔方，我们都想有一个，现在还很不好买……可我们觉得那些东西虽好，各个风景点却不必搞得千篇一律，我们什刹海这儿，就要搞出民族的特点，并且不是宫庭、贵族风味，而是北京普通市民的大众化风味……当然，我们也不是复古，我们还要增添新的东西，比如说，我们就打算买进大量素白的圆领衫，加工印制上鼓楼、钟楼、银锭观山……的图像，在这个风景点里出售。我们相信，这个计划如果实现了，北京的市民肯定会高兴，外地来北京的同志肯定会欣赏，外国旅游者也肯定会欢迎……如果能得到支持，真的实施起来，什刹海地区现在的待业青年，还有今后几年不上大学的中学毕业生，都不用国家分配工作，都能在这个风景区的事业中自己养活自己……"

我忍不住兴奋地接上去说："还能富裕起来，并且能为国家增添一大笔财富！"

聪敏的俞婉珍又补充说："还保护了北京西北城的生态，将来天鹅、大雁会愿意来这儿休息，各种鸟儿会愿意到这里来搭窝，这里的空气会特别特别新鲜，像一个特大号的氧气瓶，往全城输送新鲜氧气……而且起码这一带居民的精神生活先会变得丰富多彩、高尚愉快……"

穿玫瑰红连衣裙的胖姑娘打趣她说："你还能到这儿来拍你主演的电影片子，咱们这儿的风景还能陪着你这个大明星满世界出名！"

俞婉珍伸出小拳头使劲砸了她肩膀一下，可胖姑娘一点也不觉得疼，她咯咯咯畅快地乐着。

在谈话的过程中，他们不断递我这样、递我那样，我不知不觉地已经吃了不少他们自制的小食品，基本上已经饱了，郑海波却宣布说："咱们正式开吃吧！"

我拍着胸部说："怎么，这还不算正式呀？我连食管都快塞满啦！"

他们全笑了。不管我还吃不吃得下，他们开始张罗起来——我大吃了一惊：他们从外面搬进了一套自制的烤肉装置，炭火业已点燃，一盘盘的羊肉相继传递到了桌上，并且端来了搁葱段和作料的盘碗……以及一大笸箩芝麻烧饼。

郑海波把一双半米长的筷子递到我手里，笑眯眯地故意对我说："请勿擅上，供应外宾！"

我的食欲不知怎么的，一下子被他们提上来了。他们敞开了全部门窗，为的是不至于感到太热，我就在那西屋里，和这群可爱的小伙子大姑娘饱餐一顿烤羊肉。一边吃着，他们一边补充介绍着他们那闪烁着七彩光芒的计划：他们将来还要打破"烤肉季"的垄断，开起专供普通市民享用的"大众烤肉馆"；到了冬天，他们在后海冰面上不是开辟一般化的溜冰场，而是将出租他们特制的传统"冰床"，专供年轻的父母带着幼小的孩子在冰上嬉戏；他们还将在这里办起专门收集和出借北京地方史料、民俗资料，以北京为背景的文艺作品……的"观山图书馆"；甚而至于他们还要研究这一地区流传多年的偏方，比如说用五种原料配制成的消除雀斑的药膏，如果经过他们亲自试用确有效果，他们想提请有关部门给予鉴定，并给予他们制作和发售的权利……

啊，郑海波他们的计划，究竟是想入非非的胡闹，还是一座可望开发的富矿？

当然，他们的计划上下左右牵涉到一系列政策性的问题，他们不了解北京市市政建设和各行业发展的总计划这一前提，他们的计划里确有主观、天真、幼稚、外行……的成分，接受和帮助他们实施这一计划不是一个部门单独能够决定和负责的，谁给他们提供资金？谁来指导和监督他们？捅了漏子谁兜着？赔了钱谁补贴？……总之，这计划听起来确实非常美丽、非常动人，犹如在银锭桥上所望见的西山晚霞，然而要从桥上走拢那黛色的西山，需要一步又一步地走许久、许久……难怪他们碰了一个又一个的钉子。

当烤肉吃完、炭火撤走、大家喝着他们自制的酸梅汤的时候，牢骚就火山爆发般地喷涌出来了。他们一个个都很激动，抢着话茬告诉我人家是怎么跟他们板面孔、瞪眼睛、给他们吃闭门羹、朝他们甩挖苦的话语……或者仅仅给他们一些廉价的微笑和不着边际的回答，最可气的有一回某"衙门"的保卫科竟怀疑他们是小流氓，把他们拘在屋里"审"了半天！……

"还有我这样的，"我补充进去说，"尽管当年是海波的老师，给他的印象本来还是不错的，让他和你们觉着是能多少帮你们一点忙——至少可以帮你们把计划书转到关键的地方，却也居然整整一年不给海波一个回音……"

"可您今天不是来了吗？"郑海波在伙伴们发牢骚的时候基本上沉默着，这时突然扬起声音说："也还是有不少人关心我们、支持我们啊！没有街道和大院的支持，这两间西屋能成为我们的'根据地'吗？没有娄大爷他们十好几个退休老工人、街道老大妈的指点，咱们能试着做出这些醉海棠、大糖葫芦、湖灯吗？……当然，我们心里确实憋闷，我们不满足啊，我们希望咱们国家的事情，包括我们的这档子事情，能快点、再快点，有个眉目，有个发展！"

"眉目，现在应该说是有了，"我对他们说，"我要尽最大努力，为你们奔走呼号！"

尾声

我在他们那里度过了整整一个中午又一个下午。当我手里拿着郑海波执笔的那份厚厚的"计划书"，被他们簇拥着送到银锭桥头时，夕阳已经西垂。我提议说："分手以前，咱们一块儿'银锭观山'吧！"他们欢笑着同意了。于是我们一齐站到了桥上，倚着墙栏，朝西边望去。

湖波微漾，闪动着夕阳撒下的万斛金珠。清风拂面而来，夹岸的垂柳把长长的枝条飘向我们，仿佛在向我们传递着绵厚的情意。远方的山影这天显得格外凝重静穆，那耸起的几弯青黛仿佛积蓄着无穷无尽的力量，正同飘荡在上方的彩链般的晚霞相呼应，召唤着人们更充分地释放出心中对故土的爱，以及与这种爱相依相偎的想象力和创造力。

　　我心里奔腾着无限丰富的情思。我站在平地上，却望见了远山。我站在北京城最普通最不起眼的市民子弟———群待业青年中间，却看到了心爱的城市那无比美好的未来……

　　啊，银锭观山！

1982 年 2 月 20 日改毕于垂杨柳

嘉陵江流进血管

0

嘉陵江啊，你日夜地流……

你在我童年的记忆里流。

1

"你 kiss 我呀！呕，你啷个那么宝气^[1]呀？"

她比我大一岁。那一年——1949 年，她十一岁，我十岁。

正当炎夏，山城市区像刚揭开盖盖的蒸笼。我们住的近郊稍许好一点，但一跑出树荫儿，汗水也要顺着鼻尖朝下流。

那一天中午，她和我站在黄桷树下。我记得很清楚，她穿着一件奶黄的连衣裙，领口、袖口、裙裾都镶着很宽的白绉纱。她的两条长辫儿朝上卷起来，用玫瑰红的缎带扎住，活像有两只红蝴蝶衔住了两个黑环儿，停在了她头两边。她那长圆的脸儿泛着红光，一再固执地命令我说："kiss 呀！ kiss 我呀！"

"作啥子要 kiss 嘛！"我不肯。

"呕，我们就要 bye—bye 了呀！"她把脸凑拢我的嘴前，顿着脚，眼睛一眨一眨地期待着。

---

[1] 宝气：四川话，傻气。

我鼻孔里充满她身上发散出来的香气，我埋下脑壳，望着自己用力抠地的右脚，喃喃地说：“我不会嘛，不会 kiss 嘛！”

“唉，你个广广[1]！”她从裙兜里掏出个小玩意儿，塞到我手里，“你再看嘛！你嘟个学不会嘛！”

那是一个粉红色的小圆筒儿，外壳是塑料制品。在那个年月里，塑料被叫做“化学东西”，是一种高级得不得了的玩意。我闭拢左眼，把那圆筒儿凑拢右眼，于是透过镜片，我就看见了一幅放大的、鲜艳五彩的电影镜头：一对外国男女，正在热烈地亲嘴儿。我知道那就是 kiss，而且我很容易学会 kiss，可不知为什么，我硬是不好意思……

“砸！”她却不等我看完，已经 kiss 了我一下，待我把那小玩意归还她以后，她便摆出一副女皇的神气，斜睨着我，等我行动。我终于鼓起勇气，凑拢她的脸蛋，kiss 了她一下。她“嗤”地笑了，并且狠狠地杵了我胸脯一拳，转身便跑，一边喊着：“撵不上我啰！”我拔脚便追了上去……

那时候，在北京，中华人民共和国开国大典的筹备工作已经接近就绪，可是这溽热的山城还没有解放，在大坪那里，还在公开枪杀共产党人，而像我和宣莉莉这样的孩子，对身处的这种历史的转折，还全然无知……

我们在葱绿的山道上奔跑，跑过一丛丛芭茅草，跑过竹丛掩映的“吊脚楼”，跑过卖炒米糖开水和麻辣凉粉的摊儿，一直跑拢她家公馆那粉白的后墙……我终于撵上了她，抓住了她那连衣裙的后领口。她快活地躲闪着、摆脱着、尖叫着……

“呀！西洋镜滚落了！”她忽然顿着脚惊呼。我朝她指的方向望过去，果然，她那粉红的小圆筒儿从她的裙兜里掉出来以后，正像小动物般一蹦又一蹦地朝坡下的灌木丛中落去。

“咋个办？我茭茭哥哥又该掘[2]我了！那是美国人送给他的，他要了好久，我过生日那天他才送给我的哩！”宣莉莉着急地说。她等那“西洋镜”，消失在坡下的灌木丛中以后，便命令我说：“你给我去捡回来嘛！”

---

[1] 广广：没见识的人。

[2] 掘：骂。

我望望那陡峭的山坡，望望那长满尖刺的灌木丛，拒绝她说："我才不去呢！"

"都怪你！"宣莉莉一连串地顿着脚，"你顶坏了！"她嘴角一歪，又一歪，歪了几下以后，竟"哇"的一声哭了起来。

正在这时，宣荄荄出现在我们身边。他当年大约才二十岁出头的样子，和宣莉莉不是一个妈妈生的，长得一点都不相像。他在练身房里练出了一副健美的身躯，记得那天他穿着一件雪白的夏威夷短袖衫，他那露出的胳膊皮肤白皙，肌肉苗实，浓眉下一双银杏眼，脸上红朴朴的。

宣莉莉一见他来了，立刻粘到他身上撒娇，告我的状。宣荄荄用细长结实的手指替她揩着眼泪，劝她说："丢个西洋镜算啥子哟！明天我们把这公馆都要丢罗！莫'商女不知亡国恨'嘛！"宣莉莉一赌气，跑回公馆去了。宣荄荄望着她的背影，叹了口气，把手按到我肩膀上，跟我说："嘉娃，我们家明天就飞啰！"

我仰望着他，觉得他很像电影上骑马搭救美人的男士，漫不经心地应着："嗯，晓得。"

"你们家嘟个不飞了呢？"他问我。

"我妈让疯狗咬了呀！"

"那狗真是疯狗吗？"

"爸爸说，这江边的狗十有九疯，妈不留下来打针，二天发了狂犬病，骇死人！"

"你们留下来，二天共产党来了，你爸爸他脱得了手呀？"他关切地问。

"爸爸说，妈在慈济医院打完了针，我们就躲到乡下去。"

宣荄荄不再说什么。他眯起眼，朝江面上望去。江面上游动着些补了疤的灰帆，一只海关的汽划子正从那些灰帆中穿出来，拖着一条长长的水纹。看不见江边拉纤的人，但一阵阵传来他们忽高忽低的号子声，那扬起来的尾音满含凄凉，让人心里头不得安逸。

宣荄荄望了那么一阵，仿佛偶然想起似的又问："冯有他天天开吉普车送你妈去慈济医院吗？"

冯有是宣荄荄、宣莉莉他们爸爸和我爸爸做事的那个衙门的司机。他比宣荄荄大两岁，我叫他冯大哥。头年的春节联谊会上，冯大哥和宣荄荄赛过拳击，两个人都那么健壮，不过冯大哥黄黑似铜，脖子粗壮，而宣荄荄白实如玉，腰肢细长。

他们赛满十个回合，也没分出胜负。临下擂台的时候，他两个身上都像被水浇过，眼睛里都像冒火，互相恨了好几眼。观看比赛的小观众们，后来分成了两派，一派崇拜冯大哥，一派崇拜宣茭茭。

"冯大哥天天开车送我妈去慈济医院，"我回答宣茭茭说，"爸爸陪她去。"

"你为啥子不跟倒去？"宣茭茭又问。

"爸爸不许我去。"

"你妈妈为啥子不住到医院里去呢？"

"爸爸说，兵荒马乱的，慈济医院不收住院的了，住倒起也不安逸……"

"哈，冯有成了你们家的勤务兵了！"宣茭茭的巴掌把我肩膀按得好痛，他笑着拍了我肩膀一下，才抽开了巴掌。他一定知道了我是属于崇拜冯大哥那一派的。是的，尽管我也喜欢宣茭茭，可我更热爱冯大哥，因为冯大哥从来不像宣茭茭这么盘问我，好像我对大人们的事都该晓得……

"你见了冯有，跟他说，明天一早莫误了我们的事——我们天麻麻亮就要上飞机场哟！"

"晓得。"

"好，耍去吧！"宣茭茭用巴掌把我轻轻一推，我就势赶忙朝自己家跑去。

2

跑到一条石梯坎的头上，迎面来了冯大哥。

冯大哥刚从嘉陵江里头游完泳，只穿着一条黑短裤儿，打着个光胴胴。啊，冯大哥，你是我童年时代的天然崇拜对象。我崇拜你那黄黑健壮的身躯。没有人对我进行过理性的指点，我自然而然地觉得宣茭茭的那种从健身房里练出来的健美姿容，是比不上冯大哥这种从风吹日晒的劳作中锻铸出来的形态的。冯大哥那突起的胸大肌、肱三头肌和肱二头肌，比例上也许不如宣茭茭那么标准，然而其中涌动着的力与美，至今仍令我醉倒。童年时代的崇拜对象是罩着一圈灵光的，后来我结识了多少健壮英俊的朋友，他们再没有一个人能唤起我童年时代对冯大哥的那种纯洁执著的崇慕。

我离冯大哥五步远便蹦了起来，他及时地响应了我，于是我一下子便挂在了他弯起的右臂上。我把双手十指紧紧地扣着，两只胳膊像个环儿吊在他那坚硬挺凸的臂弯中，双腿撩起离地，于是他用左手推了我一下，使我荡秋千般在他臂弯下晃荡起来。

蓝天白云，绿树红土，洋房陋舍，远山近水，都在我眼前左倾右斜地变幻着，那是我童年中最快乐的时刻之一。啊，一去不返的童年时代，你在那强有力的长兄的臂弯中，伴着畅快的笑声，逝去多久了？

记不清吊了多少时候，也许仅仅一分钟，也许凝聚住了我整个的童年时代，我从冯大哥的手臂上掉了下来。冯大哥胸膛上还没来得及被太阳晒干的水珠儿，闪着晶莹的光。他那宽脸盘上全是笑容。我听见他问我："刚才你在宣家公馆后门吧？宣大少爷啷个抓到你肩膀不放？他欺侮你吗？"

冯大哥真是好眼力，刚才他怕还在梯坎底下的江边吧？他怎么看得那么清楚？

"他不敢欺侮我。"我望着冯大哥，知道我是有靠山的，便挺起腰杆宣布，"哪个敢来欺侮我呀！"

冯大哥望坡那边，在一簇互相拥挤、歪歪斜斜的"吊脚楼"后面，有个仓库，我家就住在仓库前院的灰砖小楼底下，冯大哥的车库也在仓库里。从仓库院里，冒出缕缕蛋青色的炊烟。

"小老少，你该回屋头吃晌午了！"

"架起我走！"我迫不急待地请求着。有时候，冯大哥会把我一把抓起来，让我骑到他肩膀上，双手抱住他脑门儿，架着我走好长一段路，可是这天他摇摇头说："你个人回去吧，我还有丁点儿事情要办。"

我只好和他分手了。朝屋头走了几步，我扭回身叫住他，叮嘱说："你今天还要送妈妈去打针啊！"

他转回头说："那还忘得了么？"

我又叮嘱他说："人家宣大哥说了，让你明天一早麻麻亮就去给他们家开车，送他们去飞机场！"

　　这回他没有转头，只是一边沿着青石板拼成的车路朝前走，一边说："那我敢忘呀！"

　　我顿时觉得肚皮饿了，连忙朝我家跑去。

3

　　还没跨进饭厅，就闻见一股不寻常的气味，那是每逢请客时才会飘出的一种麻辣油腻的菜香。我赶忙跑进去，请客用的大圆桌上已经摆满了菜，彭娘——我家的老妈子，就是今天北方称作保姆的人——正在整理着筷子、酒杯。

　　"彭娘！"我跑拢桌前，使劲吸了口气，宣布说，"饿死我了！"说着便伸手去拈冷盘中的麻辣牛肉。彭娘"啪"的一声把我的手打开，训我说："惯适得更像猴儿了！大人还没上席，你倒伸爪爪了！咦，那爪爪怕长起壳壳了，还不快去洗干净，要不等到起吃你老子'板栗'！"她嘴里虽这么说，手里倒往我嘴中送进一块缠丝兔儿肉。我嚼着那香喷喷的兔儿肉，洗手去了。

　　洗好手，见饭厅里仍没有大人入席，我便好奇地跑到小客厅门口往里探头——怪，并没有人；于是我便跑到爸爸妈妈的卧室——咦，原来他们和客人都在那里。

　　客人不是生人，就是宣莉莉的爸爸和妈妈。我很奇怪。宣莉莉和她哥哥怎么都没提起他们爸爸妈妈来我家做客的事。他们往常来了是只在客厅里坐的，今天怎么进了卧室？

　　我进去，溜在门边，一时大人们都没看见我。他们正说着大人话，我也听不大懂。好像宣莉莉的爸爸妈妈是来辞行的，可他们为啥子非要妈妈把腿上那狗咬过的伤口给他们看看？

　　我记得很清楚，爸爸满脸忧愁地对他们说："天有不测风云，人有旦夕祸福，国事家事都说不得了……唯愿你们能平平安安地脱身，将来我们辗转找去，还要靠你们收留……"

　　我也记得很清楚，妈妈一边解开小腿上的绷带、揭开纱布给他们看那狗咬过的伤口，一边唉声叹气地说："宣太太怕见红，快闭上眼吧……我这也是命中注定，不是害狂犬病死，就是让共产党清算……挨过一天算一天吧！"

宣先生在沙发上挪动着魁梧然而已经发胖的身躯，低声地说着什么劝慰的话。宣太太坐在床边，她很像月份牌上画的那种娇小玲珑的美人，细细的眉毛微微抖着，手里捏了块麻纱手帕，轻轻地擦着眼角，只听她悲悲切切地说："谁想到这就要生离死别……以后是音信难通了，各自保平安吧！"

当时我莫名其妙，只盼着快点开饭。

大家终于都坐到饭桌上，动筷子了，气氛才稍见活泼一点。我只顾拣好吃的东西往嘴里塞，大人们的话简直没有听，更记不住，只依稀记得宣先生问起过冯大哥："冯有他开车子稳当吧？"

爸爸点头说："稳当的。车是掉了牙的车，路是长了疮的路，他倒还得行。这三十多天去慈济医院打针，来回都平安嘛——唉，还得再打七十来天针，才能防掉狂犬病，造孽呀……"

也依稀记得妈妈问过宣太太："茭茭跟你们一道走吗？"

宣太太显然很不喜欢这个并非亲生的茭茭，瞟了宣先生一眼，撇撇嘴角说："一道走。什么都有他一份啊。"

他们吃了饭、喝了茶便告辞，在大门口爸爸妈妈又跟他们说了好多话、鞠了好多躬。爸爸转回来的时候，脸上很疲劳的样子。妈妈立刻回卧室去了，她说要再睡一觉。爸爸进屋喝了杯茶，就往后院仓库去了。

我很无聊。我跑到灶房去，彭娘正卷起袖子在洗碗，我缠住她说："给我讲个故事！给我讲个故事！"

彭娘没给我好脸色，她烦躁地说："小老少，你莫在这里磨人！晓得你们这日子还过得到几天？你是小鬼不知阎王爷愁！……"

我见她很厌烦的样子，便一溜烟地从灶房后门跑了出去，惊动了几只肥鹅，它们不满地嘎嘎叫着逃开了，于是拐了几个弯儿，我便来到了仓库一角的草丛中。

这草丛里主要是散发出强烈气味的山蓟，还纠结着许多不知名的草本植物，有我半人高。这是仓库大院中的一个死角，除了院里看门的大狗花儿和彭娘养的鹅儿有时候到这里扒一爪、啄一嘴，简直没有什么人来。可是自从学校提前放了暑假，并且无限期地推迟开学以来，我经常摸到这死角来玩耍，并且，我发现了一个秘密，就是在那草丛中间，有几块布满青苔的石板，把那石板用力揎开，下头就冒出一股凉飕飕的阴湿的气味来。那下头是什么呢？一口井？一座烂了棺材的坟？还是一个神秘的仙人住的洞穴？我几次想把边上的一块青石板彻底揎开，看个究竟，可总揎不动。我曾起过让冯大哥帮我揎开的念头，但一离开那草丛，我也便常常把那青石板忘记，所以总也没向冯大哥提起。

山城闷热的下午，从江那边传来轮船喑哑的汽笛声。一行白鹭，若无其事地从高高的灰蓝色的天空飞过。它们一定和我一样，全然不晓得当时世界上正发生着许许多多惊心动魄的事。我烦闷无聊，坐在草丛当中，任蚱蜢跳到我膝盖上，呆呆地看一条发着油光的红蜈蚣扭进一块圆石头底下……

4

我觉得浑身被一张黏糊糊的网缠住了，同时，听见了一种狂躁的狗叫声。我睁开眼睛，这才发现不知什么时候，我已经歪在青石板上睡着了，蚂蚁爬进了我的圆领衫，蚰蜒在我腿杆上扭动，而一群蠓虫儿正绕着我脑壳飞，大概有的已经钻进了我的头发。我跳起来，掸头发，顿脚，又把手伸进圆领衫，前胸后背抹了又抹。我想，一会儿爸爸妈妈见了我，不知会多恼火呢！这时狗叫声又吸引了我的注意力，那是花儿在叫，它为啥子要这么展劲地叫呢？是有人来抢仓库了吗？这仓库现在除了几个轮班看守大门和库房的半老头子，还有我们一家，简直没有多少人了。当然，人少不怕，只要冯大哥在，谁敢闯进来捣乱？可这会儿冯大哥来了吗？……

正胡思乱想着，狗叫声平息了。我继续驱赶着身上那些大大小小的动物，隔了一阵子，弄得差不多了，我刚想拔脚回前头去，忽然从墙角那边转出来一个人，一身奶黄的连衣裙，是宣莉莉！宣莉莉的爸爸官儿比我爸爸大，她跑进这"仓库重地"谁敢阻拦？看门狗花儿不识抬举，叫了一阵子，看门的人这时候不知在怎么掘它呢！

"嘉嘉！"宣莉莉叫着我的名字，蹦蹦跳跳地跑了过来，喜出望外地说，"到处找不见你，原来你躲到这儿来了！"

"你怎么找起来的？"

"我先跑到你们屋里头，就你妈妈在，她就要坐车去慈济医院打针，不见你落屋，捶起桌子说你不落教！我说帮她找你，找到灶房，彭娘说你怕还在这边耍，我就跑来了！"

"你看妈妈那样儿，怕是要罚我吧？"

"罚！"她肯定地说，"怕要罚你腿杆打弯弯，罚得你眼睛爆金花花哩！"

我知道妈妈不至于那样罚我，可我毕竟不愿意这就走回去挨训，所以犹豫着。

"莫怕，"莉莉过来牵着我的手说，"反正也是罚，你就跟我多耍一阵子好啦！"

"耍啥子呢？"我挠着头发，那里面还很痒痒。

"嘟个耍都行，"莉莉告诉我说，"反正我不高兴坐到屋头。茭茭哥哥骇死我了——他把一屋子磁器、玻璃缸子都捹得稀烂，还抱起脑壳瓮声瓮气地哭！"

"我不信！"我想不出宣茭茭那么个侠客样的壮汉哭起来会是啥子样儿，更不明白他为啥子要捹那些东西。

"茭茭哥哥说，不能把那些带不走的东西留给他们……磁片儿把他的手都割破了，血抹到脸上，红得骇人！他说，我们早晚还是要回来的……下一回赛拳，他一定要赢！"

"你爸爸嘟个不管他呢？"我问。

"爸爸不在屋头，"莉莉凑拢我耳边，小声对我说，"爸爸进城头办大事去了……昨晚上我起来坐罐罐，听见爸爸跟妈妈说的悄悄话，我们一飞走，重庆就要燃大火哩！"

可我对她爸爸她妈妈说了什么悄悄话，一点也不感兴趣。

"你说吧，我们嘟么个耍法？"我觉得应当回到"正题"上。

"嘟么个耍法都好，"她也不再提家里的事，皱起眉头，想了想便说，"我们藏猫猫吧！"

"好嘛！"

于是我们"石头、剪刀、布"，我的"石头"砸了她的"剪刀"，该她找我。

我让她到墙角那边去蒙起来，她去了。

"好了吗？"她在墙角那边叫。

"没好！"我先想蹲到草丛里去，又想拐到另外一堵墙后……

"好了没有哟！"听得出，她一边叫还一边顿脚。

一定不能让她找到。我猛然心生一计，于是便跑拢青石板边，拼命揎顶头的一块青石板……

"你嘟个搞起的嘛！"莉莉等不及，已经找来了，她看见我正费力地揎那石板。

我把双手一松，石板訇的一声落了回去，但并未复位，而是露出了一条缝缝。

"呀，这底下有个洞洞嘛！？"莉莉弯下腰，双手撑住地，贪婪地朝下窥望着。她的好奇心比我更甚！

几分钟以后，我们不但合力揎开了一块石板，还趁彭娘不在，从灶房里偷来了一只手电筒，双双下到了那洞里边！

原来石板揎开以后，就露出了一道石梯坎，顺那石梯坎下去，就是一条窄窄的、一人多高的黑巷巷……

黑巷巷里蒸腾着一股阴冷的霉气，身子挨到的巷壁滑腻腻的。我有点害怕了，可我不愿意头一个露出害怕的意思，便故意咳嗽着问："莉莉，你吓倒起了吧？"

"哪个吓倒起了，我才不怕呢！"她嘴里这么犟，挨着我的身子，却在簌簌地发抖。

"莉莉，你吓得打抖抖哩！"

"哪个是吓的？我冷！走！再往里头走！"

她挺起腰杆，硬撑起往里走；我抢在前头，用手电筒照着前面。

呀！那是什么？我俩不禁同时停住了脚步，本能地紧紧靠在一起。我俩的心一同咚咚地跳着，仿佛耳边有一面看不见的鼓。

在我们前面十来步远的地方，有一道直上直下的窄窄的黄光，这黄光时明时暗，显得十分神秘、恐怖。

"好吓人呀！我们回去吧！"莉莉在我耳边悄悄地说。

"我去看！你跟倒我！"我觉得这是一个显示我的勇敢，以及表现我可以保护她的最好机会，于是便挺起胸，朝那条闪动的黄光走去……

5

那是我一生中，最为惊诧的时刻之一。

我走拢那道闪动的黄光，才发现那是一道门缝，我趴在那厚厚的门上，感到那似乎是两扇冰凉的石门；我把眼睛凑拢那道门缝，于是我就看见了一间地下室，地下室当中倒搁着三只装货的木箱，中间那只木箱上燃着一只蜡烛，那烛苗时伸时缩，所以那黄光时明时暗；两边的木箱上坐着两个人，他们脸上布满阴影，乍看上去模样好骇人，可再仔细一看，我的心就不禁重重地一抖——

啊！那是冯大哥和爸爸！

好奇怪啊！冯大哥啥子时候来的？怎么跑到这地下室里来了？爸爸平时虽说对冯大哥很客气，特别是妈妈被狗咬了以后，要靠他天天开车去慈济医院，所以似乎更比平时亲热；但爸爸毕竟是个官儿啊，这么大个仓库都归他管呢，他在冯大哥面前，从来总是端起架子说话的，怎么这会儿竟随随便便地跟冯大哥坐在这么个怪地方，两只拳头托住下巴，好像在注意地听冯大哥说着什么。冯大哥他好不客气！他难道在赏[1]爸爸吗？他怎么站了起来，对爸爸指手划脚呢？爸爸的官儿比他不知大多少，现在怎么倒成了个广广，巴巴实实地听他讲话呢？……

我睁圆双眼，费力地从那门缝朝里窥望着，一时忘记了身外的一切，可是忽然一团毛茸茸的东西贴紧了我的脸蛋。我这才意识到还有莉莉跟我在一起，她就蹲在我身旁，她的发辫贴到了我脸上。她一定也在从门缝往里窥视，并且一定同我一样吃惊！

……我们看见，我爸爸后来也站起身来，也激动地打着手势，好像在同冯大哥冲壳子[2]，可是冯大哥拼命地摇头，显然是不赞成他说的话……后来，当中那个木箱上的蜡烛不知怎么的突然熄灭了，顿时我们眼前一片漆黑。我听见宣莉莉本能地站起身来，朝巷外跑去，我也不由得跟着她往外跑；后来我撞到了她身上，她回身一把紧紧地搂住了我；我感到她抖得像一只撞到网上的小鸟，我听见她小

---

[1] 赏：用居高临下的口气训斥人。

[2] 冲壳子：夸大讲话，也是"抬杠"的意思。

声地跟我说："骇死我了！嘉嘉，你带我出去！我要出去！"

我们终于回到了地面上，我们并没有商量，可是不约而同地伸手去搬动那青石板，让它复了原位。我望着宣莉莉，她简直完全变了模样。她那身漂亮的奶黄色连衣裙搞得又皱又脏，她的脸上留下一道道的污迹，她的头发乱蓬蓬的，手上还碰破了一点皮；我发现她也惊异地望着我，肯定我的样儿比她还要骇人……那时天光已经转暗，夕阳的紫红余晖把青草都变了颜色，从不远的什么地方，传来抬滑竿的苦力哼出的有节奏的声音，以及滑竿的颤动声和苦力的脚步声。我两个带着一种童年人不能消化的人生体验，在那么一种气氛和声响中，呆呆地那么对望了好一阵子……

后来，我把她带到灶房后门，趁彭娘去喂鹅的工夫，一同在压水机那儿尽可能拍去了身上的土、洗净了脸上、手上和脚杆上的污迹，当我们跑到我家小楼前的枇杷树下时，正看见冯大哥开着小吉普车驶出了院门。

"我明天一早就飞走啦，你再 kiss 我一回吧！"莉莉恳求我说。

我毫不犹豫地亲了她脸蛋一下。

"Bye—bye！"她一边招手一边跑去了。

"Bye—bye！"我也朝她招着手。

……从她飞走以后，我们整整三十多年再没见面，也不通音信。然而第三十一年过去，她以美籍华人学者的身份回到中国，她向接待部门提出的头一个要求，就是要寻找和会见我这么一个人。她终于达到了目的。她见到我顾不得问好，头一句就是……

然而这都是后话了。

6

热。

我热醒了。我的凉床摆在面江的阳台上。江水在静夜里不间断地喘嗽着，仿佛它也热得莫奈何。山城熄去了大部分灯火，只有高处低处、这头那头，闪烁着些昏黄的光焰，仿佛歇息在远处村子里的猫头鹰那半睁半闭的眼睛。雾的精灵，已经开始在编织它那灰色的网，好在一早，层层叠叠地把山城罩住……

我只穿条小短裤儿，还是热得恼火。身下的席子全是滑腻腻的汗水。我不愿意躺在那儿了，便坐起来。愣愣地坐了一会儿，我又离开了阳台，穿过饭堂，踮起脚尖经过了爸爸妈妈的卧室门外，出了廊子，下了一架跨过深沟的木桥，来到了院子里。我站在枇杷树下，一眼便看见了值班的癞子阿寿，他正坐在通向后院仓库的砖亭边。真讨嫌！那回冯大哥跟茭茭斗拳，偏他在我身边为茭茭怪声叫好……啊，没关系，原来他坐在那竹椅子上睡着了，脑壳歪向一边，嘻开嘴巴，嘴角上挂下一串口涎……我蹑手蹑脚地经过了他身边，溜进了仓库院。我一径跑到了车库，啊，冯大哥就在车库前的廊子上，铺了一张席子，枕着从吉普车里搬出来的椅垫，睡在那里——平时冯大哥并不睡在我们家所在的这个仓库大院里，正像平时癞子阿寿也不睡在这儿一样，他们在离这儿三里多外的地方，另有单身宿舍——冯大哥是为了一大早好为宣莉莉他们家出车，临时来车库住的。

我还没跑拢冯大哥身边，冯大哥就像鱼儿般从席子上蹦了起来，原来他也热得睡不着，尖着耳朵靠在那里发闷呢。我叫了声"冯大哥！"扑拢他身边，他看清是我，把食指竖在厚嘴唇上"嘘"了我一声，这才小声问："你咋个跑起来了！"

"我热。睡不安逸。我要找你！"我和他很自然地盘腿坐在了席子上。我要求着："冯大哥，跟我耍会子吧！"

"啷个耍法呢？"冯大哥笑吟吟地望着我，"小声摆龙门阵吧！"

"要得！"我高兴地拍起巴掌来。

"嘘！"冯大哥又把食指竖在唇前，望望前面，问，"癞子没看见你么？"

模仿癞子阿寿歪头嘻嘴打扑鼾的样儿给冯大哥看，冯大哥微笑了。他站起来，从事先预备好的一大盆凉水里，捞出一条毛巾，拧了拧，让我站起来，先给我抹了抹身上的汗；又重新湿了一次毛巾，在自己的光胴胴上抹了几下，又把盆里的凉水撩了一些在席子四周，这才招呼我同他一起，头枕着椅垫，面对面斜倚在席子上。他用一只略大一只略小的眼睛望着我，问我："你要摆啥子龙门阵呢？"

我望着冯大哥粗壮的脖颈，那高高隆起的胸肌，伸手按了按他那青石板般坚实的臂膊，羡慕地说："二天我也要长得跟你一样！冯大哥，你就讲你咋个练得像座铁塔的吧!"

冯大哥的眉毛抖了抖,眼睛眯起来了。我开头没发觉他好像不高兴,见他不开口,还是缠着问:"你讲嘛! 讲嘛!"

他终于明显地露出不高兴的神色来,简简单单地说:"我小时候哪像你,当少爷! 我七八岁就跟到我爸爸在嘉陵江拉纤,后来……唉,不说了! 练拳……你晓得我是怎么练的吗? 我是让他们那些阔少爷,找去当拳靶子,只许招架,不许还手,天天让他们打得浑身青一团紫一团,当了一整年,差点咬断了牙巴筋,才练出来的……要不是后来我学会了开车子,算是刚刚能够上台盘,怎么能参加那新年联谊会,又哪个能跟狗日的宣茭茭对阵?"说到这里他说不下去了,只是喘粗气,脖子上的筋鼓起好高。

我想到冯大哥这么恨宣茭茭,可是明天还要为他开车子,送他上飞机,心里好不是滋味儿。我望了望黑蒙蒙认不不清星星的天空,换个题目说:"冯大哥,你给我讲个鬼故事吧!"

冯大哥呼出一口气来,声气变得柔和了:"讲鬼作啥子? 不讲那个。我……给你讲只鸟儿的故事吧!"

"好嘛! 好嘛!"我迫不及待地问,"啥子鸟儿嘛? 麻雀? 燕儿? 老鹰? 长脚杆鹭鸶?……"

"不大不小的一只鸟儿,说不清样儿,因为它在黑夜里飞,人家都看不清它……它飞呀、飞呀、飞呀……"冯大哥的声音变得和平日不一样了,听到起格外安逸。我把双手合拢,压在腮帮下,兴致勃勃地听他讲了下去:"……飞了好久,它累,它热,它渴……但是它还是不歇气地飞、飞、飞,朝前头飞……"

"它为啥子不落到地上歇一下子呢?"我问。

"因为下头的地,像烧过的铁板一样,烫人哪,不能停,一停就要烧掉脚爪,烧坏翅膀,所以不能停。它必得勇敢地朝前飞、飞、飞……"

"那他飞到哪里去呢?"

"飞到一个好地方去。那个地方,天上是亮堂堂的,地上是又安逸又漂亮的,不像这里一样,看上去黑沉沉,挨到起烫得莫法活……"

"那地方远不远呢?"

"原来远，而今越来越近。说来你怕不懂，这鸟儿朝那地方飞，那地方也朝这鸟儿身子底下跑！"

"地方咋个会跑呢？"

"会！你家请客吃饭的时候，桌子上不是要铺块白布吗？那酱油汤汤落到那桌布上，开头是个圆点点，后来呢？不是就洇开来，变成一片了吗？我讲的那个好地方，也是那样子，从一个两个三个圆点点，洇得越来越大，洇成一片……"

"哈！"我觉得很有趣，而且认为自己已经明白了，"那鸟儿不用飞就是了嘛，就张开翅膀停在天上，等那好地方送到脚爪底下，就行了嘛！"

"不飞哪个行呢？"冯大哥不同意，"还是要飞，朝前头飞！"

"后来，那鸟儿飞到没有呢？"

"当然飞到了，哪个能飞不到呢？好多好多鸟儿都飞到了！"

"后来呢？"

"后来吗？鸟儿当然还要飞，不过，那就是另外一个故事了。"冯大哥笑吟吟地望着我问，"好不好听呀？"

"好听好听！就是太短了！再摆个长点的嘛！"我伸出手摇他的肩膀，求他。

"唉呀，歇一会儿再摆吧……"冯大哥随口说，"你也给我摆一个嘛！"

我认认真真地思索起来，摆个啥子呢？我实在想不出什么值得讲给冯大哥的故事。在这种情况下，下午同宣莉莉在地道中的一幕才回到了我的心中——确确实实，就我当时那么一个顽童而言，这种事是过去了就甩到脑壳后头的，只在偶然的情况下才会把它讲出来——我笑了一笑，嗽了嗽喉咙，便讲了起来："今天下午呀，我跟一个……小仙女儿，我们两个一起藏猫猫。好，该我藏，她捉，往哪档藏呢？我看见几块青石板板，青石板板底下说不定有个洞洞，好，我就往那里头藏……小仙女她好厉害，不等我藏就捉到了我……后来，我跟小仙女就一起揎开了那青石板板，一起下了那个洞洞……"讲到这儿我盯着冯大哥咯咯咯笑了，"我们在黑洞洞里走呀走呀，看见了一道黄缝缝，我们趴在那黄缝缝里头看呀，嘻，就看见了两个……神仙！"

冯大哥霍地坐了起来，眼睛睁得溜圆，把我吓了一跳；我不由得也坐了起来，呆呆地望着他。他把两只大手落到我肩膀上，声音不大，可很严厉地问我："你跟宣莉莉下午跑到地道里头去了？"

我点头："嗯。我们看到你跟爸爸在地下室里头说话。"

冯大哥的厚嘴唇抿得成了一道笔直的薄嘴唇，胸脯上的肌肉绷得铁硬。他问我："你为啥子不早说？"

"嗯……"我回答不出来。我难道该早些告诉他吗？如果我知道这件事对他那么重要！

"宣莉莉她啷个说？"

"啥子啷个说？"

"她后来啷个跟你说的？她要去告诉她爸爸妈妈哥哥吗？"

"她没说。"

"你是不是跟她说了，不许她跟别个说？"

"……没有呀！"我感到事情不妙了，可我还是不懂，我单觉得不该让冯大哥这么着急，而且我从他眼神色里觉察出他不像刚才和以往那么喜欢我了。我和宣莉莉下午的行动一定让他很恼火，早知道这样……我本可以不去揎那青石板的……可事情已经发生了呀！

冯大哥恨了我几眼，抽回了手。他变得很焦躁，可来回踱了几步以后，他仿佛不再恼火了。他站在席子上，歪着头，不知是在倾听什么声音，还是在想什么心事。我知道自己惹恼了他，不知该怎么办，便木怵怵地站在那里。

"小老少，"他仿佛终于听见了什么，或者想好了什么，走拢我身前，望着我说，"你要答应我，这个故事，除了对一个人，再不要对别个讲！"

我甘愿为冯大哥粉身碎骨，这个要求简直太轻太小了，我头点的时候下巴都抵到了胸口。

"你马上跑回去——莫让癞子发觉——跑到你爸爸屋头，叫醒他，对他讲！"

"妈妈呢？要不要跟她讲呢？"我想到刚才冯大哥说的是"除了对一个人"，可爸爸和妈妈是在一起的啊！

"就跟你爸爸讲——你把他叫到小客厅里头，跟他讲。"

"好！"我立刻朝前院跑去。

我听见冯大哥在我身后轻声嘱咐我："莫跑！轻点儿！"

我立即变得蹑手蹑脚，但速度不比跑步慢。

7

我刚跑拢我们那座小楼，跑过枇杷树，过了那道小桥，院门口的花儿忽然叫了起来，接着就是一问一答的声音，紧跟着大门就哐啷哐啷地给拉开了。在静夜里，这所有的声音都显得很响，显得惊心动魄。

我正扭过头去朝大门那边望，并且不知所措的时候，忽然爸爸已经出现在我身后。他穿着睡衣，手里握着一个电筒。他把电筒朝门口那边照去，大声地问："什么人？"

"吴伯伯，是我呀！"进来的那个人大步向我们走来，这时候狗还在叫着，门口值班的人关着大门，大门又哐啷哐啷地响着。

我猛然想起了冯大哥交给我的任务，便回头揪着爸爸的睡衣，踮起脚对他说："爸爸，你听我讲个故事！讲个故事呀！"

爸爸对我挡在他面前已经很吃惊，听我缠住他说这样的话更为诧异。而且他大概把我的话听成我要他给我讲个故事了，他简直是气愤地瞪了我一眼，用手背把我推到一边，迎着那个闯入的人走了过去。

"吴伯伯，是我呀！"来人走得更近了。原来是宣苓苓！

"啊，苓苓，你——"爸爸显然非常吃惊，他迎上去问，"你怎么——？"

"吴伯伯，家严让我来的——我们打算早点去飞机场。"宣苓苓走拢爸爸身前，微笑着说，"真对不住，打扰伯伯了。不过我们听到个消息，说是有的人昨晚上就跑到飞机场等飞机去了。伯伯想必也晓得，如今是手头有飞机票也未必上得到飞机——要去得早、挤得动才得行啊！……"

爸爸点着头："那倒也是。"他伸腕看了看手表，"快四点钟了，赶早莫赶晚，对头。"接着便喊了起来，"阿寿——阿寿——！"

阿寿大概这才醒来，迷迷糊糊地应着："老爷，在！啥子事？"

爸爸吩咐着:"你到后头去叫醒冯有,让他这就把车子开出来!"

"要得!"阿寿去叫冯大哥了。

爸爸又对宣苾苾说:"你进里头歇一下吧!"

宣苾苾摆手:"不了不了,车子一出来,我就转回屋头——他们都在客厅门口等起在。"说这话的时候,宣苾苾大概才看到了我,他招呼我说:"嘉嘉弟娃,把你也吵醒了!"

我没理他。我往爸爸身后躲。可爸爸却把我推到了他身前,拍着我肩膀说:"嘉嘉,还不叫你苾苾哥哥!你苾苾哥哥今天这一走,不晓得啥子时候才会得到了,快叫!"

我还是不理苾苾。苾苾却走拢了我身前,用手托起我下巴,笑嘻嘻地望着我说:"怕是还在发懵懂吧!嘉嘉弟娃,送你莉莉姐姐上飞机嘛。你虽这回不坐,离近了看看飞机也好啊!"

我仍然不开腔。爸爸似乎说着什么,但听不清,因为汽车发动的声音响了起来,并且不一会儿,冯大哥已经把吉普车开到了离我们站处只有几步的地方。我看见冯大哥从车上下来,仿佛刚刚睡醒,他平静地望望爸爸和宣苾苾,一点也不恼火地问:"宣大少爷这就走吗?"

我希望冯大哥看看我,可他仿佛没感觉到我这个人的存在。我心里空落落的。

"这就走,"宣苾苾转身对他说,"冯师,辛苦你了!如今飞机不好赶,我们要早点启程。"我不懂宣苾苾为啥子对冯大哥突然这般和气。

"早点走好嘛!"我也不懂冯大哥为啥子对宣苾苾也突然这般顺从。

"等一等,"爸爸对他两个说,"我去换身衣服。我送一送。"

"不用不用,"宣苾苾连连摆手,爸爸也就并没有动。可是谁也没有想到,宣苾苾突然把我一拉,对我也对爸爸说:"让嘉嘉弟娃送送吧!我们莉莉刚才还在念他呢!"

我想挣脱,可是没用,宣苾苾干脆把我拎了起来。我还没明白过来,他已经拎我进了吉普车,让我坐在了他的膝盖上。

我简直就要叫喊起来了,可这时我听见冯大哥对我说:"嘉嘉听话,嘉嘉莫闹,嘉嘉要送莉莉。"

我本能地觉得，我既然已经让冯大哥恼火过，那么，现在他说什么我就该听什么。我便没有再挣蹦，只是呆呆地坐在宣茭茭的膝盖上。

爸爸大概进了趟屋，他从车窗递进一件汗衫，让我穿上，又嘱咐说："送完了就乖乖地跟冯大哥回来啊！"

我"嗯"了一声。

冯大哥坐到司机座上，开起了车，大门又哐唧哐唧地响，花儿又汪汪地叫……不一会儿，我们已经开进了宣家公馆。

我就好像被人给搁到了云雾里，恍尔胡稀，心里头好像堵住一堆蚯蚓。等到我稍微清醒点的时候，天色已麻麻亮，吉普车已经冲破雾气，在公路上颠来簸去。宣先生和宣太太坐在后座上，不时小声说点什么，宣莉莉坐在他们当中，我偶尔回头望去，只见她一直在打瞌睡——冯大哥眼睛只望着前面，专心地开他的车；宣茭茭呢，他那天好像格外喜欢我、爱我，在冯大哥旁边的座位上，把我搂得紧紧的。从他的胸膛里，沁出一股合着香皂气味的壮汉的气息……

吉普车在一个坡道上嗖地来了个急转弯，宣茭茭两只胳膊把我箍得更紧，也不知他是自言自语，还是说给冯大哥听："噫吔，莫翻车啊——翻下坡嘉嘉才最划不来哟！"

冯大哥眼睛都不斜一下，只是开着快车。车轮掀起的沙土扑进了车窗，宣先生和宣太太咳嗽着，那咳嗽声里都透露出一种慌张担忧的心情；宣茭茭却沉着地坐着，只是稳稳地搂着我，把他的下巴，抵到我的脑壳上。我觉得他是诚心诚意地保护我，仿佛我是个随时会被跌碎的瓷人儿。在一段短暂的时间里，我对他产生了一种前所未有的好感。想到这以后再见不到他那健身房里练出的和画报上照片可以媲美的健美身躯，看不见他在拳击场上的矫捷身影，不免有种舍不得的情绪涌上心头。

那个kiss过我、说是刚才还在念我，而我又是被叮嘱特意送她的宣莉莉，此刻却像忘了我，一直不做声；我也只顾想着自己的心思，一路上没搭过一句腔。也许，这又是我一生中最为不解的时刻之一。

吉普车终于开到了飞机场。那时候天算快亮了，当然还并没有出太阳。我只记得那里乱哄哄的，宣家一家子下了吉普车就慌慌忙忙地朝什么地方跑去。宣先生和宣太太左右牵着宣莉莉，还各自提着一只小箱子，宣芰芰手里提着两只箱子跑在了他们前头。我根本没看见什么飞机。

当我定下神来的时候，吉普车已经飞快地奔驰在回家的路上了。这时候我听见冯大哥一边开车一边对我说："嘉娃呀嘉娃，要不是你在车上，刚才我就把这车翻到山底下去了！"

我吃了一惊，可没有明白他这话的意思。我问："我还要不要给爸爸讲故事呢？我没来得及讲呀！"

冯大哥咬咬牙，责备地斜了我一眼，对我说："你对哪个也不要讲了！"

他把车子开得更快，我看见路边一些推"鸡公车"的农夫惊惶地躲闪着，真担心他会把车子翻到山底下去。车子并没有翻，眼看离我们家不远了，冯大哥突然一个急刹车，我的脑壳碰到了前面的什么东西，碰得生疼生疼的。

咋个回事啊？

8

车刚停稳冯大哥就跳了下去，我才发现路边站着彭娘。她头上照例缠着厚厚的一圈白布，一脸惊恐，衣衫也不整洁。

我没听见冯大哥问她的话，只听见她说："唉呀！啷个搞起的嘛！吴先生把我从床上喊起来，把一包银元塞到我手头，说是不用我了，让我马上回乡场投靠我侄儿去——我要打整个包包带起走，他说不用了不用了，二天他再给我寄起去……我问他为啥子不用我了，为啥子这么急疯疯地赶我出门，他就是一句话：'我咋个能亏待你呢？你快带起银元走嘛，你走到侄儿屋头也就晓得我的道理了……'我就这么走起出来了……"

冯大哥只对她说："你走了就对头了。你走了就莫回头。你记住吴先生吴太太他们的好处嘛，二天你无论如何莫说他们坏话就是了……"

彭娘还缠住冯大哥问："你说这究竟是啷个回事嘛！未必他们要遭啥子祸事吗？是怕共产党天明打进院子来还是啷个嘛！那共产党就是来了，未必还找我老婆婆麻烦么？我还能帮他们说点好话嘛——他们待下人厚道哟……"

冯大哥不想听她唠叨，只是问她："你走的那阵嘟个样嘛？共产党总没打进去嘛？别的啥子党也总没打进去嘛？"

彭娘只是摇头："啥子事也没有嘛！唉，鹅儿还没有喂，鸡下的蛋也顾不得捡……"

冯大哥不再听她的，跳上车来便开车。我想把头伸出车窗朝彭娘喊声："再见！"哪里来得及？彭娘只顾让车，她也没有看见我……

车子狂驶着，眼看离家近了，却突然放慢了速度，只见冯大哥两手紧紧握住方向盘，把额头几乎贴到前窗上，仿佛在用心地辨认什么，我也本能地朝前窗外望去，什么奇特的景色也没有啊，依然是那青石板铺的一段车路，依然是一簇高高低低、歪歪斜斜的青瓦"吊脚楼"，后面仓库大院里我家那灰砖小楼旁，依然高高地露出大伞般的枇杷树……然而冯大哥一个急转弯，把车子猛地拐到了另一条路上，我叫了起来："冯大哥，开拐了！"

冯大哥不理我，他额上挤叠出好多道皱纹，里头嵌满汗珠，继续朝岔路上开，离我家越来越远。我的心咚咚乱跳起来，我又叫喊着："我要回家！回家呀！"

冯大哥稍微减了减速，偏过头来，对我说："你回不了家啦！"

我"哇"的一声哭了起来。

我听见冯大哥严肃地对我说："你爸爸妈妈都已经不在家里头了。你爸爸通知了我，让我们不要再进那个院子了。现在，我要把你送到一个地方去……"

我不明白他说的这些话是什么意思。我只是哭着。

"不许哭！"我听见一声怒吼。这吼声使我一下子惊住了。我那混沌的、充满悔恨的童年时代，也许便结束在这一声怒吼中了。我不敢再出任何声音，只是愣愣地偏头望着开车的冯大哥。

"你听我说！你要回答我的问题！"冯大哥脸上的肌肉绷得紧紧的，他开始以命令的口吻同我说话。

我点头，并咽下了最后一声抽咽。

"你听到起——我让你下车，你就要下车！"

我仍点头，可是冯大哥也许是看不见，也许是他看见了仍然觉得不行，他大声命令："你要给我回话！你听到起——我让你下车，你就要下车！"

"好！"我不假思索地答应着。

"我以前教过你滚坡坡，是吧？"

"是！"

"你下了车，我让你滚，你就要往坡底下滚！"

"嗯！"

"滚到坡底下，你就往江边跑！"

"跑！"

"你要拼命跑，跑到泊木船的地方去！"

"去！"

"你记不记得我以前带你去耍过的那只船？记不记得船上的那个老公公？"

"记得！"

"那只船的船篷篷上有块黄布补丁，歪倒起——你说一遍！"

"那只船的船篷篷上有块黄布补丁，歪倒起！"

"那个老公公姓詹，你叫他詹公公！"

"那个老公公姓詹，你叫他詹公公！"

"你上了船就跟他说：'大哥让我来耍。'"

"你上了船——"

"是哪个上了船？"

"我上了船……就跟他说：'大哥让我来耍'。"

"好，底下你听詹公公的就是了。"

"好，底下你——我听詹公公的就是了。"

冯大哥不再开腔。这时候，我才听出来我们车后面有一种声音，这声音虽然离得不远，但听去很恐怖——是好几辆吉普车在开足马力追我们的车子，并且，忽然加进了一种由远而近的急速飞过的声音，显得闷哑而钝涩——后来我才知道那是枪弹的声音，许多年以后，当我在看电影的时候，我对银幕上的枪声总感到惊奇，因为在我个人的体验中，枪弹从头顶、身旁飞过的声音，并不是那样清脆尖啸，倒是闷哑而钝涩的……

冯大哥突然一个急刹车，大约只有一秒钟的时间，我先听见他大吼一声："下车！"又听见他大吼一声："滚！"

后来我什么都没再听见了，我满眼混浊的雾气，不记得我是怎么滚下坡，并且记不得我是怎么跑拢山下河滩，怎么倒在詹公公的船舱里的……

嘉陵江水，只隔一层舱板，在我火辣辣的身躯下奔流着……我那多雾的故乡，我那多雾的童年，我那多雾的亲人，我那多雾的嘉陵江啊……需得多么灿烂的阳光，才消得尽我心中的浓雾！

沉重的回忆，裹着浓雾的回忆，嘉陵江奔流多久，它就存在多久！

9

不记得我在气闷的舱底里躺了多少天。我昏昏沉沉，脑壳里头全是撕成碎片片的回忆，这些回忆每一片都刺得我心口疼，可我总不能把它们拼成一幅完整的图画……

詹公公不时来用湿毛巾给我抹汗，又用一把粗瓷勺往我嘴里灌稀饭、鱼汤和苦水儿——想来一定是药。他还常常把我搂到他那瘦骨嶙峋的胸前，用那皱纹叠着皱纹的手托起我的脸，用那双小而混浊的眼睛把我看了又看。我记得他总是叹气、摇头……

事后詹公公对我说，我几乎整天发谵语，我只是偶尔说要找爸爸和妈妈，我主要是念冯大哥——"冯大哥，我要冯大哥……""冯大哥，你啷个不理我了嘛！""冯大哥，我要跟到你……"

有一天下午，我稍微清醒些。喝了大半壶詹公公泡的老荫茶，我要爬出船舱，坐到篷篷外头去透透气。詹公公不许，他只答应我坐到篷篷盖底下，我坐着坐着，就迷糊过去了。后来我突然醒来，一种远近交错的嘈杂声灌进了我的耳朵，我眼前的江水竟变成了跳动的红颜色，一股股刺鼻的烟气飘了过来，整个世界仿佛变成了一座大火炉，烤得人皮都发麻……我要往篷篷外头爬，被詹公公吼了回去。我看见他站在船头，打着光胴胴，脸和身子都被照得通红；他双臂拼命地摇着橹，嘴里不住往江里啐着；我听见他大声地骂着最难听的话——"背时狗日的砍脑壳的……"我感觉到一定发生了不平常的事,我不敢爬出船篷,但我拼命伸出脑壳朝外面望去——

我惊呆了。我可爱的家乡,我从小天天望不够的山城,竟是一片熊熊大火!那沿坡修造的重重叠叠的房屋,一律冒着炽红的火苗,那些篾竹糊泥的墙壁,眼见着不断在火中倒塌;而砖墙上的窗户,被烧成了空洞,仿佛疯人的眼睛……江边挤满了逃难的人,密密麻麻,像从开水浇过的窝里逃出来的蚂蚁。有的干脆跳进了江水里,往前走、往江心游;我看见一条小船上挤满了逃难的人,有人游到了它边上,拼命往上扒,船上的人拼命用脚踢他那扒住船帮的手——不知怎么的,那船就翻了,顿时爆发出一片凄厉的惨叫声……

詹公公拼命地摇着橹,我们的小船往南岸偏,往长江下游走。火光渐渐弱了,喊声渐渐小了,我的心里却燃起了越来越旺的火苗,我的心里有个声音在喊:"宣莉莉他们一走就要燃大火!我早晓得!我啷个不早点跟冯大哥说!啷个不早点跟爸爸说!"我扑在船舱里,哭了。我那颗小小的心,还不懂得:即使我对冯大哥和爸爸他们说了,这场大火恐怕也不能避免。然而我至今仍不以当时的焦灼和愧悔为多余。那些激荡着我童年感情的元素,我永远珍惜。

我们的小船离重庆城已经很远了,还看得见火光,后来天都黑了,重庆那边却还是一闪一闪的一片暗红,一种焦糊腥臭的味道顺着江风飘了过来,我听见詹公公和邻近船上的人,用沙哑悲愤的声音在数江水漂过来的死尸……

那一天,是1949年9月2日。

"九·二"大火的余焰,持续了好多天。詹公公把船划回到重庆,顺嘉陵江朝上游划,划到观音峡那边,泊了一个来月。当我们的小船重新回到重庆时,朝天门一带的废墟中还冒着缕缕黑烟。那些残存的房架子,焦黑地耸立着,在暗黄的雾气中就像是一些怪兽。那时候北京正紧张地准备着举行中华人民共和国的开国大典,在大片解放了的国土上,响彻着"解放区的天是明朗的天"的歌声,还伴随着火暴的腰鼓声和秧歌舞……然而山城仍在苦难中。

詹公公船上的米、盐、菜、药都耗尽了。他把船泊到一个不惹人注意的地方,对我千叮咛万嘱咐,要我巴巴实实躺在船舱里头,不许出来——万一有人上船找到我,我就要装哑巴,一直装到他回来——他上岸去找他侄儿,并且把要用的东西挑回来。

詹公公挑着箩筐走了。我躺在船舱里，听江涛拍打着船帮，心里头乱得像塞进了芭茅草。爸爸妈妈他们在哪档呢？他们究竟是咋个回事呢？冯大哥和爸爸又究竟是啷么个关系呢？冯大哥那天莫让他们撵上了啊！那枪弹该没打到他吧？詹公公总哄我，说要不了好久我就能回到爸爸妈妈身边，就能见到冯大哥，可究竟还要等多少天呢？詹公公为啥一泊岸就不许我出船篷篷呢？为啥不许我上岸耍呢？他总吓我，说有人要抓我，抓到起要把我烤熟了吃。是哪个鬼怪非要吃掉我呢？我哪点惹到他们了呢？

我毕竟是个不安分的娃儿，我管不住自己，我没有坚持听詹公公的嘱咐，我从船舱里爬出来，我钻出船篷，我跳到岸上去了。

啊，多少天脚没沾稳当当的岸了呀！我一上岸，又忍不住朝前走了起来。

我走到石梯坎下面，一些烧过的纸钱被风吹了过来，在我脚下盘旋。随风飘来一阵热锅魁的香气，把我的肠子弄到耍起龙灯来。我本能地朝石梯坎上头爬去，因为那锅魁的香气就是从那上头飘下来的。我越往上爬腿越软，肚子里的龙灯可是耍得越热闹，而且我闻到的还不止是锅魁的香味，我分辨出还有小笼蒸肉的香味、红油抄手的香味、毛肚子火锅的香味……

忽然，我眼前的人们起了一种骚动。有的人慌慌忙忙地从石梯坎上往下跑，仿佛在逃避什么；有的人却紧紧张张地往石梯坎上头冲，仿佛是去赶什么热闹。不知谁的一顶斗笠，在混乱中掉了下来，立着从石梯坎上往下滚着，更增添了一种紧张的气氛。我被身后左右的一些人挟带着冲到了梯坎上头。我又饿又累，眼前直爆金星儿，我险些站不住脚，可是左右忽然挤得拢拢的人群夹住了我，使我不至于倒下。

啊，我看见了什么？一群国民党兵，押着两个人，从那边路走了过来。走在前头的那个戴硬壳帽的大概是个官儿，他大声地向围观的人群吼着："看哪，这就是'九·二'火灾的纵火犯！狗日的放火烧死了我们重庆多少父老兄弟！我们今天把他们狗日的牵到大坪去正法，给烧死的父老兄弟报冤仇！……"

我一眼就认出了被五花大绑的癞子阿寿。他被押在前头，剃了光头，脸上五官缩成了一团，两只腿打颤，仿佛随时要瘫在地上。押他的士兵踢他一脚，他便又踉踉跄跄游魂似的朝前走去……我终于看到了那第二个被五花大绑的人——啊！我全身的血仿佛都冲到了喉咙，立刻就要喷出来——那是亲爱的冯大哥！

冯大哥不仅被剃光了头，而且，他是光胴胴被绑起的。他的胸脯上是碗大的烫过还没有结疤的伤口。他的一条腿大概是被打断了，所以尽管他挺起腰杆，威严地朝前走，却仍旧没有癞子阿寿走得快。他的脸上有好多血杠杠。他的嘴里，似乎塞着一团脏布……

"看哪，这就是'九·二'火灾的纵火犯！……"那军官还在尖声尖气地叫喊着，人群起了一阵大大的骚动。有几个人，朝癞子阿寿和冯大哥啐着口水，有什么人突然尖叫起来，又有什么人在激动地詈骂或者争辩……我朝冯大哥扑了过去，尽我全身力气叫着："冯——大——哥——！"可是我的声音嘶哑得让我自己也吃惊，并且我的胳膊被身边什么人紧紧地抓住了……

冯大哥没有看到我。我永生永世忘不了他在人世最后时刻的那双眼睛。他那一只比另一只略大的眼里，炯炯地闪着光，并且毫不避讳地朝周围的人群望去，谁骂得凶、吐口水吐得猛，他就越朝那人对直地望过去。我感觉他是在用坦诚和正义凛然的眼光同围观的群众交流，使他们明白他究竟是怎样一种人……

他们不知怎么地就走过去了。围观的人群突然汇拢在一起，碰撞，又迅速闪开，那抓住我胳膊的手松开了。我依稀记得抓我的仿佛是一个穿长袍的叔叔，他在混乱的人群中一闪，便消失了。

我决心要追上冯大哥，不管怎么样，我要冲上去紧紧地、紧紧地搂住他，我要喊破喉咙地向世人们宣布："他没有放火！他是好人！"

可是我在往前跑的时候，被一只空罐头盒绊倒了。我爬起来，膝盖皮擦破了，立刻流出了血来，我用手掌抹了一下膝盖上的血，便朝前继续追赶被押着游街的冯大哥。在一个拐角处，迎面来了詹公公，他一见到我便眼冒火光，他伸手一把抓住了我。我在极度的冲动中狠狠地咬了他的手，把他的手咬出了血，但詹公公并不松开我，他像老鹰抓小鸡般把我扔进了他担子一头的箩筐中。我还要挣扎，他便伸出两根手指头朝我肩窝上一点，我眼前的东西立即融为混混的一片，身子顿时瘫软了下来……

醒过来时我已经在船舱中，而我们的小船已经逆水朝江津摇去。我意识到我已经永远、永远失去了冯大哥，便趴在船板上号啕痛哭起来。詹公公脸上仿佛没有表情，他只是机械地摇着他手中的橹，任凭我大放悲声……

小船划了两天以后，地平线那边传来了越来越清楚的轰隆声。那是解放军打炮的声音，那炮声震撼着天空、大地和河流。啊，我那动荡而痛苦的童年，你结束了！

10

十二月里的一天，我被送回解放了的重庆，当我被人领着走到爸爸妈妈面前的时候，他们都睁起眼睛盯到我，显然，他们已经快认不出我来了——事后据他们说，我瘦得完全脱了形，穿着一身詹公公粗针大线改缝过的衣服，完全是船上生船上长的船家娃儿模样——而我也简直要认不出他们来了：爸爸那些漂亮的西装哪里去了？他穿着一身蓝布制服，还戴着一顶蓝布八角帽；妈妈呢？她也穿着一身蓝布衣服，人家说那叫做"列宁装"，她也戴着顶蓝布八角帽。我感到她显得比爸爸还要陌生——难道这就是三个月以前的那个被疯狗咬伤了腿、烫着发、穿着讲究的旗袍、又担心得狂犬病又担心被"清算"的妈妈吗？

我正怯生生地望着他们，妈妈头一个弯下腰来，一声"嘉嘉"，便把我紧紧地揽进了怀里，把她那温热的脸蛋贴紧了我的脸蛋，我叫了一声"妈！"两个人的眼泪便流到一路了……

可是妈妈爸爸也就仅仅同我温存了十多分钟，他们很快便把我交给了一位李大哥。他们显然非常之忙，有许多人叫着他们的名字，并且称他们为"同志"，或者像是在向他们布置着什么，或者像是在听他们布置着什么……他们转身走去的时候，我觉得他们仿佛非常不习惯他们身上的衣服，特别是爸爸，他衣服的背后总绷得紧紧的……

李大哥把我带到了一间大屋子里，说那就是我的家，让我先躺到床上休息一下，他去给我买些吃的来……我环顾了一下那间乱糟糟的屋子，只有两张小木床，一张写字台和几个堆成一垛的箱子；到处摊着些书和纸片；一张小圆桌上铺着一张旧报纸，上头摆着没有吃完的锅魁和酱牛肉；屋子里横拉着一根铅丝，上头挂着毛巾、洗好和还没有来得及洗的衣服……门背后是脸盆架、脸盆和脚盆，以及一只已经被用成椭圆形了的铁制水桶。我很奇怪，我们客厅里的那些沙发哪儿去了呢？饭堂里的八仙桌（还可以变成大圆桌）又在哪儿呢？还有收音机呢？大挂钟呢？……这怎么会是我的家呢？仓库院的那个家，又是谁的呢？……

李大哥给我买来了一堆包子，他还给我倒了一大缸子开水，又去弄来了一张行军床，支在屋子一边，说我晚上就睡那行军床上。他劝我吃，还说吃完带我去洗澡、理发、换衣服，可我不吃也不睡，既不愿意洗澡也不愿意理发。见着李大哥，我就想起了另外一个同样年龄的人来，我喊了一声："我要冯大哥！"鼻子跟着一酸，不容他来劝，泪珠子便一串串地涌了出来……

晚上妈妈回来，说爸爸还要忙一夜。天气凉快了，我就跟她睡一床，她要跟我摆一夜龙门阵，我依了她，于是，在山城的那个初冬之夜，我开始明白了一切。

一个星期以后，有关的部门挖开了国民党崩溃前大屠杀的尸坑，在一个坑里，发现了冯大哥和癞子阿寿的尸体。癞子阿寿的尸体很快被烧掉了，因为他确实受国民党特务唆使，参与了"九·二"的纵火行动——他哪里想得到，人家用完了他以后竟把他抛出来杀掉了。冯大哥的遗体则被郑重地入殓到棺木里，同许多其他烈士的遗体一起隆重地葬入了烈士公墓。爸爸妈妈和许多的同志，带着我到烈士公墓栽了松树。我多么想见见冯大哥啊！哪怕让我见见他的遗体也行，可是怎么可能呢？给小松树培完土，我扶着铁锹把，朝天空望去。我希望看见一只鹰，正在天际雄健地盘旋、飞翔，然而那雾蒙蒙的天空什么鸟儿也没有。我不灰心，我固执地仰望着。我心中回味着冯大哥那晚给我讲的故事，于是我觉得我看见了一只比雄鹰还美的大鸟，正在那高高的天空中飞翔，那一定就是冯大哥。他还在飞，他要不停地飞啊，飞……

我渐渐习惯了不被称为"小老少"而被称为"小同志"的生活。我重新去上学，老师教我们唱《没有共产党就没有新中国》，在一种人们绕着螺丝圈唱《团结就是力量》的集体舞中，我总是在结尾时被李大哥高高举在圈心，而我手里又总是高高举着一颗很大很大的鲜红的五角星……有一回在我们住的宿舍院里，我和一个同学为了一件什么事闹拐了，他就伸出手指刮着脸皮羞我："你爸爸穿过西装，你妈妈戴过耳环，你当过'小老少'！"我气得抓起地上的石头就要拽他。李大哥走过来夺过了我手里的石头，把那个同学狠训了一顿："你胡说啥子？你晓得吗？别个吴嘉嘉的爸爸妈妈在解放前夕用了'苦肉计'，硬是把一批重要的物资转移到了慈济医院背后的山里头，保存到了解放，立了大功的哩！你再胡说，你就是帮国民党讲话了！"那同学没听完就跑开了，我却愣在那里，站了好久……

当晚，我问爸爸妈妈。他们一本正经地对我说："小娃儿莫问这些事！""你晓得这些有啥子用？"我再缠着他们问，他们就简直要生气了。妈妈说："立大功的是你冯大哥！"爸爸说："坏事的还就是你！"

我从此不再问了。随着年岁增长，我自然懂得了一切。"坏事的还就是你！"这句话尽管爸爸只对我说过一次，却仿佛烙在了我的心脏上，而且，随着我心脏的长大，那烙印也在长大……

冯大哥啊，当你的灵魂继续向前飞翔的时候，你能原谅我么？

临近过年的时候，北京来了电报，爸爸和妈妈都被调到中央人民政府的一个部里工作。我们在李大哥的帮助下很快收拾好了行李，我们将从朝天门码头上船，顺长江而下，到武汉去，再坐火车去北京。

就在上船的前一天，詹公公来送行。他提出一个要求：带我到大坪去，看枪毙反革命分子。爸爸和妈妈开头都不同意，妈妈尤其反对。她说："那个场面他看了怕没得啥子好处。"可是詹公公坚持要带我去，他说他自有道理——什么道理，他并不讲。我跳着脚要随詹公公去。我并不是对枪毙的场面感兴趣，我是要在离开家乡之前，尽可能多亲近亲近詹公公。

我随詹公公去了。詹公公并没有让我从头看到尾，他只带我钻进人群看了一分钟——那被公审完带进场内枪毙的不是别人，竟是宣茭茭！我紧紧揪住詹公公的衣襟，不敢相信自己的眼睛。我听见詹公公弯腰向我宣布着宣茭茭的罪状："狗日的都走到飞机门口了，让上司把他留下来了。那'九·二'大火指挥放火的有他一份，那冯大哥被拷打被枪杀也有他一份……狗日的今天也有这么个下场！"我听见了这些话，却一时不能理解。

啊，我永远也忘不了那一分钟的印象。宣茭茭被强迫着跪下了——他虽然被绑着，可一点也没有被拷打过的痕迹，他嘴里也没有被塞上东西。他那健身房里练出的匀称、紧凑茁实的肌肉在那样一种情况下，竟显得格外富有弹性和活力。他没有求饶，没有喊叫，也确确实实没有恐惧与懊悔。他那蹙起的额头上横叠着三条很深的皱纹，下面是依旧漆黑浓密的眉毛，眉毛下是一对闪闪的眼睛，那眼睛里充溢着饱满的、仿佛弹射出无数把刀子般的仇恨。他在仅有的一分钟里，甚至还从容地用那仇恨的目光扫视了一遍人群。我感觉到在一秒钟或者仅仅是半秒钟的时间里，他的目光同我的目光对接了一下——我得承认，我仿佛被一把刀子扎了一下，不禁全身一个寒噤。这时詹公公两只手稳稳地扶住了我的身子，我听见詹公公对我说："嘉娃儿，你莫闭上眼睛！"他的话说出来枪也就响了，我还是闭上了眼睛……

詹公公始终没有讲他为什么要带我去看枪毙宣荽荽的道理。也许，他是要我通过血债血还的场面，更深地记住冯大哥吧，然而，我的收获，却是铭心刻骨地记住了宣荽荽那仇恨的目光……这以后的许多年里，每当静夜，我一闭上眼睛，面前就轮流浮现出冯大哥和宣荽荽两个同时代人那最后的目光，从而心头就仿佛有一对阳极和阴极在对峙着，并爆出团团灼热的火花……

……江轮从朝天门码头上开出了，嘉陵江那清澈的江水转眼已经不见，船下是长江那雄浑稠厚的洪流。我们倚住船栏，朝码头上望去，送行的人群中，詹公公像一株长满疤结的老树，他只是低着头，用手指抹着眼睛；倒是李大哥像一架开满花的藤萝，他全身都在欢笑，朝我们展劲地摇着他的帽子……啊，嘉陵江，再见了，你把那动荡年代里所能给予我的最好的滋养，及时地给予了我；那些在雾蒙蒙的山城所度过的日子，闪烁着一盏盏指引我生命流向的灯火；那些在童年时代落入心田的种子，是与非、爱与憎、明与暗、浊与清……除非我的灵魂以后不幸被锈蚀，这些定了性的元素，将永远是我信仰的基石、前行的路灯……

……岁月匆匆，如今我少年时代和青年时代也已结束。我又想到了前年同宣莉莉的邂逅，想到了她见到我时所说的那头一句话——那正等于回答我多年来屡屡在心里提出的问题；可以想见，她多年来一定也屡屡盼着有这样一个机会，向我吐出这一句话来……可是当她吐出、我听到以后，我们却一时无话可说了。在落地灯的光晕中，我们竟沉默了许久……

世上有的东西，是无可追寻，无从考稽，也无法弥补的。我们在这人世上只能生存一次，并且每一阶段都不可能重新再过一遍。我们的生活轨迹相交时会留下很深的痕迹，而从相交点远去后，也可能如双曲线般再难接近；当然，我们或者可以努力成为两条平行线，朝同一个方向偕进，不过，那又谈何容易？鉴于此，我简直没有必要重复宣莉莉那句话了。

∞

嘉陵江啊，你日夜地流……
你流进了我的血管。

1982 年 6 月 3 日—7 日写
7 月 14 日改于北京垂杨柳

茶话会

他选出了一张请柬

生活，就是不断地进行抉择。

春节前，许多张茶话会的请柬来到了卢蒂落的案头。卢蒂落确定了这样的原则：大可不去的心中领谢；可去可不去的书面致谢并请假致歉；不得不去的则一定准时赴会。他把案头的请柬略加整理，归入头一类的有三张，如一个什么山茶花栽培协会的茶话会，之所以请他参加，大概是因为他写过一篇关于山茶花的散文，对之当然可以一笑了之。

归入第二类的有五张之多，他从抽斗里取出五张明信片，仅用五分钟就写妥了致谢兼致歉的回复，都直接复给邀请单位中他所认识的负责人，这样，他的缺席必不至于被认定是傲慢无礼了。但是让他感到不得不去的请柬，却有旗鼓相当的两张，而两张上所规定的时间，却又恰恰重叠！这就颇费踌躇了。

一张是某大型文学刊物的请柬。他的成名作《迟来的春风》便是在那刊物上首载的，这部中篇小说如未经过责任编辑的点拨，必不可能达到发表出来的这个水平，而在评奖活动中要不是该刊为他力争，几乎就要名落孙山。所以说编辑部对他是恩重如天。该刊的茶话会他怎能不去呢？

另一张是教育局发来的请柬。他在成名并调到剧团任专业编剧之前，原是一所中学的历史教员。教育局的这个"优秀中学教师与文艺工作者叙情茶话会"，他实在没有道理缺席。倘若他去了那个大型文学刊物的茶话会而舍弃了这个茶话会，参加这个茶话会的中学教师们会怎么议论他呢？其中一定还会有他以前的同事，他们的话一定最难听！参加这个茶话会的那些文艺工作者又会怎么看待他呢？其中也一定会有他进入文艺界以后的新交，他们事后即使并不说什么，那冷笑也够他受的！

能不能每个茶话会各去一半？他看了一下两张请柬上开列的地址，一个在城之东南，一个在城之西北，两头兼顾实不可能。

怎么办？他把两张请柬放在心灵天平的两边，在转椅上足足称量了八分钟。最后，教育局发来的请柬这边下沉了，他一个急转，他原来朝着写字台的身子转得朝向穿衣镜，他看见镜子里的他满脸红涨地对他说："去教育局的茶话会！"

刚进门，他就得罪了好几个人

教育局的茶话会假座某宾馆的宴会厅召开。他是骑自行车去的。本以为能提前几分钟到达，因为一路总遇上红灯，结果反倒迟到了十来分钟。

他一边用手帕揩着脸上的汗，一边急匆匆地穿过宾馆的转门，直奔宴会厅而去。一股暖流和一片热烈的气氛交融在一起，从宴会厅大门扑将出来，门口负责接待的两位同志指引他在绿呢案上的签到折上签了名。他刚迈进厅门，迎面就来了老钟。

老钟是邻省文学刊物《紫燕》的编辑，他曾四次登卢蒂落家门索稿，是卢蒂落的大债主。卢蒂落一见他便胆战心惊，刚想用微笑、握手但不停步的战术闯进去，不想老钟一见他便一把搂住了他的膀子。

"卢大编剧，可把你逮住了！"老钟比他几乎高出一头，欣喜若狂地俯视着他，仿佛鹞鹰抓住了黄雀。

他赶忙求饶："别这么胡叫……怎么这么巧，刚进门就瞧见了你？"

"巧什么，一点也不巧！"老钟笑容满面地说，"我早就在这儿等着你了！我就知道，这个茶话会你不敢不来！"

"是呀是呀，"卢蒂落一时不知用什么法子摆脱，只好敷衍着，"我怎么敢忘本呢？"

就在这时，他看见从老钟的肩膀右面走过来一位妇女，分明是在笑吟吟地招呼着他。那是教育局政教处的李处长。他当年写《迟来的春风》时，访问过她，得到过她许多具体的帮助。他赶忙迎着她的目光向她微笑、点头。她非常讲究礼貌，见老钟正搂着他肩膀讲话，便在七八步外站住，仍旧笑吟吟的，分明等着他说完了这边的话便到那边去会她。

但老钟却把他搂得更近了，还搂着他朝左边挪动，挪动到一架镶螺钿的漆屏侧面，才停下脚步。他听见老钟凑拢他耳边说："你怎么没忘本？你自己成了个名家，就把千千万万原来跟你一样的文学青年们忘在脑后了！他们都是敝刊热心的读者，你得拿出实际行动来，证明你没有变！……听说你新的中篇已经瓜熟蒂落了，这回一定给我们！我们发头题！稿费一定从优！怎么样？我什么时候去府上取稿？……"

他一边应付着老钟："你哪来的情报？没有的事……我就是有稿子也配不上头题……你知道我们剧团对我的看法……得为剧团写个剧本了，怎么能老写小说？……"一边心神不定地用余光去瞥视李处长。李处长仍旧耐心地站在那里，不过，脸上的微笑萎缩了，仿佛开败的芍药。

他真想马上过去招呼李处长，老钟的大手却如同铁钳般使他脱身不得。他耳里一片聒噪。在茶话会欢喧气氛的衬托下，老钟的话音显得特别刺耳："……剧本你照写嘛！谁不知道你是'快手卢'？你先把剧本写成中篇，我们给你发排的时候，你再去改成戏嘛！是不是家里太乱太闹坐不踏实？要不要我们给你找个安静的地方？……"

突然又有一只手重重地落到了他另一边肩膀上，他扭头一看，是身高体胖的章栩生——他原来所在的中学的化学教研组组长。

"你小子坐在哪桌上呢？"章栩生上身只穿着膨体纱织的翻领毛衣，显然外套早已脱下，落座好久了，是专门从座位上跑过来招呼卢蒂落的。

"我刚进来一会儿。"他一边同章栩生握手一边说，"栩生，好久没见着你了！"

"你小子还记得我呀？"章栩生爽朗地笑着说，"走吧，去我们那桌吧！"说着朝厅内某处一指，卢蒂落随着他所指的方向望过去，没来得及找到他所指的那一桌，眼光却先后同近处、远处的几位熟人相遇——其中有位应邀到会的男高音歌唱家，半年前卢蒂落和他同参加过文艺界的一个参观团，去过云南和广西，两人处得挺不错的——人家都马上热情地同他打招呼，有的冲他招手，有的站起身来等着他赶过去握手，那位歌唱家更离座朝他走来，他只恨自己分身无术，不能同时把每个应当热情对待的人都招呼好。

"去我们那桌吧，走！"章栩生并不知道卢蒂落除了他们那桌外，还有许多桌也急需去应酬，急匆匆地拉着他就要他开步。但老钟在这期间并未丝毫放松卢蒂落，他那大手不仅仍旧牢牢地钳住卢蒂落臂膀，还旁若无人地进一步把嘴唇凑拢卢蒂落的耳朵，用一种压低的嗓音、神秘的语气，絮絮地对卢蒂落说："……你最近没听到关于你的新传闻么？我们编辑部是立足于为你辩解的……可是据说有人就凭传闻给宣传部写了信……"

卢蒂落毕竟还没有修炼到不为这类事所动的境界，他胸中顿时燃起一团燥火，禁不住说："只缘妖雾又重来！又是什么人在给我下蛆？"

老钟趁势把他搂着移到暖气边上，极"哥儿们"地把那传闻告诉给他。章栩生见卢蒂落只顾回转身同杂志社的编辑说话，骂了句："小子！"一撇嘴走了。那位歌唱家眼看要走拢卢蒂落身边了，忽见卢蒂落同老钟躲到一隅去窃窃私语，极为扫兴，也便改变路线，斜向另一边去招呼另一些熟人去了。待卢蒂落听完那传闻，才知其完全用不着生气——竟说他与一个什么黄金走私集团有关，简直是"天方夜谭"！——让他们给宣传部写信吧，只可惜宣传部并不负责编集《谣林广记》！

老钟直到卢蒂落终于答应为他们写一个小中篇，并允诺了交稿时间之后，这才把他解放，卢蒂落一逃出老钟的控制便拿眼四处寻找李处长，早已不见踪影！

这时响起了掌声，茶话会的主持人站起来致辞了，卢蒂落顾不得抉择，找了个有空座的桌子赶紧坐下。

落座不久，他就得到一个线索

生活里充满了自相矛盾的事。

比如说，那份《紫燕》杂志，同别的许多杂志一样，在"文艺杂谈"一类栏目中，时不时发表奉劝作者"不要硬写"之类的短评，但他们的编辑，却往往同时正分头向一批作者硬索稿件。看来这种现象古已有之，今后也不会断绝。卢蒂落倒并不以为"硬写"必定失败、"硬索"一律讨厌。巴尔扎克的《人间喜剧》便是在催债的鞭子驱赶下每天硬性规定字数写出来的；列夫·托尔斯泰甚至主张实在没的写时也应在日记上记下："今天什么也没写。今天为什么什么也没写呢？"许多作家"硬写"出来的东西其实并不一定坏。而如果没有某些编辑的"硬索"，有些名作甚至于便不会诞生，试想倘若当年《开心话》的编者没有紧钉住鲁迅，我们能看到今天这个模样的《阿Q正传》吗？

所以，对自相矛盾的事，最好的办法就是不去理会它，把思想和情绪放松弛一点。在硬索下写出来的东西，只要自己觉得还好，也无妨拿出去。在无人催促的情况下从容写出来的东西，自己也不要就一定以为佳妙，也许反而不要拿出去投稿更好。在卢蒂落来说，必要的压力加上偶发的兴致，往往会写出他自己、编辑部和读者都较满意的作品。关键在要有一个"触因"，使以往的生活积累在一个线索的刺激下，突然从灵感的泉眼中喷涌而出。

卢蒂落在那张圆桌旁坐下不一会，就得到了一个足以激发他灵感的线索。

同桌的都是陌生的面孔。大家有一搭没一搭地听着那位茶话会主持者致辞，悠闲自在地吃着桌上的各种糖点小吃。

坐在卢蒂落左侧的一位女同志，把一只甜橙递给卢蒂落，招呼他说："卢蒂落同志，吃这个吧！"

他偏过身子，朝她道谢。那是一位鬘发修整得非常精细的女同志，从那保养得相当细腻的皮肤和眼睛下微鼓的泪囊，不难判断出她是一位富有舞台经验的老演员。她的表情使他意识到他应当是见过她的，但他怎么回忆，也回忆不出来究竟是在什么地方见过她，以及她叫什么名字。

"最近又在写什么呢？"女演员像对待最熟稔的朋友那么问他。

"啊，打算写个剧本……再抽空写点小说。"他抓了些炒杏仁撒到对方跟前的小盘里。她是谁呢？唉，还是想不起来！

"怎么不给我们写点歌词呢？"女演员拈起一枚杏仁，姿势优美地送入了口中。

歌词？啊！想起来了！她不是解放军系统某文工团歌舞队的秦雅弦吗？多少年一直在女声小合唱中唱低音声部的！他跟她并不是在文艺界的活动中才接触上

的，他当年工作过的那所中学的同事夏晚宜，原来也是那个文工团歌舞队的，并且夏晚宜的爱人于穗实，便是那文工团的副团长；卢蒂落当年常到夏晚宜家去串门，秦雅弦就住在夏晚宜家隔壁，自然见过的——只是他早已把人家忘记，人家却一见面便认出了他！

他掩饰住原有的惶恐，仿佛他也是一见她便认出了她一样，一边剥着甜橙，一边活泼地说："秦大姐，您真能给人出难题！歌词我怎么会写呢？你知道我一首诗也没发表过，歌词得由诗人去写啊！"

秦雅弦自然并不是真的要他写什么歌词，只不过见他坐在身边，心里高兴罢了。她将卢蒂落介绍给同桌的熟人们："这就是小说家卢蒂落，他那篇《迟来的春风》得了奖，电视上不是有发奖会的镜头吗？他有个大特写——你们看，把他给照胖了，其实他根本不胖嘛！"

卢蒂落起身同大家握过手以后，为摆脱窘境，忙把话题引到夏晚宜身上，便问秦雅弦："您还住在夏老师隔壁吧？我有两年没顾得上去学校了，也没抽出工夫去看她跟老于，她还是老样子吧？"

秦雅弦满脸吃惊，捂着胸口瞪住卢蒂落，使劲咽回一口气，这才大声宣布说："老于前年 11 月就得血癌去世了！你一直不知道吗？"

"啊！"卢蒂落愣住了。他回想起，前年夏天他还在颐和园长廊上遇见过老于和夏晚宜，还有他们的儿子和儿媳妇，当时老于红光满面，一头浓密的乌发不见银丝，身板也挺敦实，怎么几个月后就……

"夏晚宜她挺得住吗？"卢蒂落不禁感叹地问，"我可知道她爱老于爱得有多深！这个打击对她有多重啊！她目前怎么样？情绪稳定一点了吗？"

"她？"秦雅弦眯起眼，脸上的表情变得不可捉摸的样子，卢蒂落听见她分明在这样宣布，"她的情绪？好极了！听说她打算今年春天结婚！"

"什么？！"卢蒂落把一瓣甜橙失落到了地上。他简直不能相信自己的耳朵！

夏晚宜原来不是谜，可现在……

在卢蒂落工作过的那所学校里，夏晚宜曾经被教师们视为幸福的象征。

她是在解放军南下时，参加到部队文工团去的。参军时她已是个高二的学生。在学校时她就积极参加进步的文艺活动。到文工团以后，她唱过合唱、演过京剧、跳过舞。她的艺术生涯的高峰是当过匈牙利《瓶舞》的领舞，她们跳这个舞蹈的照片，当年曾被印制成年画，广泛发行。人们看到以她为首的一群洋装少女，头上顶着细长的瓶子，手足翩然舞动，裙裾旋转成花，总不免要惊叹地问："天哪，那瓶子怎么不掉下来呢？"

她引领过 168 次这个《瓶舞》的演出，没发生过一次掉瓶子的事故。她以后的一生，虽然也经历过某些危机，但总的来说，正如她跳匈牙利《瓶舞》般地顺利。

她后来没有跳下去，是因为她结婚了。

她嫁给了同团的于穗实。于穗实最早也是舞蹈队的演员，擅长《跑驴》、《秧歌花舞》一类节目。后来文工团一度全盘苏化，于穗实总跳不好俄罗斯舞蹈中的下蹲踢腿动作，加以年龄已逾 25 岁了，便转为业务领导工作。先是当舞蹈分队副、分队长，后来升为歌舞队副队长、队长，直至最后升为文工团副团长。夏晚宜嫁给他的时候，他刚当上几个月的副分队长。

他们的结合，无论在上级首长还是同团的战友们眼里，都是珠联璧合。

于穗实贫农出身。他所出生的那个村落，是日寇"三光政策"实行得最残酷的一处。据说除了跑出来参加了八路军、游击队的 16 个年轻人，全村竟再没有留下一个男人。他 1940 年参军时虚岁才 14，是名副其实的小鬼。吃着部队的小米，扛着部队的步枪，在战火硝烟中，他竟出落得健壮俊美。文化学习上他不但刻苦努力，而且聪明过人，很快便成了部队中一个有名的"小秀才"。他先给师里首长当警卫员，后来转入部队文工团，从数来宝、吹唢呐到扮演《白毛女》中的大春、跳全身大幅度摆动的《东北大秧歌》，样样出色。像他一样出身和学历的人，在文工团后来所经历的"正规化"、"精简编制"等等环节中，大多或转到搞政工的岗位上，或转业到地方改行干别的去了，唯有他始终留在业务领导岗位上，而且以精力充沛、业务熟稔、知人善用、魄力宏大赢得了多数人的拥护。

夏晚宜出身不好，社会关系也复杂。但她既然入了党，又嫁给了于穗实，也便无人再去想到她的这些先天不足之处。她和于穗实结婚时，到附近照相馆拍了一张大三寸的双人合影，是便装照：两个人都只穿着一件干净的白绸衬衫，她梳着两根粗黑的辫子，他剪的是个小平头，如此而已；没想到不久后那家照相馆的橱窗里便挂上了他们的合影，放大成了24寸，一个的衬衫被染成了水红色，一个的衬衫被染成了柳绿色，两个人的脸上都仿佛抹上了胭脂，嘴唇上都仿佛涂了口红，她为这事特意去交涉过，指出未经他们同意，照相馆不该挂上他们的照片，人家看她穿着军装，说得也在理，取下来了；不过一个月以后，同样的照片又出现在另一家照相馆的橱窗中，她又跑去抗议，人家却笑嘻嘻地说："外地的同行还翻拍了去哩，谁让你们长得那么漂亮，表情又那么自然啊！"她回家把这话偷偷告诉了于穗实，他耸耸肩膀，笑了笑。她知道，他和她一样，其实也是很满意这张照片的，力与美，朴素与动人，革命与爱情，毕集于此了。

结婚半年后她便怀了孕。人们都猜测说：这样一对夫妻生出的孩子，一定是健美的楷模。果不其然，生出的男孩，他们取名于途宽，小名宽宽，简直漂亮得没法形容，尤其是那一双又大又亮的眼睛，黑眼仁仿佛是汪着油的蝌蚪头，谁见了都想抱抱。那时候文工团里结婚的还不多，夏晚宜生出的这个宽宽简直成了全团的宝贝，经常是该喂奶的时候却找不见宽宽了，原来是甲抱去亲亲，又被乙抱走玩赏了，而丙从乙那儿抱去逗弄不久，又被丁抱去打扮了。找孩子的工夫里夏晚宜真是又急又气。这样子容易让孩子染上疾病啊，可一旦找到，见一群人正围着某战友怀中的宽宽欢笑，而宽宽大大方方地睁圆双眼朝大家张望，火气便没有了。说来也怪，宽宽在这种情况下反倒没得过病，也很少哭闹。后来他们有了保姆专门带宽宽，宽宽更长得又快又俊。

孩子一岁半了。夏晚宜和丈夫商量了一番，决定申请上级批准她以转业军人身份报考大学。她在文工团确实没有多大的发展余地，而取得一个大学的学历，在当时也是许多在职干部和部队成员所向往的事。结果她考取了师范大学历史系，毕业以后，分配到离文工团不远的一所中学工作。

那大约是1959年的事。在那所中学里，她被视作"仙女下凡"。虽然已经是当了妈妈的27岁的少妇了，看去却只像是二十出头的女郎。学校里的老职工至今还津津乐道当年她来报到的身姿装扮：苗条的腰身，背后搭着两根编得松紧恰宜的大黑辫子，上身是一件乌克兰式的亚麻衬衫，胸领上绣着色彩鲜明、花纹琐细的图案，下身是一条长短得体的黑绸裙子，脚上是一双浅咖啡色的半高跟皮鞋，手里横握着一个人造革的黑公文包。她始终微笑着，见到每一个人都大方地点头招呼，犹如夜幕中出现的一颗亮星，使人觉得既可望又可亲。

她很快便成了人们公认的美好的标尺。

年轻的尚未成家的男教师们，私下议论着找老婆时，充满了这类的感叹："要能找着夏晚宜那么个老婆，这辈子算掉到蜜罐里了！""有她二分之一的水平就知足啦！""到她四分之一那个程度的也难找啊！""嗨，我要能找着个顶她十分之一的也甘心啊！"

她的家庭也很快成了人们公认的幸福的标尺。

于穗实到学校里来过。那时他才三十出头，已经是少校的军衔了。可他一点架子也没有，跟学校里的教师们随和极了。脱了军装，光穿着背心裤衩，他和男老师们打篮球玩。屡屡出现的勾手上篮那个动作，让围观的师生们心醉神迷。

有一天傍晚，夏晚宜从学校林荫道上走过，听见几个男孩子站在双杠边议论说："练'块儿'得练'钢块儿'，别练成'囊块儿'！""我这不就是'钢块儿'吗？""去去去，你这还不成'块儿'呢！""那谁的才叫'钢块儿'？体育组陈老师那个叫'钢块儿'吗？""他那个也不行。瞧人家夏老师的爱人，那才叫'钢块儿'哩！""不光'块儿'足，瞧人家那做派，真叫帅！""听说是上校呢！""反正人家有'钢块儿'，还有大肩章，还有夏老师……"

夏晚宜红着脸走了过去。那时候学生们还不懂"健美"这个词，"块儿"指的是胸大肌。从这偷听到的议论中，夏晚宜也才进一步体会到丈夫的健美和气派。

"你哪能跟我们比哩，你还能有什么烦恼？"同事们常对夏晚宜这么说。

"我们家要有你家三分之一的幸福，那就真成小神仙了！"说这话的人表情恳挚，看上去实在不像奉承和谦虚。

但夏晚宜知道自己的短处。她的教学水平实在不高。纵然她备课努力，教案写得也很详细工整，但她没有口才，讲得干巴巴的，不会发挥，更不会随口成趣；倘若学生偶然向她提个并不难答的问题，只要事先没有准备，她便会慌乱得手足无措。要是别的老师只有这么个水平，课堂秩序一定好不了，可说来也怪，无论她上哪个班的课，教室里总是鸦雀无声。

卢蒂落是 1963 年才从师范学校毕业分到那所中学去的。他去时夏老师的极盛时期尚未过去。教研组长让他轮流观摩各位教师的历史课，他也观摩了夏老师的。他觉得她讲得实在了无意趣，有些段落甚至仅止是背诵教学参考资料，他不明白课堂上为什么反比别的老师讲课时安静。下了课，他去问几个聚在一起的女生："夏老师讲得怎么样？你们听明白了吗？"她们笑吟吟地漫不经心地回答："讲得好！""听明白了！"可他还没走开，就听她们把脑袋凑在一起，喊喊喳喳地议论说："夏老师那个领口是怎么裁的？真好看！""她那纽扣也棒呀！""她笑的时候一点不露牙龈！""她斜着站比正着站更美！"……

夏晚宜的教学水平，同事们和同学们固然大都充分谅解，无奈统考无情，每回她教的那几班平均分总是很低，有一次统考，她教的学生竟有一多半答不对"石达开的出走说明了什么"这个题目，学生们出了考场问她，她正在问别的教师，因为这种灵活的题目她自己也答不好。于是校长和党支部书记开始考虑是否给她调换别的工作。

后来她便当了那所中学的人事干部，还兼工会主席。摆脱了教学吃力的窘境，她变得更蔼然可亲也更乐观通达了。哪个中年教员家里闹矛盾了，哪个年轻的教员在对象问题上举棋不定，哪个老年教员进入了更年期无端郁闷……都爱找她个别地倾吐心曲，她能劝的就劝，能帮的就帮，她也拿不出主意时，便陪着人家叹息、流泪。

命运对她似乎格外宽宏。按说"文化大革命"她总得倒阵子霉吧，可她在学校人缘好，居然没人冲击。她爱人于穗实总得受冲击吧？偏于穗实 1965 年的上半年就因为动胆结石手术愈后不良，住院一直住到运动起来之后。文工团"造反派"中最激烈的分子都是 1965 年年中才招进去的学员，他们几乎都不认识这位"当权派"，所以对他也只是最一般的冲击。冲击波过去之后，新来的领导班子总得结合进一点老人，于穗实便最早得到了结合。结合后他既不去争权夺利，又同当时那套路线保持一定距离，因此在粉碎"四人帮"之后，整个领导班子更新改组时，他又得到了保留。人们称他为"三朝元老"，但确乎只是戏谑，而并不包含什么恶意。

　　卢蒂落1980年办妥从学校调到剧团的手续后,夏晚宜邀他去家里吃了一餐饭,说是给他"饯行"。面对着两位笑容可掬的主人和一桌佳肴,卢蒂落感慨万千。像他们这样的历二十多年而基本上无伤痕的家庭,在当代中国实属罕见啊! 只是岁月毕竟是个雕塑家,它每隔一阵便要重塑人们的形象。于穗实发胖了,皮肉不似当年紧凑,"钢块儿"大概终究也成了"囊块儿"。夏晚宜变化比于穗实更大一些。她仿佛矮了一点,鬓边有了一些白发,眼角、鼻翅边都出现了一些细琐的皱纹,肤色也不似当年那么艳丽而显得发黄。不过和同龄人相比,他们看去还是属于最富态的那种。

　　熟悉他们的人,偶尔也设想过,倘若他们到了晚年,一个先逝,另一个将会如何? 结论有两种:"爱情至上派"判定那另一个必定在不久之后也追随而去;"革命至上派"认为那另一个必定把逝去的爱人相片悬挂床头,心中涌动着最深刻的悲痛化为的最坚韧的力量,会在忘我的革命工作中独身到底……这两种揣测的实质是一致的——世上不可能有比他们更坚贞更不渝的爱情。

　　然而现在卢蒂落却获得了确切而怪异的报道:他们都并未进入晚年,于穗实便溘然长逝了。于穗实才去世一年多,夏晚宜便爱上别人,居然要"抱琵琶另上别船"了!

　　在卢蒂落的印象中,夏晚宜从来都是一泓清澈见底的溪流,在她身上最无神秘莫测的因素。然而,现在她却成了一个"司芬克斯之谜"。谁能像俄狄浦斯那样,猜破这个怪谜呢?

换了一桌,更有惊人的消息

　　听了秦雅弦的报道,卢蒂落不禁满腹惊疑。正胡思乱想之际,茶话会主持人的致辞结束了。人们照例鼓起掌来。其实谁也没有认真去听那番祝辞。卢蒂落鼓掌时望见了章栩生所在的那桌,鼓完掌便对秦雅弦道个歉说:"对不起,我得去那桌了,老同事们正跟我招手哩!"秦雅弦宽容地笑了笑,卢蒂落赶紧站起来朝章栩生他们那桌走去,中间他少不得又和遇上的一些熟人或半生不熟乃至迎上前来的生人握手致意，并匆匆地回答他们的一两句问话，走到章栩生他们桌前时，简直有一种前沿战士终于钻过了铁丝网般的感觉。但那并不是一种轻松的感觉，因为"铁丝网"前面便是"碉堡"，你得躲过对方的"火力"，并且勇取地扔出你的"爆破筒"去，才能占到上风。

"大编剧总算礼贤下士来了！"章栩生站起来嚷着，"一点不错——名副其实的'迟来的春风'！让大伙细瞧瞧，眼睛是不是挪到脑袋顶上去了？"

同桌还有三位老同事也一齐喧嚷起来，大致也是那一类的话。卢蒂落毫不示弱地扬起嗓门反击说："教育界的衮衮诸公们！今天到场的文艺界人士都是来伺候诸公的，一会儿歌舞曲艺明星们，就要挨个为你们当场献技，我也能沾光一饱眼福耳福了！惭愧的是我们填纸格子的角色并无一技之长，不能博诸公一笑——赏我一点果脯吃吧，如何？"说着一屁股坐到空椅子上，伸手抓过一块桃脯就往嘴里放。

大家又接着互相打趣了一番，双方的自尊心都未受到损伤，气氛轻松而欢快。这时文艺界的慰问演出已经开始。头一个节目照例是民乐合奏，头一个曲目照例是火暴的《金蛇狂舞》，一霎时乐声大作，卢蒂落觉得这正是说点"私房话"的大好时机，便贴近身边的章栩生耳朵，问他："刚才听到个惊人的消息——夏晚宜守寡才一年多，就又要结婚了！"

章栩生毫不掩饰他对这件事的嫌恶："你也听说啦？你瞧，这下咱们学校得臭遍全区了！不是咱们脑袋瓜封建，寡妇改嫁有什么稀奇？问题是——夏晚宜她破坏了她自己的形象，也就破坏了咱们学校的形象——在区里，教育界的人谁不知道她跟老于那一对啊！你也知道她爱的是谁了吧？"

"谁？"卢蒂落急不可耐地问，"谁啊？我还不知道是谁——有谁能比得了于穗实呢？"

"你小子甭装傻！你真不知道？你猜猜！"

"那怎么猜得着？是文工团里的人？"

"不是！她爱上的就是咱们学校里的人！"

"咱们学校里的人？！"卢蒂落在脑海里迅速地把能忆起的男教师都过了一遍，不是太老太小，便是有妇之夫，虽然有两个鳏夫，那条件分明太差……"是我走了以后才调去的？"卢蒂落只能这样揣测。

"不，是学校里的老同事——你也熟得很的！"

"我也熟得很的？究竟是谁啊？"卢蒂落推着章栩生胳膊，催促他，"唉呀，你就快告诉我嘛！"

"好，这就告诉你——你托住下巴颏子，省得听了以后脱臼！"章栩生在《金蛇狂舞》最急促繁密的高潮段落中说出了那位教员的名字："古羽青！"

卢蒂落果真惊诧莫名，张开嘴巴一时合不拢了。这真比故宫后面的景山喷出了岩浆更不可思议。

《金蛇狂舞》戛然而止了，卢蒂落在一片掌声中听见章栩生对他强调地说："这是真的！"

古羽青原来是个谜，可现在……

古羽青解放不久就到那所中学任教，他教俄语。他是东北人。个头壮实，身材颀长，有洁癖。他不管春夏秋冬，每天必去澡堂洗澡；天天刮胡子自不必说，头发并没有长多少，他就又进理发馆了，而且永远衣冠楚楚。他爱里头穿一件无领的俄罗斯式衬衫，外面套一件西服外套，他那个打扮做派在今天自然算不了什么，而在50年代和60年代初那个阶段里，人们远远望去，总会误以为他是外宾。

他课教得挺好，脾气也随和。但他这人在学校里不同任何人深交。他似乎总有着他自己独享的一个封闭的生活区域。

他酷爱俄罗斯古典文学，经常一个人躲在宿舍里，一边听着柴可夫斯基的《悲怆交响曲》的唱片，一边读着原文版的《契诃夫文集》，他的床头，长年悬挂着从《苏联画报》上剪下来的油画和电影剧照。凡是当年公映的苏联电影，他一部不漏，说起罗姆、顿斯阔伊、邦达尔丘克、尼凤托娃、拉丽奥罗娃等苏联导演、演员，他如数家珍。直到50年代末，王府井大街上的外文报刊部还可以很容易地买到苏联杂志，他一期不漏地买了5年《苏联银幕》，像《雁南飞》那样的影片，他在苏联一拍出来不久便很熟悉，尽管他看不到片子本身，但指点着剪贴在床头的大幅剧照，他可以娓娓地向同事们介绍演员巴达洛夫和萨莫伊罗娃的高超演技。

夏晚宜出现在学校里以后，他是单身男教师中唯一一个没有发出过赞语的人。他简直就不怎么注意她。学校里的单身汉们一个接一个地结婚了，他到了二十六七岁，似乎还不急于找对象，爱管闲事的老大姐们问到他，他一言不发，只是微笑。

后来终于真相大白。他早就谈上恋爱了，而且是炽热的恋爱。

这样的事情不知还有多少人记得：解放初期，在中苏友谊的热潮中，时兴苏联中学的学生们和中国中学的学生们互相通信。从苏联方面来的信自然是用俄文写的，从中国方面回的信却也是用俄文写的。那时候中国中学里几乎只有一种外语课，那就是俄语。这样的通信活动对苏联的中学有无积极意义，不得而知，反正对当时中国中学的俄语教学，确实是大有好处。

古羽青他们那所中学，是与基辅的一所中学互相通信。学生们接到了苏联来信，读不懂时，自然就拿去请教古羽青；而写好了回信时，也免不了拿去请他订正。就这样，古羽青读到了比一般人更多的乌克兰基辅的来信。

相互来信一开头都是泛泛的，类似当年写给志愿军的慰问信，每一封信任何人都可拆阅，碰得哪封算哪封，后来渐渐结成了对子，如恰好五月一日过生日的结成一对，恰好都想当地质队员的结成一对，恰好都爱集邮的结成一对，等等，这就类似60年代末中国的所谓"一帮一、一对红"了。

古羽青后来同一位基辅九年级女生结成了固定的通信关系，而且这种通信关系持续了很多年。自然，在"文革"期间，他受到了严厉的追究：为什么专门同一个外国姑娘去结成通信关系？他的回答始终是如一的：因为那位基辅姑娘在头一封来信中表示，她热爱中国，她想献身于苏联的汉学事业，她希望能有人回信告诉她，中国姑娘的典型性格究竟是什么样的？"她觉得自己既然决心去搞汉学，那么把自己的性格修炼成中国式的，当然也很有必要。这封既幼稚又高深的来信，学校里的一般人当然既看不明白也无从回复。但古羽青很认真地给这位充满憧憬的基辅姑娘回了一封长信，他建议她不要抛弃她原有的性格，他认为，两国人民之间的相互了解和文化的相互交流，不应当使两国的民族性格、文化素质的特性削弱，而只应是给予丰富和加强。他当时回信的情况，和他被追究时的回答，是真实的，但现在无从证实他们最初的通信是否的确如此，因为"文化大革命"一起来，古羽青便把所有的来信全部撕成碎片，扔到教师厕所中用水冲掉了——为此还曾引起过泄水道堵塞。

他们就那样开始了频繁的通信。那个基辅姑娘叫德丝琴珂。她从十年制学校毕业后投考莫斯科大学汉学专业，未能考取，在家里待了一段时间以后，她决心到乌克兰农村去当乡村女教师，教地理。她在来信中越来越坦率、越详细地倾吐她的向往、苦闷、决心和计划。而古羽青在回信中也越来越诚恳、越富感情地给她以勉励、建议、指点与关怀。搞不清他们从什么时候开始交换各自的照片，并在照片背后用俄文录上表露爱情的诗句。

终于，他们的通信进入到了实质性阶段。他们都建议确定关系，准备结婚。德丝琴珂要求古羽青照一张泳装照寄去，并解释说，这是她母亲给她出的点子。不消说，那位乌克兰母亲是怕这位未来的中国女婿徒具一张文雅面孔，而身材极为糟糕乃至身有残疾。这可让古羽青犯了难，照相馆里自然照不成，只好去游泳场，但他自己并没有照相机，也没有可以相托的给他拍照的朋友。在这种情况下他才想到夏晚宜。夏晚宜家有一架照相机，恰好是基辅牌的，她常把那照相机拿到学校里来，热情地供大家拍照，有谁向她借用，她从不吝惜。但无论是请夏晚宜拍摄还是借来自拍，显然都不相宜。怎么办呢？恰好学校组织春游，是去颐和园。春游的头几天，教师食堂开饭的时候，古羽青有意总"凑巧"与夏晚宜同桌，他一反常态地话多起来，频频问到老于的情况：又忙着排些什么节目？累得很吧？很该抽空休息休息！学校春游时为什么不邀他和宽宽一起来呢？能来吗？太好了！就怕临时又有别的事？那该多遗憾！还是不要错过的好！把照相机带去吧！其实颐和园也不过尔尔，万寿山上那些大屋顶有什么看头？还是在昆明湖里游游泳有意思！……

春游那天，夏晚宜全家果然都来了，宽宽那时才四五岁，古羽青把他叫到身边坐，递给他一大块巧克力，不住地夸他长得漂亮，脑门好宽，像罗蒙诺索夫！开头他没看到夏晚宜他们的照相机，心里怦怦直跳，后来发现他们原来把照相机搁在了一只放食品的草编筐中，这才吁出了一口气。后来一切总算顺利，他跟夏晚宜一家在昆明湖游泳玩耍，于穗实把宽宽带到深处去，吓得夏晚宜不断尖叫，古羽青便给他们拍照，后来他很自然地请于穗实给他在岸边拍了两张，一张正面的，一张侧面的。回去的时候，他扣下了人家的照相机，说人家忙，没有时间，他反正单身汉，由他去冲、洗。就这样，他总算搞到了自己的两张泳装照。自己端详了一番后，他颇惶恐：身材固然不错，风度也颇翩然，一望而知健康状况良好，只是不免清瘦——倘若德丝琴珂迷恋的是顿河哥萨克式的慓悍男子，她见到这样的照片，难道不会失望吗？

不。德丝琴珂没有失望。她也给他回寄了泳装照，是在黑海避暑地的沙滩上拍的。她双手撑在沙滩上，欠起上身，双腿平伸向前，海风吹乱了她一头褐发，她张嘴大笑着。她是健康、丰满、快乐的。

但是，像他们这样的一对恋人，能够真的结婚吗？

那时中苏两党开始产生尖锐的分歧，但古羽青和德丝琴珂都是本国中最普通的人，他们不是党员，也不懂政治。因此，他们仍照常写信，也照常在估计到的时间里得到回信。他们在信里不谈政治。那不是有意避讳，而是他们以为政治与他们无关。

但政治是不留情面的。赫鲁晓夫上台之后，苏联对中国不友好的态度愈演愈烈。恰恰在这个时候，古羽青向党支部公开了自己的恋情，并正式提出了结婚的申请，要求组织帮助。他说，让德丝琴珂来中国，或让他去苏联都行。校长和支部书记先是大吃一惊，然后便劝他不要那么没有头脑，促他清醒。除了从政治上开导，他们也向古羽青讲一些最朴素的道理，比如说："你们只是通信，连面也没见过，就恋爱上了，这不是荒唐吗？""中国有的是姑娘，你干吗非爱那么个虚无缥缈的外国人？你在中国要是找对象困难，我们帮你找！"古羽青竟听不进去。之后，校长和支部书记又多次找他谈话，劝他中止和德丝琴珂的通信，也不知他是天真还是顽固，他说："为什么？邮局不是还照样把我们的信送过去递过来吗？要是我们通信不合法，邮局为什么不扣我们的信呢？"

后来居然发生了一桩应当说是骇人听闻的事。据说古羽青和德丝琴珂共谋之后，便在同一天，古羽青给赫鲁晓夫写了一封信，德丝琴珂给周恩来写了一封信，两封信的内容大同小异：恳求另一国的总理能准许他们结婚。

他们没有结成婚。后来渐渐地中止了通信。1963年，古羽青已经34岁，他接到了德丝琴珂最后一封信，这位已然 27 岁的乌克兰姑娘简单地宣布，她将同一位农艺师结婚，她在信末向古羽青说："忘记我，但要珍惜我们曾经有过的感情！"

卢蒂落到那所中学去工作时，古羽青的爱情悲剧已然闭幕。他只觉得这位同事浑身笼罩着谜一般的气氛。比如说，一方面古羽青的洁癖进一步有所发展，一般爱干净的人只不过坚持"饭前便后要洗手"的准则。他呢，却饭后便前也要洗手，特别是便前洗手，他不仅洗的时间长，还要连连撩水冲洗那龙头开关，洗完关妥后，往往还要再拧开重洗，显然是觉得手沾了龙头开关，又脏了。别看他洁癖到了这种程度，另一方面，他在下乡劳动中又很能吃苦。那时每到麦收时节，全校师生几乎都要倾巢而出地下农村割麦子，古羽青竟是师生中割得最快最净的能手之一。他有一身自备的"劳动服"（实际上就是旧衣旧裤），穿上那套衣服，他一点脏也不怕，每回临到收拾行装准备返城，他便将那套"劳动服"赠给房东，房东照例并不嫌弃，还要诚心诚意地给他道谢，但当房东往他书包中塞杏子、李子时，他却坚决不收，他也诚心诚意地说："我们学习解放军，不拿群众一针一线！"古羽青的这种矛盾表现还可以举出很多。最矛盾的事情当然是他对待爱情（或者说找对象）的态度。一方面，他一遍又一遍地去电影院看苏联电影《基辅姑娘》（尽管中苏分歧越来越严重，仍有少数苏联电影被认为是比较好的，被译制过来不断放映，一直放映到"文革"前夕，个别的苏联电影，如《列宁在十月》和《列宁在一九一八》，则无论是"十七年"阶段、"文革"阶段、"两个凡是"阶段和现阶段，都始终被当做正面教材反复放映，以至成了中国几代观众最熟悉的两部影片），并且把电影杂志上那女主角的形象公开张贴在自己床头，这再明显不过地反映出他对那位银幕外的"基辅姑娘"的痴情；另一方面，从 1964 年起他便不断接受好心人的介绍，颇为频繁地搞起了对象，有的见过一面便告吹，有的发展到多次逛公园、遛马路，拖上一两个月才告吹，这种状况一直延续到"文革"到来。你也不能说他是故作找对象的姿态，因为夏晚宜就曾给他介绍过一个从部队转业到地方的合唱队队员，他确实相当满意，巴不得能早日成婚，但最后是女方几经动摇后，终于同他分了手。从这件事上，你又会觉得古羽青对那位"基辅姑娘"也并非痴迷到感情不能转移的程度。

古羽青究竟在想些什么？他会不会从个人遭遇出发而倾向修正主义势力？他

有没有叛国的念头？一旦发生某种意外情况，他会不会当汉奸？他那种政治上的幼稚和无知，究竟是真相还是假相？他的努力工作和奉公守法，究竟是出于畏惧还是出于忠诚？ 1966年上半年，在一次党支部会议上，基于"反修防修"以及"以阶级斗争为纲"的势头越来越猛，党员们对他进行过分析。当时卢蒂落还是预备党员。他记得争论并不激烈，最后也没有形成统一的认识，更没下什么结论。不过讨论中确有几种说法，一种意见以学校保卫干部汤巡礼为代表，认为古羽青实质上是埋伏在中国的一颗"定时炸弹"，对他的一举一动都必须随时加以注意，万万不可掉以轻心。另一种意见以担任人事干部的夏晚宜为代表，认为从所了解到的情况上看，古羽青的问题还是属于人民内部矛盾，他主要是政治思想水平太低，观察问题和处理问题太幼稚，想法太天真，对他需要进行耐心的教育和热情的帮助。卢蒂落回忆起当时的情景，感到无论是汤巡礼还是夏晚宜，表情都是严肃认真的，而发言的语气却心平气和。他听完汤巡礼的发言由衷地佩服，感到人家警惕性就是高。但听了夏晚宜的发言后，他又觉得也言之成理。这次支部会开过以后，同古羽青接触时，他既好奇又惶惑，比如，当古羽青跟他偶然谈到特列嘉可夫画廊时，那双眼睛里的光彩是否不大对头？他是应当继续听下去还是应当转身走掉？

"文革"来临了。对于卢蒂落来说，"文革"本身是个大谜，而古羽青是个谜中之谜。一开头，揭发批判古羽青的大字报铺天盖地而来，在大字报中的漫画上，他简直成了个妖怪。那时候，对他是不讲"温良恭俭让"的了。不过，左批右斗一阵之后，他成了死老虎。随着运动的深入，"真正的革命造反派"却说把他抛出来是为了"转移斗争大方向"，于是他的处境顿时松缓，而汤巡礼那样的人（汤巡礼不仅是保卫干部，还是党支部委员，不知为什么他"民愤"最大）日子一下子变得极为难过。再后来学校里分成了两大派，一派说古羽青是"旧党支部包庇的坏人"，另一派却去动员他加入该派组织，说他是"天然的革命群众"。但是到"清理阶级队伍"的时候，汤巡礼却公布了一个惊人的材料：古羽青不仅给修正主义头目赫鲁晓夫写过信，而且还得到过赫鲁晓夫亲笔签名的回信！古羽青立即被几派组织联合揪了出来，"内奸"这项帽子，他是戴定了。

当时的专案组吸收了卢蒂落参加。他被分配初阅古羽青每天一次的"交代材料",任务是把其中重要的地方用蓝铅笔划出,以便"编辫子"。他发现古羽青写的"交代材料"很古怪。他承认给赫鲁晓夫写过信,也并不否认赫鲁晓夫给他回过信,但他说他并未得到过这封信。他承认他崇拜托尔斯泰,喜欢看苏联电影,并向往去苏联游览,却只字不提他与德丝琴珂的爱情。这样的"交代材料"当然要被认为是"假交代,真反扑"。有一次的"交代材料",卢蒂落看了也不禁气愤,因为在那干干瘪瘪不足半页的"交代"中,居然出现了这样的一句话:"我早就知道汤巡礼有个哥哥在联合国当雇员,可从未向组织汇报过,这也是错误的。"卢蒂落知道汤巡礼是汤家兄弟姐妹中最大的一个,而且"文革"前他既然一直当着支部委员、保卫干事,可见组织上对他的家庭情况是清楚的,并且认为他是可靠的。古羽青真是"狗急跳墙",自己的问题不老实交代,还血口喷人,是可忍,孰不可忍?!

专案组结案时,把古羽青定为"内奸"、"特嫌",鉴于他罪行严重,认罪态度又极为恶劣,最后是把他"扭送"了公安局。

不过,使卢蒂落大惑不解的是,即便是已经处于"砸烂公检法"的混乱情况下,当时的公安局仍然回复学校专案组,认为古羽青不够逮捕法办的资格。汤巡礼带头大怒,呵斥公安局分明是右倾,可见"砸烂"得还很不够!难道把已经扭送去的古羽青再送回学校来吗?那会长什么人的气焰、灭什么人的威风?于是,便又紧急补充了一些古羽青"恶攻"的罪行材料,交给了公安局。公安局这才对古羽青进行了"法办"。在一次几千人参加的"公审宣判大会"上,古羽青同另外几个犯人一起被押到了台上,戴着手铐,剃了光头,完全变成了另一副模样,他被判处了十年徒刑。卢蒂落当时对他并无怜悯之心,只是纳闷:公布的判词中为什么只字未提他"里通外国",他的反动头衔也并非内奸、特务,而是"现行反革命"。

粉碎"四人帮"以后,公安部门逐渐恢复到正确的路线上,一批又一批的冤假错案得到平反。卢蒂落调离学校不久,便听说古羽青被释放了。开头他还以为不过是减刑或特赦,后来才知道是彻底地平反,属于错抓错判。同时又听到了汤巡礼被提升为校长的消息。他打听过,汤巡礼同古羽青能够相安无事吗?人家告诉他,古羽青并不要求换校工作,起码在表面上,汤校长和古老师之间不过是相互冷淡而已,并没有爆发过任何的矛盾。

卢蒂落前年有一次在颐和园长廊中，见到了夏晚宜，那时候于穗实还显得很健康。卢蒂落和夏晚宜说起学校里的事，其中有一段议论到古羽青。卢蒂落问夏晚宜："赫鲁晓夫给他回信的事，是真的吗？"夏晚宜说："那不过是三行打字机打的公文，最后有赫鲁晓夫一个潦草的签名。大意是说：你的来信收到了，深表同情。但因两国之间没有有关的协定，所以不能满足你的愿望，深致歉意。有关部门通过学校党支部，向古羽青转达过这封信的内容。我当时就觉得这至少不能算古羽青有什么罪行。'清理阶级队伍'的时候，汤巡礼抛出这个材料，我也觉得是不恰当的。"卢蒂落又问夏晚宜："古羽青当时造谣，说汤巡礼有个哥哥在美国什么的，他是蓄意报复吧？如果说汤巡礼当时对他'左'了，他这一手也够戗的啊！"没想到夏晚宜平静地告诉他："老汤是有个亲哥哥在美国，跟他同父异母。那哥哥确实是联合国的一般雇员。台湾窃据中国席位时，他当雇员。咱们恢复了正当席位后，他还当雇员。他很小就同那个哥哥分开了。多少年确实都没有什么联系……"卢蒂落不禁吃惊："老汤为什么一直对组织上隐瞒呢？"夏晚宜宽容地说："还不是有顾虑呗。再说也确实不是一母所生，又比他大了十多岁，解放后就断绝了来往……"卢蒂落仍旧满腹疑问："古羽青是怎么知道老汤哥哥这档子事的呢？"夏晚宜依旧不紧不慢地说："其实也不神秘。前些天老汤哥哥回国探亲的时候，参观了咱们学校……"卢蒂落听了觉得挺不是滋味："老汤哥哥回国来了？还跑到学校来看他？"夏晚宜说："不是来看他，是正式的参观。你知道咱们学校现在是'开放单位'，有外国人提出来想参观中国的中学，咱们学校就是参观点之一。老汤哥哥是利用联合国休会时间，自费来探亲旅游的，他是通过中国旅行社，提出来要参观咱们学校，由旅行社的工作人员陪着来的。他来的那天，老汤还有意回避了，老汤说：'公、私两档子事还是别搅和在一块的好。'他在参观课间操的时候认出了古羽青，主动热情地招呼。原来古羽青他们家解放前一度同老汤这个哥哥家是街坊，老汤哥哥跟着他妈单过，跟老汤他们并不住在一块，但是古羽青知道他跟老汤的兄弟关系，并且也知道他1948年就去了美国，当了联合国的雇员，在那儿搞中文的文书工作。古羽青解放后虽然跟老汤同在咱们学校工作，但他一直没有问过老汤这关系，也一直没向组织上反映过，直到他那回写所谓'交代材料'，才涉及了这个问题……"卢蒂落经过昆明湖边的这番谈话，顿觉古羽青身上的神秘色彩减退，他不再是一个谜，而是一个完全可以理解的人……

然而，真的就不再是谜了吗？

如今，夏晚宜和古羽青怎么会成为了一对恋人呢？无论就生活道路、性格素质以及在人们心目中的地位这几方面看，他们两人的差异都是再大不过了。像古羽青这么个人，他究竟有什么值得夏晚宜去爱的地方呢？他又是用什么手腕，使夏晚宜堕入迷谷的呢？看来，生活永远是个谜，人也永远是个谜。当然，有谜底。但企图靠一套死板的教条，靠一点简单的分析，靠一些既有的经验，便把那谜底揭示出来，是不可能的。

当独唱开始的时候，他去找汤巡礼交谈

卢蒂落来参加这个茶话会之前，做梦也没想到竟能对人生有如此奇特的发现。他一边同章栩生他们交谈，一边思绪连绵。民乐合奏演过去了，女声小合唱演过去了，舞蹈《师生同伞》跳过去了，还有一个胖胖的曲艺演员不知是唱了段京韵大鼓还是西河大鼓，他都全然没有在意。当他所认识的那位男高音歌唱家开始独唱时，熟悉的声音撞击到他的耳膜，他才把头扭向演出区，朝那边张望一下，张望之中，他发现汤巡礼恰好坐在演出区另一边的头一桌上，而且他和汤巡礼的目光似乎还有所接触．他赶忙点头微笑，但汤巡礼并没有什么反应，或许是老汤并没有认出他来？

不仅是考虑到老汤已经升任了校长，而且考虑到老汤是最富尊严感的人，卢蒂落站了起来，对章栩生他们拱拱手说："一会儿再聊，我得见见老汤去！"便绕过演出区，走到汤巡礼身边，弯下腰，毕恭毕敬地招呼："老汤！汤校长！"

汤巡礼抬头一看，微微一笑，站起来同他握手，旁边的同志赶忙让出了一把椅子，于是他便同汤巡礼坐在了一起。

老汤只是给他递琥珀花生，找杯子给他倒茶，并不问他什么。这倒反使卢蒂落觉得尴尬。自从卢蒂落成名之后，熟人们见到他，总免不了要问这一类的话："最近又发表什么新作啦？""又埋头写什么啦？"像章栩生他们，发问之前还要打

趣他一番，尽管用语刻薄，卢蒂落听了毕竟心里还是暖烘烘的——人家看重你的存在啊！

老汤却全然与众不同，他招待毕卢蒂落，继续听歌，只是淡淡地同卢蒂落评论那歌唱家的演唱说："比当年逊色了。中气不足了。"卢蒂落说："我跟他挺熟，去年我们一块去南方参观过。"老汤只是"呃"了一声，并无询问更多情况的兴致。

结果卢蒂落只好向老汤发问："忙吗？现在学校里情况怎么样？"老汤呷口茶，不紧不慢地说："还是那样么。"卢蒂落又问："学校里有什么新闻？"老汤一边欣赏独唱一边似笑非笑地说："学校里能有什么新闻？"卢蒂落不禁索然。听完那男高音唱完《校园里的小白杨》，鼓掌的时候，卢蒂落凑拢汤巡礼，直截了当地问："夏晚宜跟古羽青恋爱上了，是真的吗？"老汤鼓完最后一声掌，气度雍容地说："喝茶吧。我这个人最不喜欢背后议论人家的事了。"卢蒂落涨红了脸，只好讪讪地端起茶杯喝茶。

"我这人最不喜欢……"这是老汤表达轻蔑的一种口吻，卢蒂落原是熟悉的。记得还是在"文革"前，有一天几个老师聚在传达室里议论纷纷，原来那天的报纸副刊上登出了卢蒂落的一篇散文，卢蒂落进去了，他们起哄打趣，要他用稿费请大家吃糖，接着老汤也进去了，他是去取家信的，有人就把那张报纸塞到他手中："请看卢蒂落的大作！"他看也不看便从容地把那张报纸放到桌上，照例风度雍容地笑笑说："我这人最不喜欢看报纸上登的这种'豆腐块'了。"

汤巡礼的这种雍容的轻蔑，使他在许多师生眼中成为一个思想境界高人一筹的人。

别看卢蒂落当了专业编剧，有两个剧本搬上舞台，又写小说，还得过奖，上过电视，汤巡礼用不着说出来，只要用眼神一表示："我这人最不喜欢什么文学戏剧了……"便在心理上把卢蒂落扫荡一空。

汤巡礼今年整50岁。他出生在商业资本家家庭。他是父亲第二个宠妾的头生子。小时候是个神童，一上学便成绩优异，跳过两次班，所以他十五岁时便上到高中一年级了。1948年秋天，他和一些思想进步的同学逃出了戒备森严的北平，投奔了解放区。北平和平解放以后，他被分配到华北革命大学学习，在"革大"中他是年龄最小的学员，在"革大"受训一年后，他以"调干"的身份被保送到河北北京师范专科学校政教专业学习两年，在那里一满18岁便入了党，毕业后他就到现在的这所中学工作，先当政治教师，后任保卫干部，头年老校长退休时，他又升任了校长。

平心而论，汤巡礼三十多年来在学校里确是兢兢业业，教政治时他讲课既不乱跑野马，也绝不枯燥乏味，在体现出他的马列主义理论修养与革命斗争的实际经验上，都远比其他政治教师高出一大块；担任保卫干部期间，他警惕性高，斗争性强，逢年过节组织师生值班护校滴水不漏，外事活动中布置安全保卫不露痕迹；这些工作在他心目中还不是最主要的，他长期担任党支部委员，在每次开支委会时，他对所研究的问题都早有分析，发言不仅原则性强，而且条清缕晰，遇上别人同他意见相左，他从不急躁，但也从不轻易让步，总是心平气和地据理力争，往往支委会的意见便统一在他提出的看法上。此外，他嘴严，从不犯自由主义，党内党外有别，内事外事有别，当面背后有别，这些原则他大体上总能坚持不误。

但他内心深处也一直有着深深的痛苦。

他有一种潜在的自卑感和恐惧感。他家庭出身不好。他隐约感到他从"革大"结业后，组织上保送他上"师专"，是受这出身的牵连。当然当时组织上是跟他讲教育战线急需他这样的人才，他也立即表示愿为党的教育事业贡献终生，但他总在心里暗暗地说：倘若我出生在工农家庭，也许便保送我留苏，安排到外交部门工作了……到学校工作以后，安排他当了保卫干部，他非常感动，觉得党对自己的信任真是没齿不忘，但想起他屡次填写干部登记表时，都未填写过他异母哥哥在美国联合国当雇员的事，他便愁绪万千。常常是回到家中，老婆已经睡着了，他还倚着床栏，一支又一支地抽烟，心里琢磨着：今天人事干部夏晚宜收到的那封公函，会不会便是外调我这个社会关系的呢？他与夏晚宜合屋办公，他要弄清这个似乎并不困难，多少次机会就摆在那儿等他利用，但他终于用党的纪律性把自己约束住了，他始终没有向夏晚宜探问过一句，也没有拆阅翻看过不属于他职权范围的公函。他也曾打算把这件事写个书面材料主动汇报给组织，但想到可能发生的后果——即使组织上充分谅解而仅仅是解除他保卫干部的职务——便感到难以承受。他也常常在浓浓的烟雾中原谅自己：毕竟那哥哥早就随父亲的大老婆跟他们分居另过了，那哥哥1948年春天去美国并当了联合国雇员后，也仅只托人从香港给父亲来过一封信而已，后来便毫无联系。他为什么非得受这么个该死的哥哥的牵连，而失去组织上的充分信任呢？！

他恨他出生的家庭，恨他的父亲和母亲，恨他那个在美国的哥哥。他早就不同父亲来往（母亲在他参加革命前便死了），1963年，当有一天他二妹妹找到他，告诉他父亲病死了的时候，他由衷地说："死了活该！"父亲晚年同他二妹妹一家住在一起，他从未去看望过，二妹妹以为人死了他总得去照个面，他却毫不动摇地说："你们拿去烧了吧。活资本家、死资本家，我这个共产党员都不喜欢见。"他倒是拿出了30块钱，递给那个妹妹，但又严肃地申明："这是补助你们的。这件事明天我就要向支部汇报。"第二天他果然及时汇报了。支部的人都为他坚定的阶级立场所感动。

他虽和夏晚宜合室办公，有的工作又是在一起配合进行，但他们的关系总处得淡淡的。夏晚宜有时想同他聊聊闲天，但无论是新近上映的电影还是哪种新上市的商品，他都丝毫不感兴趣。夏晚宜只好另找别人去说说闲话。

在内心深处，汤巡礼对夏晚宜又嫉妒又瞧不起。夏晚宜其实出身也不好，社会关系也复杂（她有公开的海外关系），只不过因为嫁了硬邦邦的贫农出身的"红小鬼"，便不但组织上对她无限信任，她本人心理上似乎也非常松弛。其实夏晚宜这人不过是徒有其表，虽说念了四年大学，根本就没有什么真才实学，工作能力也低得可怜，瞧她午休时间织着毛线同女教师们聊天的那模样，与家庭妇女有什么区别？内心里潜藏着这样的意识，因此每到党支部开会时，凡是夏晚宜发表的意见，他总要本能地微笑着加以驳斥，倘若夏晚宜竟主动对他的意见提出了异议，他那"开展党内斗争"的斗志便成倍增长，当然，他的战术是一律采取"微笑式"。

"文革"开始的一段时间里，他受冲击很厉害，对此他并不吃惊，他觉得这只能说明是因为他平日一贯坚持原则，铁面无情，所以得不到群众的谅解。在"清队"期间他积极战斗，带头把古羽青揪出来并建议扭送公安部门，事后有人私下议论，说他是怕古羽青揭发他隐瞒了在美国的那个哥哥的社会关系，他至今付之一笑。他当时确实不知道古羽青竟掌握了他的这么一条秘密。清夜扪心，他毫无愧报。当然，他当时把古羽青的问题、性质看得过重，之后所补充的"恶攻"材料，上纲上线稍稍偏高了些，所造成的后果也够古羽青打熬的，不过，这先得由当时的政治局势负责，由极左路线负责，其次，也得由当时的公安部门负责，学校革委会的"专案组"集体负责，他当然也有一份责任，但那不过是共产党人难以避免的失误而已。

在今天的这个茶话会上，他的心情如何？他不是装出欣赏那男高音歌唱家演唱的姿态的，听着那小乐队伴奏下的歌喉婉转，他大有"美人迟暮"之感。

他升任校长了。在中学的四堵围墙之内，如今校长比党支部书记更显得位尊职重，对此他不应当满足吗？不。他伸手摸着自己的鬓角，尽管他那一贯矮胖的身躯并没有显得更加臃肿，鬓角的头发却已经开始大量脱落。他50岁了。最好的岁月都已过去。如今四十几岁的干部提拔为省委书记、市长的已不稀奇，他年抵半百，才只不过当上了一所中学的校长。他很清楚，他这也只不过是一个过渡性的校长，五年后大约会提拔一个三十多岁的教师接任他的。

他那因为家庭出身和社会关系而形成的心理压力，当然已经全然解除。特别是他让从美国回来的哥哥公开到学校露面以后，再没有任何人会在这个问题上小看他了，他觉得心情大畅。由此他衷心地拥护当今党的路线和政策，这么好的路线和政策为什么没有更早地到来呢？在欣慰之余，他不禁生出丝丝缕缕的惆怅……

对于卢蒂落所打听的夏晚宜和古羽青的事情，他任凭学校里的人们议论纷纷，始终没有公开表过态。从政策上说，这是人家两个人的私事，何由干涉？然而他对这两个人的轻蔑却由此达到了顶点，尤其对夏晚宜，他有种幸灾乐祸的潜意识：当年你在人们的心目中多么美好神圣，跟你站在一起，你总比我优越一头，现在怎么样？"原形毕露"了吧？你竟跟古羽青那么块料搞上了！是呀，当年给古羽青判十年徒刑，那是重了点，可难道说他一点问题没有吗？今后不以阶级斗争为纲了，可共产党员总得具有纯正的阶级感情吧？古羽青浑身散发着资产阶级、修正主义的臭气，你成了逐臭之蝇！但也不光是这么一种情绪，说来也怪，有的时候，他对夏晚宜到了这么个年龄还能不管不顾地追求个人幸福，倒也颇有几分敬佩，并掺杂着几分嫉妒。他想到了自己的"个人问题"，当年，师专中文专业的一位女同学，又聪明又漂亮，思想也不能说不进步，是个青年团员，追他追得可厉害了，他难道就不动心吗？一次舞会上，他们结伴跳了足有一个来钟头，后来他俩又双双到北海公园荡舟，同坐在船尾，她给他讲苏联小说《白桦》的故事，他听着，那小船在月光下翘着船头打转转，他听到一半，便忍不住搂住她肩膀，吻了她……但最后他却坚决地同她断绝了关系，因为他知道了她的底细：她的出身比他还要恶劣，并且，她还有一个姑母在香港……他后来经过非常理智的挑选，选中了如今他的这位妻子，是个出生城市贫民家庭的小学教师，婚前他自己开介绍信对她进行了详细的外调，她的出身和社会关系确实都经得起最严格的推敲……多年来他们相处得不错，养了两个孩子，一男一女，妻子的工作职务和本人政治面目比他稍差（她退团后没有入党），这有利于他们夫妇间相处时心理上达到平衡，但这么多年过去了，回过头去一想，他其实对这位贤妻并没有多少可以称为是爱情的感情，如今世道变了，人们的七情六欲只要不触犯法律，似乎都可以公然向外流泄。他呢？他却失去了重新追寻爱情的机会，他是再不可能同一个令他心醉神迷的姣好女子，同坐在小舟的尾上，把那小舟的船头压得翘起来，听她在他耳边絮絮地讲述什么《白桦》了……唉，他何尝不是一个感情丰富的人？听到那男高音歌唱家唱《教我如何不想他》时，他的眼睛竟然潮湿了……

可是卢蒂落没有体察到汤巡礼此时此刻的这种心情，他只觉得尴尬，又说了几句淡话，便离座而去了。

有一个人，愿为他提供谜底

卢蒂落刚走了几步，还没决定是回到章栩生那桌还是另找一桌坐下，迎面便遇上了一位乐乐呵呵的中年妇女。中年啊中年，人到中年，大多发胖。卢蒂落自己胖了，章栩生、汤巡礼胖了，迎面走来的这位金荷同志也发胖了！

金荷原来也在卢蒂落工作过的那所中学任教，她是教语文的，头两年调到了教师进修学院，负责编写语文教学参考资料的工作。

金荷一见卢蒂落便拍手惊叫起来："卢大瓜，真少见啊！"这时那位歌唱家已经下场，一位女演员已经开始表演小魔术，没有音乐伴奏，场内相对来说显得比较雅静，金荷这么一嚷，引得不少人扭过头来张望，于是她一吐舌头，便捂着嘴，把卢蒂落引到了离演出区最远的窗边。

他俩倚在窗台上交谈起来。

金荷比卢蒂落还要大上一岁。她这人是"刀子嘴、豆腐心",发起牢骚来能吓坏胆小的,打起抱不平来能吓倒妄为的,除了少数人嫌厌她,大多数人都觉得她可亲可信。

卢蒂落对她说:"别的女同志,我不敢恭维她们发福,对你我可没有什么顾虑——少吃脂肪吧,跟当年比,你快多出半个来啦!"

金荷仰脸笑着,满不在乎:"是吗? 唉呀,我也不知道是为什么,我这人喝凉水都长膘!"

金荷笑完,心直口快地叫着卢蒂落的老外号批评他:"我说大瓜呀,你可得注意呀,不能骄傲自满啊! 你刚才干吗不理人家老李? 老李在一边等了半天,你连手也不去跟人家握一下,光顾跟你们文艺界的人拉近乎,你像话吗? 你才出了几天名,谱就摆得这么大,发展下去,你还得了哇?"

卢蒂落这才又想起刚才进门不久的一幕,他忙朝大厅内张望着:"李处长在哪儿坐着呢? 你等等,我这就去负荆请罪!"

金荷告诉他:"不用啦! 她还有别的事,已经走啦! 你以后注意就是了。她临走的时候跟我说,她是想找你谈谈,希望你还是多写写教育战线的事,写写教育战线的先进人物,写写教育战线的拨乱反正,写写两种教育思想的斗争。"

卢蒂落诉苦说:"现在写东西不容易呀。"

金荷嘻嘻哈哈地说:"有什么难? 我就是没那个工夫,其实我要写起来,不一定就比你们差。先想好一个中心事件,比如调整领导班子,落实知识分子政策,企业实行利改税,学校实行新的考试制度,反正这一类的事情;再围绕中心事件设置几组人物,一组是改革派,代表正确的思想路线,现在跟以前不一样,这正面人物当中最主要的那位,时兴突出他性格上、生活作风上的缺点,比如脾气暴躁,跟有夫之妇谈恋爱什么的,反正七情六欲比常人更发达;再一组是保守派,处处成为阻力,很顽固,但现在又时兴把他们写成性格上、生活作风上很温和、很严谨的那么一种人,总之是没有出息的谦谦君子;第三组是动摇派,或者胆小怕事,或者信仰破灭,或者玩世不恭,或者胸无大志……现在时兴的不是写正面人物如何给他们讲道理,作思想工作,而是用当场兑现的事情把他们震住。比如你不是爱打牌吗？咱们打一回，我比你还会玩！你不是爱喝酒吗？咱们一块喝，我喝一整瓶给你看看！正面人物最好不要太多引用革命导师的话，他应当能随口背出什么黑格尔啦，罗曼·罗兰啦，杰克·伦敦啦，总之是这类人物讲过的挺深奥的话……也许还需要第四组人物，敌我矛盾，贪污犯，走私犯，渎职犯，刑事犯，现在时兴把他们设计成出身好的，有过革命经历的，红旗下长大的，而且还挺富有人情味……就让这些人物围绕那个中心事件吵起来，闹起来，一个回合，两个回合，有起伏，有跌宕，但最后不要大团圆，那就落套了，要胜负未定，但前途光明！里头要多添些作料，放胆写拥抱、亲吻以及比这更露骨一点的东西，不能明写就进行暗示……怎么样，我要真的拿的笔来，你也得让我三分吧？”

金荷这一番高谈阔论把卢蒂落逗得忍不住笑出声来——多亏这时候魔术早已演完，换成了一个用录音伴奏的什么古装舞蹈，要不，他俩的谈笑声一定会引得全厅注意——卢蒂落连连点头说：“岂止三分！我甘拜下风！你这作品一出来，肯定发头题，肯定打响……不过，你也太刻薄了！”

金荷确确实实不过是开开玩笑，她用双手整整满头的大鬈说：“算啦！我才不跟你们抢饭吃呢！说说你的情况吧，究竟在考虑些什么？下一步打算怎么往下写？”

卢蒂落说：“中学里出来的，眼界狭窄，生活积累面不宽，我打算多跑跑其他行业，开阔眼界，加宽加厚生活积累，再往下写。只是文债太多，推掉一半，剩下的也还不少，有的又不能不还，欠人家的情啊……”

金荷说：“你一边深入生活一边写嘛！我觉得，文学还是应当把重心落到写人上。应当让读者读了你们的作品，更理解人，理解原来不理解的人，理解原来误解了的人，理解原来没理解透的人……你说呢？”

卢蒂落便向她提出问题：“是呀！不过，最难的事情莫过于理解人了。你当然也知道了夏晚宜和古羽青的事，刚听说的时候，你没吃惊吗？真是个谜。谜底是什么呢？”

金荷说：“我不能说我对他们的理解就对，可我觉得我能理解他们。你知道在学校时我跟夏晚宜最合得来，她对老于的爱，那真是比海还深。可问题也就出在这儿。有一年老于他们下部队演出，一去两个多月，夏晚宜把我拉到她家陪她住。她跟我虽然也聊别的，可聊得最多的还是老于。她天天站到年历跟前算日子，把过去的一天划掉，用食指指点着计数，点到她用红笔圈出来的那一天为止——那便是老于他们归来的日期。没有老于，她连最简单的事情也拿不定主意。她是一个害怕寂寞的人。她需要最具体的爱抚和保护，而这是光凭她自身的精神力量和同志间的友情都不足以替代的，一句话，她不能长期没有丈夫。原来宽宽还小，多少是个伴侣。现在宽宽早已长大成人，又不愿同她住在一起，小两口尽管一个星期至少去看望她两次，时间毕竟短暂，再说小两口越是亲亲热热，她看着就越感到惆怅空虚……正是在这种情况下，古羽青主动接近了她，听说是古羽青先开的口。她一定也有过思想斗争，但最后她还是爱上了古羽青。我认为这并不是对老于的背叛，而是对老于的爱情的一种补充。像她那样出身的人，少女期所憧憬的，或许首先是古羽青式的文质彬彬、凭知识吃饭的人物，后来受到时代潮流冲击，才转移为于穗实式的工农型、干部型的人物，所以在她的潜意识里，早埋伏着爱上古羽青式人物的种子。她对于穗实爱得那么深，也恰恰是因为老于不同于一般的工农型干部，而是颇有儒雅的知识分子风度。现在老于去了，古羽青来了，她那颗耐不住寂寞的心里的种子，便像从煤层中掘出的古莲子一样，在新的时代气温的催动下，发了芽，开了花……而一旦她拿定主意以后，她在部队里磨炼出来的那种义无反顾的精神，便使她显得比一般的寡妇更勇敢，更坦率……你知道吗，古羽青平反以后，教育局分配给他一间平房，在一个大杂院里，他嫌那间房还不够大，决定再接出一间去。他钱是有的，平反时补发给他一万来块钱工资，可他一介书生，拿着钱不知道该怎么变出那房子来。夏晚宜就公开地帮他买砖瓦木料，借文工团的卡车运送，还帮他联系了文工团附近的修建队，给他盖起了那间挺像样的房子。布置房子时，夏晚宜亲临指导，告诉他床应当摆成南北向，枕头搁南边，这样睡觉和地球磁力线协调，能睡得香甜，如此等等。"

"咦，这我就不明白了，"卢蒂落问，"他俩既然准备结婚，为什么还要布置两套房子呢？原来分给老于的大单元，文工团不会收回的嘛，夏晚宜就是把古羽青招进去，也没什么关系嘛……"

金荷扬起眉毛："你真的是只知其一，不知其二么？他们俩之间的爱情，并不是一帆风顺！他们到目前为止，也还并没有下决心去登记结婚啊！"

卢蒂落瞪圆双眼："为什么呢？难道他们的结合，还存在着什么障碍吗？"

正说到这个节骨眼上，一个小姑娘跑来打断了他们的谈话，拉着卢蒂落的手说："叔叔叔叔，我爷爷让我过来请您过去，他要跟您聊聊！"

卢蒂落莫名其妙："你爷爷是谁啊？在哪儿呢？"

小姑娘朝一角指去，卢蒂落顺她所指望过去，发现他工作过的那所学校的工友戚师傅，正笑眯眯地朝他招手。

"快去吧快去吧，咱们以后再聊。"金荷也看见了戚师傅，她对卢蒂落说，"我跟戚师傅刚才已经见过啦。你的问题，他也能回答。"

卢蒂落便赶紧朝戚师傅坐的那桌走去。这时舞蹈跳完了，接下去的一个节目是武术表演，原来戚师傅的孙女是武术队里表演双刀对单枪的，怪不得她穿着一身绸子的练功服，脸上还擦着胭脂。

最后一个节目是相声

跟戚师傅亲亲热热地叙了会儿旧，卢蒂落便把话题引到夏晚宜和古羽青的事情上。他向戚师傅提出了金荷没来得及回答的那个问题。

"嗨，"戚师傅以"一加一当然等于二"的语气，告诉卢蒂落说，"那不是明摆着的事吗？夏老师是二婚，她有亲儿子。人家古老师蒂根没结过婚呢，就不想让老婆生个亲儿子？可夏老师还成吗？"

乍听这话，卢蒂落只觉得好笑。夏、古二位相爱的消息，他刚听见时自然吃惊，但他总是在往雅处想，不料戚师傅摆出了个俗而又俗的情况，难道古羽青会是那么个大俗人吗？倘若他有此想，那又何必主动去追求夏晚宜呢？

"不会吧，"卢蒂落试图反驳，"古老师要嫌夏老师老，那他当初就不该跟人家接近嘛。"

"嗨，"戚师傅加重原有的语气报道说，"当初他想得不周到不是？后来他去长春看了他姐姐一趟，回来他那个苦恼啊，真没见过！当年他爱上那个外国妞儿，没能成事，也没当着我面这么苦恼过。他把我请他那儿去了，预备了几碟肠子花生什么的，让我陪他喝酒。他一杯接一杯地喝，我怎么拦也拦不住，他根本就没怎么动筷子。他跟我说'戚师傅，当年我那点子事您全知道，您对我真好，我得把您当亲大哥待。如今我的心事也不瞒您，您给我拿主意。我跟夏老师挺投缘。我想娶她作媳妇。可我姐姐死活不同意。您知道我爹妈早没了，我是姐姐拉扯大的，她一直供我上完大学。她不能生育，姐夫对她真不错，他们夫妻感情挺好，抱了个孩子来养着，如今都参加工作了。您看，我们古家就我这么一根独苗。我还没有大爷、叔叔，您看我们古家！姐姐说，我要娶媳妇就该娶个能生孩子的，生个男的最好，就是生个女孩，也是自己的血脉，让她姓古，她生了孩子还姓古，好歹把我这一支传下去，别成了绝户。您别笑话她封建，搁着别人说这话，我要听才怪！可我姐姐撂下这个话，我不能不考虑。我给抓进去判刑的时候，谁顾惜着我啊？姐姐不远千里，跑到劳改所探望我，给我送东西，劝我相信共产党，千万不要寻短见，不要对抗。在家里她想起来就哭，她知道我是冤屈，她也恨我荒唐，她那左眼生是哭我哭瞎的。我的案子影响到姐夫，因为有我这么个社会关系，他干的工作不让他干了，全家给下放到了农村，姐姐随他受了多少苦！现在我平反了，姐姐不要我的钱，她只要我听她这一句话，我可怎么办呢？我把这事跟夏老师实说了，她看我犹豫起来，急了，她说我是思想落后，俗气。我觉着她不该这么说我，心里又烦，就跟她嚷嚷起来。您瞧，我们俩就那么着吵上了架！她吵起来可凶了，我真没想到她也会有那么样的表情，她还赌气说：'我找人来把你这间新屋子拆了！让我儿子来拆！'多可怕！……小卢呀，您说我听了古老师这些个话，敢吱声吗？我要劝他跟夏老师吹了，夏老师知道了不得恨我一辈子？我要劝他跟夏老师这就结婚，他姐姐气死了谁给偿命？我只能是劝他别那么喝酒，保重身子要紧……唉！"

卢蒂落听了这番话，不禁在桌上托腮发愣。柴可夫斯基的音乐和契诃夫的小说熏出来的古羽青，怎么会把传宗接代看得那么神圣？而一向贤淑的夏晚宜，怎么会不成体统地吵架？他原以为已经接近了谜底，现在才知道离透彻地理解这两个人，还差得相当之远。这时已经开始演出最后一个节目，由一对极受欢迎的相声演员说相声。卢蒂落哪有心思听他们的，每当大厅中爆发出一阵哄笑，他便感到格外痛苦。

茶话会结束了，生活在继续流动

许多条来自不同方向的射线，在一点上交叉；短暂地交叉后，便又沿着各自原有的方向射去。这便是茶话会。

每条射线代表着一个人以及他独有的命运。在短暂的交叉中，有人得到快乐，有人感到疲劳，有人既无所获也无所失。卢蒂落呢？他是既有所获也有所失。这茶话会有利于他更准确地去理解别人，却也增添了使某些人更误解他更疏远他的因素。

散会后，当人们纷纷握手话别时，卢蒂落走向那位男高音歌唱家，半道上被章栩生截住了，章栩生把他拽到人稀的地方，附拢他的耳朵说："你小子得给我帮忙！我老婆工作不对口的事儿，老解决不了，写了这么个材料，你给我递上去！"说着掏出个鼓鼓囊囊的信封，塞到了他那登山服的口袋中。他刚想告诉章栩生，他一定帮忙，但由他递上这份材料，未必就比由章栩生他们自己递上去管用。章栩生却重重地拍着他肩膀说："讹上你了！我们两口子都等你的信儿！"说完竟转身走了，立时消失在人群之中。显然，章栩生是不愿让别人看出走他这个"后门"的行迹，可是天哪，他哪里有那么一扇"后门"啊！

当卢蒂落再去寻找那位男高音歌唱家，补握那万不该缺少的一次握手时，却"昔人已乘黄鹤去，此地空余黄鹤楼"了！

卢蒂落骑自行车回家。路过离宾馆不远的一个公共汽车站，他看见汤巡礼站在等车的人群中，表情疲惫，他朝汤巡礼打招呼，汤巡礼没有发觉。在十字路口等候绿灯时，他发现停在一旁的大面包车中，便坐着那位男高音歌唱家，正当对方的目光从车窗里同他相接时，绿灯亮了，他周围和后面的自行车都迅速驶动起来，车铃声响成一片，他只好赶忙把车骑走，再一次失去了取得那位男高音歌唱家谅解的机会。

理解和谅解别人，以及让人理解和谅解自己，是多么的困难啊！

卢蒂落的生活流动轨迹，离那次茶话会越来越远了，但茶话会上所听到的关于夏晚宜和古羽青的事情，一直萦系在他的思绪之中。阳春三月，他陪同一位外国作家游览颐和园时，居然巧遇上了那险被流言淹没的一对。在知春亭畔，卢蒂落发现夏晚宜正举着个照相机，在给古羽青照相。难道他们已经结合了吗？卢蒂落让翻译且同外宾在知春亭盘桓，自己跑过去招呼他们。夏晚宜和古羽青见到他并不感到尴尬。夏晚宜说："今天我们学校来这儿春游。"古羽青说："我们俩都不当班主任，不带学生，所以凑在一起玩玩。"听这话，他们却又并未结合。可见古羽青在服从还是背弃他姐姐的命令上，仍然举棋不定。也可见夏晚宜依然不怕别人戳脊梁，执拗地追求着古羽青。卢蒂落拉着古羽青的手说："好久不见啦！你还是风度翩翩，一点没变哪！"古羽青展开脸上的笑纹，连说："哪里哪里，老了老了。"古羽青便让夏晚宜给他和卢蒂落拍张合影。夏晚宜退后几步，举起照相机，摆弄了一阵，总不按那快门，古羽青说："快点快点，我们俩颜面肌都笑酸了！"夏晚宜鼻尖上沁出汗珠，不住地问："距离是这么对吗？云飘过来把太阳给挡了，变多大的光圈呢？……"这时陪外宾的翻译在叫卢蒂落，卢蒂落耐不住了，便说："好，以后再照吧！"挪步走了。这时他听见古羽青急躁地斥责着夏晚宜："你真是个笨——"他顾不上那一对，又去陪外宾了。在陪外宾逛长廊时，他一边向外宾介绍着长廊桁梁上的那些彩绘，一边断断续续地想着：那照相机好像是苏式的……基辅牌……老于当年用过的……曾用它给古羽青拍过泳装照……多少年前？就在知春亭南边，天然游泳场那儿……可夏晚宜却一直不会使用它……什么都得由老于调整好，递到她手里，她只是按一下快门……甚至给古羽青一个人照时，也得什么都由古羽青调整好，递到她手里，她才能照吧？……是呀，像她这样的情况，没有一个最亲近的男人，一个丈夫，她怎么生活得下去呢？……"你真是个笨——"古羽青为什么那么急躁，乃至于粗暴？他凭什么对她享有特权，却又至今悬着她，不作出最后的决定？……他们其实都已经是秋叶了！……"啊，这画的是《红叶题诗》的故事，一个非常优美的传说。"卢蒂落费好大劲才把脑海中的杂念排除，顺畅地向外宾讲述起来："这是一个诗人和宫娥的恋爱故事，他们这一对有情人，经历了许多磨难，终于结成眷属……"

　　陪外宾在听鹂馆吃过午餐，又转回到长廊上，朝石舫方向走去时，卢蒂落发现夏晚宜一个人，闷闷坐在廊沿上，倚着廊柱，他便直率地对外宾说："非常抱歉，那边有我一个过去的同事，我要去同她见一下，我一会儿就赶到石舫去，继续陪您游览。"外宾当然应允。翻译同那外宾往石舫去了，卢蒂落便赶忙去招呼夏晚宜。

夏晚宜听见他叫，先是吃了一惊，然后便淡淡地一笑。卢蒂落座在了她对面。

卢蒂落一时不知道说什么好。该向她提及哪一个呢？于穗实还是古羽青？

倒是夏晚宜主动提起了于穗实："还记得吧？前年夏天，也是在这长廊，我跟老于，遇上过你？"

卢蒂落说："是呀，还有宽宽两口子。他们有孩子了吧？"

夏晚宜简捷地回答："8个月了。亲家母带着。很可爱。是个孙子。"

卢蒂落试探地说："岁月过得真快呀！"

夏晚宜两眼望着远处，悠悠地说："老于就那么走了。真跟做梦一样——"她眼圈顿时红了，红得透明。她掏出一块手绢，轮流地擦着两只眼睛。

周围的人们照样嬉戏着、欢笑着。湖上的游船里传来手风琴的演奏声，是一首快节奏的舞曲。一个上身只穿着圆领衫的男人，不知为什么急匆匆地从他们身边跑过，一边嚷："别往那边搬！谁让你们往那边搬的？"

夏晚宜把手绢捏在手里，垂下眼睑，自言自语地说："只有老于最了解我。他爱我爱到什么程度，你知道吗？爱到允许我去爱别人的地步！"

"怎么？"卢蒂落一时没有听懂。

"他眼看不行了，要去了。他拉着我的手，让宽宽走开，让大夫和护士走开，让别的人都走开。他跟我说：'晚宜，我最了解你。我去了，你要哭够。哭够了，你好好休息。休息好了，你就另外找个人吧。你不要守，你守不住的。你像爱我那么爱他，也就是永远爱我了。'……天哪，谁能再像他那么了解我呢？"

卢蒂落消化不了他所听到的这些话。他默默地看着夏晚宜淌眼泪，奇怪，这回夏晚宜并不用那手绢去揩眼泪，任凭大滴的眼泪缓缓地从颧骨淌到面颊。

一个男孩拍着个皮球在长廊上前进，从他们身旁走过时兴奋地数着："87，88，89，90……"

卢蒂落省略掉所有的客套，直截了当地问："那么，古羽青对你究竟怎么样呢？"

夏晚宜也毫不掩饰地回答："动不动就跟我发火。刚才你听见了吧，一点小事，他就那么粗暴。要不是你没走远，他那个'蛋'字就出来了。我受不了他。受不了！"

"也不知道我该不该说这个话，"卢蒂落犹豫了一下，便对夏晚宜说，"生活的路宽广得很。如果古羽青对你这样，而且，他还有那种……封建式的考虑……

你何必这么死心眼呢？你还有可能再遇上一个老于的！"

　　夏晚宜显然觉得这话对她来说是一种安慰和勉励，她揩着泪痕，点着头。

　　忽然，古羽青汗淋淋、喘咻咻地出现在他们两人之间，匆忙地对卢蒂落点了下头，便只朝着夏晚宜一泄无余地埋怨起来："你这人是怎么回事儿？你这么半天都转到哪儿去了？你吃午餐了没有？我就知道你没吃，你干什么不吃嘛？你是小孩子吗？你捣的什么乱，你存心吓唬人是不是？你自己说你对不对嘛！……"

　　夏晚宜抬眼望着古羽青，那眼神先是透着敌意，但很快便平和下来，听到最后，竟转化为了温柔。古羽青从手提包里取出一个细长的罐头听，是哈密瓜汁，他敏捷地拨开封口，递过去，夏晚宜站了起来，接住了。

　　夏晚宜和古羽青对望着。

　　卢蒂落知道自己已经成了多余之物，便站起来，悄悄溜走了。走了一段，他才意识到方向不对，忙转回身，匆匆地朝石舫而去。就那么两三分钟里，他已找不见夏晚宜和古羽青的身影。

　　后来他一直没有再遇见他们，也没有听到关于他们的确切消息。

　　至今想起茶话会上所听到的和颐和园中所见的这一切，他的心情还是复杂而惶惑。无论是作为编剧本的还是写小说的，他感到自己对社会，对人生，对活生生的人，都还缺乏足够的理解。为此他必须进行孜孜不倦的探求。

　　他挂念着夏晚宜和古羽青。他为他们祝福。

1983 年

日程紧迫

一

W 城。湖光宾馆。316 室。

时值 1983 年初秋。

一个五十来岁的胖子，平头，小眼睛，大鼻子，厚嘴唇，衬衣敞开一半，露出里面汗津津的圆领衫，正往墙上粘一张日程表。

电话铃响了。

他赶忙接电话。

"你哪位？"

"陶工吗？我小陆呀！"

"怎么，没接着老薛他们吗？"

"接着了。可是他们不坐这车。"

"为什么？"

"我看他们好像挺不高兴。"

"为什么？"

"那我怎么知道？他们说坐公共汽车去。"

"为什么？"

"你怎么老是问我'为什么'？我倒要问你'为什么'呢，你跟这位薛局长不是老相识吗？"

"对对。我们去年开会的时候见过。"

"他嘴里说：既然那么多同志都是坐公共汽车去宾馆的，他也没必要特殊……

可他脸上那个不高兴啊，就好像我们欠他二百块钱似的；跟他一块的那个年轻的，
还直拿眼睛瞪我们……"

"年轻的？不会不会，他是小马，我最了解他……"

"小马？马继程？不不不，不像不像……"

"你再劝劝他们嘛，车子既然已经去了，何必不坐呢？"

"他们已经自己走了嘛！"

"那——那你们就回来吧。"

"哼！"

电话结束在小陆极其不满的一声"哼"中。

中年胖子——技术情报工程师陶士铭，搁下电话后不由得发愣。

二

陶士铭坐在沙发上。想喝口茶，却没喝。他情不自禁地寻思着。

会议还没有开始。报到期间就遇到了麻烦。

这是一次 S.Y 方面的技术情报交流会。部里很重视。一位副部长亲自过问。

陶士铭从事 S.Y 方面的技术情报工作已有二十年的历史。部里已批准他为
全国 S.Y 方面的技术情报总站站长。这次 S.Y 方面的技术情报交流会由他主持。
会议有来自全国一些省市的二十二位同志参加。会期一周。会上将由四位同志作
重点发言。X 省 S.Y 研究所的马继程，一位走上工作岗位不久的大学毕业生，不
仅将向与会者介绍他所搜集整理的国外最新资料，并要发表他关于国内 S.Y 方面
如何更新改型、赶超世界先进水平的系统见解和建议，这个发言是重点中的重点。

陶士铭三天前抵达 W 市湖光宾馆后，几乎是住进 316 室的同时，便接到了
X 省负责 S.Y 方面业务的局里的电报，电报上说薛局长将来 W 城参加这个会。

会议的人数、名单，半个月前已由部里敲定。现在部里精兵简政，改变过去
那种凡会一定派员参加的程序，副部长在给陶士铭的电话中说，组织上对他完全
信任，会议期间部里不去人了，会议结束后让他立即赴京汇报。原定的名单里，

X 省只有马继程，并没有薛局长。因为这毕竟是一个纯专业性的会议，有关省、市的有关单位，都只来一人，陶士铭所在的 A 省稍微例外一点——他带来了所里情报站的小陆，一位长发披肩的妙龄女郎，作为会议秘书。

湖光宾馆床位很紧，主要保证外国游客和港澳同胞。陶士铭和小陆好不容易争取到了十一个双人间，都有卫生设备。原来订下了一辆中型日本旅游车，以备会议专用。谁知事到临头，出租汽车公司又说还是要保证外国旅游团，只管会议日程中外出参观、游览的两天用车，其他时间都不管了。所以陶士铭让小陆在好多天以前就给各个与会者寄出了通知，请他们下火车后自己乘五路公共汽车来湖光宾馆，好在是直达，而且只有六站，下了车对面就是宾馆大门，相当方便。

X 省的薛局长要来，陶士铭觉得来了也好。这位薛局长名叫薛燕培，今年六十二岁，前年，X 省农业局和林业厅合并成了农林局。他原是农业局七个副局长之一，因为年龄不算太老，自己又坚决不愿离休，总得再安排与他级别相当的职务才行，最后便到了这个局，是第三副局长。头年在一次 S.Y 方面的会上，陶士铭与他有过接触，只觉得他业务上不通，但人倒还满热情，一次两人在饭厅正好坐在一起吃饭，互相问起岁数，薛局长用手摩着头皮上所存不多的发茎说："唉，这就要离休啦！"那眼神和表情让陶士铭心里很感动——老同志确实害怕清闲啊！所以，他这次主动要来参加 W 城的会，完全可以理解。这可能是他最后一次参加这类的会。人家是老党员，政治上强；自己头年冬天才入了党，还没有转正，主持这个会正有点心虚，所以老薛来了也好，政治上有个依靠——尽管这个会的内容完完全全不牵扯政治，但来的人毕竟各种各样，也说不定会遇到业务以外的问题。

陶士铭没有向部里报告 W 省增加与会代表这件事。增加个把人，经费上不会出现困难。床位当然是个问题，可接到薛局长电报后也就立即同宾馆经理进行了磋商——经理同意再给一个床位。这样，可以安排薛局长和自己同房，而请小马委屈一下，与会外的出差人员合住一房。

今天一早接到的电报。电报告知薛局长乘多少次车于下午几点几分抵达 W 市。这当然意味着要求接车。陶士铭和小陆想尽了办法，也要不到出租汽车公司的小轿车——毕竟 W 市小轿车有限，而这季节来这里的外宾特多，后来还是小陆急中生智，打电话向 W 城部队的一位熟人求援，才借来一辆北京吉普。

可是薛局长和小马竟拒绝坐那辆车。奇怪。更奇怪的是他们的表情那么难看。尤其奇怪的是小马竟会瞪人。陶士铭怎么也想象不出他很熟悉、很器重的小马瞪人的模样。

三

薛局长他们到了。到得倒比小陆早。陶士铭不禁心想：可见现在 W 市的公共汽车相当频密通畅。

薛局长一见陶士铭就满脸笑容地跟他握手，"陶工"长"陶工"短地尊称着他，连道"辛苦"，慰誉有加。陶士铭心里只怪小陆，薛局长的脸色哪里难看呢？显然是小陆年轻，不知哪个细节上处理不妥，才造成了误会。

陶士铭在同薛局长握手的一刹那中，一种由衷之情从心底蹿起，他诚恳地说："老薛你来得好！有你我就胆壮了！"

薛局长爽朗地笑着，显然，他将同陶士铭很好地合作，开好这个会。

"小马呢？"陶士铭以为薛局长身后站着的那个人就是小马，但他绕过薛局长肩膀走过去一看，那个右手提箱子左手提旅行袋的青年，并不是小马，而是一个陌生人。

薛局长坐到沙发上，并不介绍那个青年，只是解开制服扣子，轻松地说："我来了，小马就不来啦！这个会，不是一家来一个吗？我们省不能特殊啊！"

陶士铭一愣。他一直以为是薛局长同小马一块来，而没有想到是薛局长独自来。是呀，关于薛局长来参加会议的两个电报上，都没有提及小马，既没有说小马同来，也没有说小马不来，自己在处理信息的过程中，相应作出多种判断，为什么竟犯了主观自信的错误？

"小马不来怎么行呢？"陶士铭不由着起急来，"'一家来一个'也不是不能变通嘛。我们这就打个长途，让小马明后天赶来吧！"

"不用了。小马的发言材料，我们局里打印好了，我带了好几十份，人手一份不成问题。他来了不也就是念上一遍吗？"薛局长不以为然地说。

那个帮他提行李的青年，已经熟练地把手提箱安放到了壁橱里，并且在床上打开了旅行袋，取出薛局长的盥漱用具，送进了卫生间中……

陶士铭顾不得弄清楚那青年是谁。他站在薛局长面前，力图让薛局长明白，由本人宣读自己的学术报告该有何等重要——因为他还可以离开打印好的文字加以解释、发挥，并可当场答疑……更何况在会议展开讨论时，需要小马当面听取别人对他那报告的意见，并且大家也都期待着小马发表对别人的学术报告的意见。

"我们给小马留着床位呢，是不是这就给他个信儿，让他来吧？"陶士铭恨不得立即就挂长途。

"我就不信死了张屠户，咱们只能吃它个混毛猪！"薛局长笑嘻嘻地说。

那随他而来的青年已经给他洗好了带来的旅行杯，并且把一罐带来的茶叶放到了茶几上，随即又给薛局长泡好了茶。

"这会儿有热水吧？"薛局长用下巴向那青年指指卫生间。

"有。大舅，您先洗洗吧！"

陶士铭听了这句话，才知道青年的身份。显然，薛局长在 W 城有亲戚。他的外甥到车站接的他。

"你没见我们这儿谈正事吗？"薛局长严厉地对他的外甥说，"你先洗去吧！"

那外甥钻进卫生间去，"砰"地关上门，接着便是哗哗的放水声。

"最好还是让小马来……"陶士铭的语气包含着烦怨和哀求两种成分。他自己听了也觉得很不沉稳。

"哟嗬，我们的小马是个金刚钻，没有他就揽不了瓷器活哩！哈……"薛局长仰着脖子哈哈大笑起来。可笑完了也就完了。看他的表情，仍然没有把小马叫来的意思。他是小马的顶头上司，陶士铭怎好做主打电话让小马来？

陶士铭只好暂且把这事压下。他从写字台上拿过一份打印好的材料，递到薛局长手中，那材料包括会议日程、与会者名单、注意事项和将在会上宣读、讨论的学术报告目录。

薛局长只随便地翻了翻，便郑重地说："陶工，各单位的报告既然都打印带来了，今天就该跟这些东西一块发出去，也好让大家心里事先有个谱儿。"

陶士铭忙解释说："本来是打算那样。可我把送到这儿的材料看了一下，有的校对不够细心，还有一些错讹，我让他们都暂且把材料拿回去，细心地校阅一遍，把错的地方全消灭干净，明天一早交上来，再发给大家。"

薛局长"啊"了一声，便掏出烟来，用打火机点燃。他问："这宾馆有什么好烟哪？"

陶士铭不抽烟。这两天也没去小卖部看过。他答不出来。他心里只想着小马和小马那报告的事。不由得问："小马的报告您搁在哪儿了？最好这就取出来让我看看。他那个报告打印得怎么样？我给他校吧。我今晚就校！"

"小马的报告？"薛局长先望望房间各处，然后扬起声音对着卫生间问："二春，你把我那一摞子报告撂哪儿了？就是用牛皮纸包着的那一摞！"

卫生间里传来瓮声瓮气的答话："啊，那不是我手里提不下，撂在小件寄存处了吗？"

薛局长点点头，对陶士铭说："陶工，丢不了。等一会我让他给取回来就是。"

陶士铭心里挺不痛快。丢是丢不了，可把小马的报告撂在小件寄存处，他总觉得有点……怎么说呢，说"残酷"过分了点，说"冷漠"大概恰如其分。他们两个人有四只手，怎么就不能把那摞报告同那手提箱、旅行袋一起，提到宾馆来呢？难道因为是局长、是长辈，一双手就非得都空着吗？

四

薛局长见陶士铭一时沉默了下来，便吸一口烟，呷一口茶，低头翻看起手里的材料来。刚拿到手上时，他没有注意。现在一细看，他发现有很多令他不快的地方。首先，在与会名单上，他发现他的名字不是打印上去的，而是用圆珠笔写在了最后，当然，这名单肯定是接到他电报前打印的。可要是陶士铭稍微懂得点人情世故，就应该重打这份名单，整个名单一共才一页纸，一共也才打印二十多份嘛，重打有什么难的呢？……再有，就是会议日程，明天上午正式开会，一开会就是什么学术报告。怎么一点务虚也没有就务上实了呢？既然陶士铭知道我薛某人要来，在与会者当中我明显行政级别最高、党龄最长、革命资格最老，为什么不在发下的日程上，一律在明天上午一栏用圆珠笔添上"薛局长讲话"呢？你名单上可以加圆珠笔字迹，日程上加加又何妨？当然，你加上了我也不一定讲……还有，这日程怎么排得紧紧巴巴的，参观游览只有一天，一天怎么够？！光市内风景点，一天也逛不尽，何况城西北有个古寺，城南有个鸟类保护区，早听说是极有特色的去处，难道只去一处就算啦？"注意事项"里更有让人扫兴的哩——"因未能包下出租车，平时市内活动，请乘公共汽车，车票可报销"，废话，你不给报，回到省里一样报，问题是：难道对我薛某人也不提供小车吗？其实陶士铭已经被评为高级工程师了，不为我想，为他自己，也该包租下一辆小车呀！虽说W城眼下外国人多，车少，可那也不至于弄不到一辆小车嘛！这陶士铭真是个书呆子，傻胖子！靠这种人主持会议，能办成个什么事！

薛局长这回主动来出席这个会，一个最主要的因素是实现一个宿愿——到W城一游。他虽说走南闯北跑过不少地方，1979年还曾参加省里派出的一个农业考察团去过美国，开了洋荤，可始终没有机会到这风景如画的W城来，因为国务院有规定，一般的专业性会议不允许到这里来开，特别是旅游的黄金季节，更难获得批准；这回之所以批准来W城开这个会，完全是因为会议中心必须参观的一项引进项目，两年前开设在了这里。真是机会难得呀！自己已逾花甲之年，进一步调整班子，肯定得"光荣下台"，那S.Y也实在是莫名其妙，不当这局长也罢！虽说离休后按规定原来的待遇全有，可别的不说，有些原来的下属，比如汽车司机，那嘴脸就难免有所变化……所以这次的W城会议不能放过，而来这开会的有关待遇，不但不能放弃，也丝毫不容含糊……

五

那名叫二春的外甥洗完了澡，脸蛋红红的，头发湿漉漉地伏贴在脑袋上，走出了洗澡间，亲亲热热地招呼说："大舅，澡盆我洗完刷过了，给您放着水哩，您洗去吧！"

其实这二春只是个堂房亲戚，以前也没怎么见过，可他到车站来接薛局长时，一见面就让薛局长喜欢——薛局长看出这位外甥实实在在地为自己这个大舅感到自豪；当的是局长，坐的是软卧，穿的有派头，就连那手提箱和旅行袋也让他眼睛发亮——手提箱是出国的水平，旅行袋是正经的美国货，而且箱子和袋子上还都保留着当年出国考察的痕迹，挂着国际航班的行李牌，圆圆的挺有味儿。

薛局长爱抚地看着外甥，从容地回答："我不忙。我一会儿到自己的屋里去洗。"答完便把眼睛移向陶士铭。

陶士铭不假思索地对他说："这不就是您自己的屋吗？"

薛局长把屋子望了望，大方地说："算啦，陶工，你别搬啦，你既然在这儿摆开了摊，你就在这儿吧——你要搬哪间屋去？我过去住。"他心想：现在的这间一定是最好的一间，所以陶士铭让给了自己；可不，这间向阳，可这个季节他反倒更喜欢背阴，他无妨去住那陶士铭打算搬过去的一间，那样还可以显出他的谦虚礼让。

陶士铭一时没有明白薛局长的意思。及至他猜出了薛局长的意思，他不禁脸红了。他为自己的不能知人而脸红。原来薛局长的思维中根本不存在两人合一间的这种设想，而是天然地认为会给他单独安排一间。陶士铭的脸跟着又转为白色。他本也可以立即为薛局长安排一个单间，不必向他公开自己内心里对他级别、待遇的忽视，但眼下宾馆的床位紧到了这种程度——甚至新到的外国旅游者也不得不坐在前厅的沙发上，等候空出一个床位好住进去。

那么，他就让出去，留下薛局长一个人住吧！他可以到原来为小马留的那个床位上去睡。不过，那同屋据说是 W 城的文学月刊聘请而来的一位评论家，人家本来包的是两个床位，为的是不受干扰，好写出一篇刊物等着发稿的文章；宾馆经理亲自去找他通融，好不容易那评论家才答应下来——可以两人同住，但前提是出席 S.Y 会议的这位同志不要带人到房间里来说话，也不要让别人往房间里打电话议事……身为会议主持人的陶士铭，如若搬去与那评论家合住，可怎么工作呢？

内心里斗争了一番，陶士铭只好硬着头皮对薛局长说："老薛……是这么回事，这宾馆床位实在太紧……我们订下这么十一间屋子都挺不容易的……看来咱们俩只能在这间屋合住了……”

薛局长一听，顿觉不快。他拿眼瞟了一下外甥，倏地脸上发痒。他本是这 W 城的远房亲戚的崇敬对象，怎能一进宾馆在住房上就丢了身份！那外甥一听陶士铭的话，再一接触大舅恼怒的目光，便狠狠地瞪视着陶士铭。

陶士铭心里很难过。他为对方难过。像薛局长这样的人，有一点……怎么说呢，庸俗，浅薄吧，是完全可以原谅的。可千万别这么直露，这么过分。他压低嗓门，耐心地继续向薛局长解释。

薛局长由不快而心头起火，不过，那火气倒没有往陶士铭身上撒。只见薛局长狠狠地吸了一口烟，掀开嘴唇把余烟喷出来，愤愤地说：“他妈的中国人开的宾馆不先照顾中国人，什么玩意儿！那外国来旅游的都是些什么货？有的就是那小杂货店的老板老板娘……我倒没资格要间房子了？我就得给他们让路？这儿的经理是谁？你给我请来！陶工呀，你这人就是心软good，你懂得什么！他们这些个经理都打着埋伏呢！他手里要没有一两间空房，你枪毙了我！”

薛局长正骂得起劲，小陆飘然而至。

小陆对这位薛局长一见面就没有好感。那部队的司机对这事也有意见——既然你们不坐，何必要我们出车？司机用吉普车把小陆送回宾馆以后，小陆特意把他请到房间里，茶水招待，连连道歉，后来又一直送到楼门口，挥手告别。她是想，这几天没包上出租汽车，实在迫不得已时，还得请部队支持，可别断了这根线。送走司机以后，她又办了些后勤方面的杂事，这才匆匆赶到陶士铭的房间来。

小陆手里拿着她那永不离身的文件夹，见了薛局长淡淡地打了个招呼，便打开文件夹说：“薛局长，您把饭票买了吧。”

薛局长的情绪转换不过来，愣愣地望着她。他讨厌她那一头油黑的披肩发，也讨厌她那一身淡绿的连衣裙。他认为凭她这副扮相，就不适合于担任会议秘书。他越发觉得陶士铭主持的这个会不对头。头年开 S.Y 方面的会议时，陶士铭还不过是个普通的技术人员，当时的副部长老卢——现在已经离休——亲临主持，薛局长也算领导小组成员之一，那回住得多舒服，部里派出的那位王秘书瞧着也顺眼，办事也周到——怎么今年行情陡变，陶士铭入了党，还被任命为 S.Y 方面情报总站站长，W 城的这个会竟指定由他主持，他又带来了这么个妖精当秘书……
而自己一开头居然被排除在邀请名单之外！

小陆见薛局长只顾吸烟，没有马上搭理他，便把眼光转向薛局长的外甥，她
尽管觉得他不像自己心目中所想象的马继程，但看他安坐在床铺之上，又是刚洗
完澡的模样，手里还翻阅着陶工带来的国外技术杂志，便走过去招呼他说："你是
马继程同志吧？你先买吧——咱们都先买六天的。一块五的标准。工资百元以下
的一天收八毛钱，六天一共四块八。粮票一天一斤，六斤。"

那薛局长的外甥听完，冲她白白眼说："买什么饭票，住房还没落实哩！"说完，
两眼继续盯着那杂志上的彩色广告琢磨——瞧人家外国，海滨浴场多漂亮、多气
派、多那个！……

小陆吃了一惊，她把身子转向陶士铭，双眼充满疑惑地望着他，心里想，薛
局长和小马的住房，不是今早就商定落实了吗？

陶士铭只好过去把她引到一进门的壁橱边，低声把怎么怎么回事讲了一遍，
然后几乎是哀求地对她说："小陆，你无论如何这就去找一下钱经理，请他无论如
何给个单间，你就跟他直说——我们会议上来了位老同志，行政十三级，身体又
不大好，非照顾不行……"

小陆从陶士铭肥厚的肩膀后望去，那位薛局长红光满面，极为健康地坐在沙
发上抽烟，不由得心里泛起一股轻蔑，便故意扬起声音说："这我无论如何办不到，
要不，请你们自己直接找经理去吧！"

薛局长眼睛并不看着小陆这边，却马上也扬声接着话茬说："请经理到这儿来，
我自己跟他说！"小陆甩甩头发，绕过陶士铭的胖身子，走向薛局长，从文件夹
里把一叠饭票递给他，冷冷地说："薛局长，这是您的一份饭票。钱跟粮票您方便
的时候再给我吧。我这就给您请经理去。"说完，扭身便朝门外走去，绕过陶士
铭身子时，朝他投去意味深长的一瞥。陶士铭不由得琢磨：这一瞥是谴责他软弱呢，
还是怜悯他尴尬呢？

陶士铭觉得心上被塞上了一团乱草，他觉得有许多事情应当立即着手来办，
但原来井然有序的局面仿佛一下子全搞乱了，他现在脑子里只梗着一个极其无聊
但又重大无比的问题——没有单间搁放薛局长可怎么办？

忽然有人敲门。门其实敞着，用不着敲。陶士铭高声说："请！"一位女同志迎声走进。她是从 H 市来的，名叫蒋玉藻，她一进来，劈面便对陶士铭说："陶工，我对日程有个修正案：能不能增加半天报告时间，我毛遂自荐——临时作个报告？"

蒋玉藻是一位个子矮小、戴深度近视眼镜的中年妇女，她站在又高又胖的陶士铭旁边，显得两个人的形体都格外滑稽。

陶士铭呆呆地望着她，仿佛不懂她的意思。

蒋玉藻便把手中的一份外文杂志递到陶士铭手中，兴奋地说："我出发前刚拿到，这种德文期刊过去我们 S.Y 方面的情报系统都不知道，这是我的一个朋友从国外带来给我的——它的内容当然不限于 S.Y 方面，可是今年第三期上，有篇文章很值得注意，它对我们一致公认的 G 型方案提出了毁灭性的质疑，它的论述固然漏洞很多，但结论很有新意，我们不能不予重视——"

陶士铭翻到那文章的题目后，心中不觉一震，他赶忙回身去写字台上取老花镜，戴上后又回到门边，当着蒋玉藻用眼睛瞄了瞄文章前的提要，凭着他的经验，他知道这篇国外论文极有参考价值。

他把杂志合上，再看刊名，连连地说："我们怎么原来不知道这种期刊？啊，瑞士出的德文期刊，怪不得，被我们图书进出口公司忽略了……我们应当立即破季订阅，并且想办法补进前一年的！……"他俯身向蒋玉藻问，"你能尽快把它翻译出来吗？"

蒋玉藻仰脸自信地说："我在火车上翻出了一半，另一半再用两个晚上就差不多了。"

陶士铭心中一时大畅，他用几乎是感激的语调说："太好了！会议一定给你安排个整块的报告时间——你最好先客观地介绍他的观点，大家讨论的时候再提出你个人的评价……"

蒋玉藻走了，陶士铭觉得这个情况很重要，甚至重要到应当立即给部里挂个电话的程度，他走到写字台前，本能地伸手去取电话，却摸了个空；他听见手指拨动电话的声音，循声望去——原来薛局长已把电话挪到了茶几上，正靠在沙发上，跷着二郎腿，打电话呢。

陶士铭心想，那就到服务台去打吧，可他刚往外迈步，就听薛局长对他说："陶工，你别走。经理来了，咱们一块跟他要房间呀！"

陶士铭心里的乱草团越发膨胀，他闷声闷气地说了句："我去去就来！"便快步走出了房间。

与此同时，小陆在一楼门厅里遇上了正要离开宾馆的二春。那二春绕过陶士铭和蒋玉藻身子离开房间时，陶士铭竟毫无察觉；此刻二春手里提着从宾馆小卖部买到的几瓶外面不易买到的好酒，主动叫住了小陆："喂！"

小陆很不情愿地停住脚，面向他。

二春从衣兜里掏出几张纸片，递到小陆手中，小陆还来不及看清，就听他说："给薛局长报销啊！"

等小陆抬起头来，他竟已经走出宾馆的转门了。

他递给小陆的，是几张乘坐出租汽车的票据。原来薛局长并没有真的坐公共汽车来宾馆。他和外甥二春见来接他的是辆军用吉普，当时确实赌气要去坐公共汽车，后来在车站广场上恰好遇见一辆甲级出租小轿车，便搭那出租车来了。

小陆真想把那几张票据撕掉扔到废纸篓里，可是终究还是忍下了这口气。她正满腹牢骚地朝二楼上去，陶士铭气咻咻地从二楼下来，把她截住了。

"陶工，出什么事了？"看见陶士铭一脸慌张，一脸油汗，小陆吃了一惊。

"快，快，快……"陶士铭喘不过气来，一只肥胖的手指指定宾馆大门。

"怎么了？"小陆越发吃惊。

"快、快追上他……"

"追谁啊！"

"那个叫吴二春的，薛局长的外甥……"

"追他干什么？"

"他身上……有取东西的木牌……"

"什么？"

"要赶快追上他，问他要……好到小件寄存处去……"

小陆急得跺脚了："什么跟什么啊，我一点都不明白！不明白这工作可怎么做啊！"

陶士铭望着小陆喘气，一脸痛苦，一脸歉意。

六

晚饭后。

316 室里呈现出一种"和平共处"的景象。

陶士铭坐在写字台前，往一张纸上开列着待办事宜。这是他多年的习惯。他把事情按轻重缓急列为 A、B、C 三类：

A	B	C
*房子事。钱经理 21 点前回话。 *小马材料事。小陆是否已取出？校阅。寄部。 *德文新资料事。20 点领导小组碰头。	*争取包租汽车。皇冠牌。 *订购瓷器。纪念品？ *地方戏。折子戏。	*看 资 料。 至 PG188。 *硝酸甘油 ……

薛局长坐在沙发上，正与他的亲戚们谈天。来了一个连襟，一个表弟及表弟媳妇，还有二春的弟弟三春。他们都是头一回进这湖光宾馆，充满了新鲜感。薛局长有一种衣锦荣归的心理，尽管这里并非他的故乡。

他让亲戚们轮流去洗澡间洗澡。

三春正脱着。连襟正等着。因为表弟媳妇不好意思洗，所以表弟也说不洗。

薛局长用从宾馆小卖部买来的高级烟招待他们，与他们谈笑风生。

连襟是个小饭馆的经理，人长得干瘦焦黄，他诚心诚意地向薛局长介绍着 W 城的种种土特产："……瓷器厂的窑不大，可仿古酒具这两年闹腾得有名声，外国人成百上千套地订货……"

薛局长一边用牙签剔着牙缝，一边自得地说："知道。我已经告诉我们陶工啦，从交通费里拨出点钱来，给我们这个会的每位代表买上一套，作个纪念……这儿的戏班子听说也不错嘛，我也跟陶工交代啦，安排让大家看场折子戏……还有什么特点的玩意儿呢？"

那表弟媳妇穿着件大丽花图案的"的确良"衬衫，烫着一头大鬈鬈的波浪发，娇声娇气地建议说："您来一趟不容易，还不到喜鹊山去看看？那儿有棵白果树，长了上千年，几个人抱不拢，仰头看不见树梢，上头有几十个喜鹊窝……还有人到那树底下烧香哩！"

薛局长便问："喜鹊山离城多远哪？"

几个人一齐回答，却答案不一。连襟说起码二百里以外，表弟说坐小车顶多一个钟头，表弟媳妇说不多不少整一百八十里。

薛局长听了摇摇头："太远。我们来这儿终究不是游山逛水的。我们有任务。"

几个亲戚连连点头，大表佩服。

小陆气喘吁吁地进了屋。她一见满屋子是薛局长的亲戚，心里不由大怒。她先很不客气地扫了众亲戚们一眼，然后走到薛局长面前，爆发似的说："你去取吧！你存的你取，我取不来！"

薛局长没想到她如此无礼，"腾"地一下脊背离开了沙发，吃惊地望着她。他一时并没明白她说那些话是什么意思。

陶士铭听见了小陆的声音，这才站起来，转身走拢她和薛局长面前，他一望见小陆的眼神，就知道事情糟了！

陶士铭晚饭前到服务台给部里挂了个长途，本来主要想汇报蒋玉藻发现新资料的事，结果副部长不在，但副部长的秘书也正好要给他打电话，因为副部长留下了话，说因为很快就要同外国进行 S.Y 方面技术的引进谈判，我们究竟是选择 G 型还是选择 Q 型，极需这次 W 城会议提供可靠情报，因此希望不但会议一结束陶工就进京汇报，而且最好今天就把马继程的那份报告寄一份给他，他好在听取汇报时能心中有数。陶士铭撂下电话就找小陆，让小陆去追薛局长的外甥二春，小陆没有追上，那二春住得离宾馆很远，陶士铭便让小陆去车站小件寄存处说明情况，请他们通融……但人家不见取件牌绝不交还存物，小陆当时急得都快哭出来了……

陶士铭听完小陆的倾诉，不及安慰她，便对薛局长说："无论如何，您今晚就要同二春联系上，部里交办的事我们不能拖延……"

薛局长听完把脊背靠回沙发上，不以为然地说："我当什么事，原来为这个。

明天一早二春还要来看我的嘛。就明天取怕什么的呢？"

陶士铭觉得梗在心头的那团乱草，蓦地燃烧起来了，他竭力地想压下那飘扬上蹿的火苗，却怎么也压不下去，他忽然勃发出一阵狂怒，只见他把两只胖手捏成两个拳头，在脸前面紧得发颤，声音因为过度激动而嘶哑起来："怕什么？！你问我怕什么？！你知道我心里头有多着急吗？引进谈判下个月就要举行了，部里头在等我们提供最优的选择方案！我们在七天里头要完成这件事，每一分，每一秒都非常宝贵！我们提供的方案如果不是最优的，影响到谈判，影响到引进，最后我们国家这方面的设备水平很快就又要落后，我们将不仅浪费国家的外汇，我们还浪费了国家的时间！我们就是对中华民族犯罪！你怎么连这个都不懂？！日程紧迫！紧迫！你明白吗？谈判不能推迟，推迟就可能赶上国际性抬价！我们的会议也不能耽搁！一件事也不该耽搁！小马的报告必须立即取来！立即寄部！新资料的发现必须立即投入讨论！信息检验、信息比较必须抓紧进行！……"他忽然出不来声音了，小陆不由得伸手扶住了他，她觉得他身上全是冷汗，她猛地想起陶工有心肌梗塞的毛病，忙伸手到他胸兜里去掏那小药盒——她知道陶工总随时带着硝酸甘油——可掏出小药盒打开一看，空了！她急得自己也出了一头的汗……

陶士铭用双手抚着胸口，渐渐平静下来，他对小陆说："没有、没有——不是心肌的毛病……不要紧！我只是着急！"

薛局长被陶士铭这个一贯温良恭俭让的善胖子陡然的发火给震住了。陶士铭嘴里冒出的每句话都不好驳斥。刹那间，薛局长也不禁良心发现，或许自己也确实对 S.Y 方面的事业太不上心了，毕竟自己是个老党员，享受方面考虑得太多确实不妥……但薛局长用眼角的余光一瞥众亲戚们——坐在茶几那边沙发上的连襟张着下巴颏，发了傻，表弟和表弟媳妇坐在床铺上好不自然；那三春刚洗完澡，支楞着湿头发钻出卫生间，惊愕不已——心头的自尊和威严便又迅捷地凝聚起来，他的全部"官场经验"告诉他，对方一旦暴跳如雷，那么你压倒他的最好办法便是三倍的冷静，当然，冷静中要给他一个击中要害的刺激。于是，他的表情反倒松弛下来，点燃一支烟，望着陶士铭，徐徐地说："陶士铭同志，不要忘记场合啊。我们都是国家干部，不能违反保密原则！"

陶士铭的意识中这才又恢复了几位薛局长亲戚的存在。他脸蓦地红了。他刚才的话是否确有泄密的因素？他是怎么搞的呢？为什么不能控制住自己？

薛局长一下子把握住整个局面。他不慌不忙地招呼着："三春啦？"

三春走到他面前。

"你这就找二春去。问他要那取东西的牌牌。不管多晚，你今天也把它给我送到这儿来。"

三春答应着。

三春刚转身，薛局长又叫住了他。

"你们都记着，"薛局长把眼光依次从三春、表弟和表弟媳妇、连襟身上扫过，"在这儿听见的话，出去一个字不能学舌！"

几位亲戚都肃然起敬地答应着。

三春走了。表弟和表弟媳妇赶紧也起身告辞，连襟很不情愿地站了起来，见薛局长不留，便也告辞，并小心翼翼地提醒他：明天中午别忘了"家里去"，他妹子从今天晚上就忙着收拾鸡、鸭子；临出屋时，还恋恋不舍地朝卫生间望了一眼。薛局长只坐在沙发上朝他点头，并不起立相送。

"陶工，坐吧，坐下吧。"待亲戚们都走了，薛局长坦然地指指连襟让出来的沙发，招呼着陶士铭。

陶士铭便坐到了沙发上。

薛局长看也不看小陆，那表情再明白不过：她不过是个秘书，他没有话值得对她说。

小陆撇撇嘴，扭身走了。一边走一边想：此时此刻到哪里去给陶工弄点硝酸甘油来？

薛局长蔼然地对陶士铭说："陶工呀，你的心情我是完全理解的，可你这么急躁，能把事情办好吗？我在党内这么多年了，没有经验也有教训啰，有什么意见，有什么想法，摆到桌面上，心平气和地谈嘛，怎么能当着非党群众大叫大嚷呢？党内党外有别嘛！"

陶士铭一时说不出什么来。他只想着：火车站的小件寄存处晚上让取东西吗？今晚取出来就好，连夜把小马的报告校改出来。最好明早直接送到飞机场，托民航机组带到北京，然后打长途让部里去人到机场取。这比通过邮局要快。可机组不接又怎么办呢？不会吧？……

薛局长看陶士铭低头坐在那里，心中一畅。他从容地问："会议的临时党组，都由哪几位组成呀？"

陶士铭这才抬起头来，告诉他："部里没让成立临时党组。因为这是个小会，人少，时间短，再说，主要是为了提供方案优选的技术情报，不涉及政治问题，所以没有成立党组。当然，党员同志上午就开了个会，强调了一下责任心和带头作用……不过党员一共也才五个，我和老邹还都是预备党员……"

"什么时候也不能放松党的领导啊，"薛局长威严地说，"加上我，六个党员，应当成立临时支部嘛。你是不是马上打电话把党员们召集到这儿来，大家再兜兜这二十来人的思想情况，务务虚？"

陶士铭看看腕上的表，对他说："唉呀，马上就八点了。我们领导小组定好八点在 210 房间老邹那儿碰头哩。领导小组有我，有邹亦奇、潘伯安、叶子珍，伯安和子珍同志都不是党员……"

"啊，怎么这几位我都没听见过？"薛局长感到不快。

"都是搞技术情报的。没有搞行政的同志。邹工负责英文方面技术情报，潘伯安负责法文方面的技术情况，叶子珍是位女同志，她负责日文方面的技术情报，我的工作语种也是英文，不过还兼管一点德文和俄文方面的事情……"

薛局长沉下脸，微微地点头，听完指指茶几上的电话说："你告诉潘什么和那位女同志，原定的碰头会等党支部会开过再说。你把党员们都请到咱们屋来吧。"

陶士铭犹豫了一下，才伸手去取电话。

七

叶子珍和蒋玉藻同屋。她洗完澡，让蒋玉藻去洗，蒋玉藻只顾趴在写字台上译那篇德文资料，头也不抬。叶子珍理解蒋玉藻的心情，也知道她不但没心思洗澡，甚至没心思睡觉。可谁也帮不上蒋玉藻的忙——来的二十多位同志中，除了陶工懂一点德文，别的人全都不懂。叶子珍自己只懂日文，更帮不上忙。

叶子珍和与会的大多数同志一样，根据已掌握的技术情报，都倾向于确定引进 G 型 S.Y 方面的技术。大家都等着听马继程的报告，因为从内部资料系统中，早都知道他对 G 型 S.Y 方面的技术发展趋向,钻研得最透。蒋玉藻带来的新信息,使这次会议开幕前夕便充满了一种扣人心弦的气氛——几位早就对 G 型的弊端正有所担忧、对 Q 型的优点充满憧憬的同志,心情更为复杂,因为即将展开的争论毕竟还不是纯学术的研讨,它不仅直接关系到国家的现实利益,也将关系到国家今后的长远利益! G,还是 Q?这举足轻重的问题,萦系在与会的二十来位知识分子心头。

这二十来位知识分子中,没有年逾六十的老知识分子,因为 S.Y 方面的技术是 50 年代中才萌芽、60 年代末才成型、70 年代初才开始在世界上崛起的崭新技术。他们当中包括着以下六种人:50 年代到苏联留学、60 年代初回来的;"文革"前我们自己大学培养出来的;"文革"前入学,但"文革"中没有学到什么便"毕业"的;"文革"中的"工农兵学员";"文革"后入学、毕业的;"文革"前后自动从国外回来的。

叶子珍是上述的第二种人。蒋玉藻是上述的第六种人。她们之间差异很大。叶子珍是红旗下土生土长的知识分子,已经有了一个小小的家庭,近年来她的生活开始有了一些明显的变化:终于从拥挤不堪的小屋迁进了所里盖起的宿舍楼,有了一个两居室的单元;她又一次的入党申请得到了支部的认真考虑,那背负了三十多年的家庭出身包袱可望彻底卸下……来这 W 城开会时,在同一所工作的丈夫把她送到火车站,连连嘱咐她:"别忘了天天吃维生素 C;见了水果就买点吃,不必省钱……"现在那瓶"果味 VC"便摆在了她的床头柜上,但她绝无买水果吃的想法,因为那明显的是一种浪费……没有让女儿小薇送车,因为小薇明年就要考高中了,现在她上的不是重点初中,要想考上重点高中,就得吸取小学毕业前的教训——当时抓得不紧,以为恃着小薇的聪敏,考上重点初中并不困难,谁知事到临头却是一个悲剧!两年多来,叶子珍夫妇就像赎罪一样,轮流给小薇补习,不敢稍有松懈,小薇也养成了一种弃绝一切娱乐的自觉性,当父亲母亲去火车站时,她却在家中埋头完成父亲所布置的十五道数学习题。叶子珍的长期便秘和频起口疮,与其说是缺乏维生素 C,不如说是为小薇的前途持续焦虑所致……来到 W 市,住进这湖光宾馆,见到同屋的蒋玉藻,她们自然不免说些闲话,叶子珍不知不觉地就讲起小薇,讲起眼下考重点中学对孩子有多么重要……但蒋玉藻只是微笑着倾听,明显地并无内心的共鸣。蒋玉藻是 1978 年才从海外归来的科技人员。她在台湾上的高中，后来到美国上大学，得到硕士学位后，她一度到西欧"共同体"的一个机构中任职，后来还在加拿大短期逗留，她是从加拿大回的国，被安排在 H 市的 S.Y 方面的研究所工作。她至今单身一人。所里的一些人背着她有许多的议论和猜测，那也未必是恶意，只能算是多余的好奇：她究竟多大岁数？她始终没有结婚，是不是因为长得实在难看？她在欧美时说不定跟人同居过吧？……她来所后的工作态度无可挑剔，她的爱国热情比红旗下长大的一辈似乎还要高涨，可她对组织上给予的照顾——一人分一套单元，外出可以要车——却坦然接受，据说她屋里布置得可洋气了，墙上挂着壁毯，沙发上撂着一溜鸭绒软垫……但她很少邀请别人去她家里；你要事先没跟她约好就去找她，她会满脸的不自在；她要约了你你答应了要去，临到该去的时候没去，她事后见到你又会满脸的不高兴……据说像她这样的女士，在国外住旅馆时是绝不能将就着住双人间的，然而这回来到 W 城，她并不像传闻中所形容的那么怪僻，她绝没有厌烦叶子珍的情绪，相反，一谈到 S.Y 方面的问题，不待正式开会，她便忍不住同叶子珍讨论起来……当然，眼下她连这种讨论也顾不上了，她趴在书桌前，全神贯注地译那篇国外论文——案头摊开着一本又厚又重的德汉字典，那是她自己搁在箱子里提来的。

叶子珍刚接到陶士铭的电话，说碰头会推迟召开了，因为先要开一个党员会。她心里浮起一丝难言的情绪。她多么盼望自己早日成为一个党员，能早一天在党组织里尽自己的义务和享受自己的权利啊！她本来有许多重要的话要跟陶工说，现在只好再等一等了……她觉得自己不能闲着，便到蒋玉藻的床头柜前，把蒋玉藻那自带的电热咖啡壶插上插头，替蒋玉藻热好原已煮好的咖啡，又斟在杯中给蒋玉藻端了过去，蒋玉藻偏头一见热气腾腾的咖啡，仰面对叶子珍感激地一笑，便把杯子端过去呷着，利用停笔的间隙，校阅着已译过的部分。

叶子珍轻轻地走出了房间，她走到潘伯安的房间门前，轻轻地敲了敲门，潘伯安亲自来给她开了门，一边把她让进去，一边问："怎么碰头会又推迟了？"

潘伯安和叶子珍是大学时的同学，他们很熟。潘伯安前年到法国进修过，对于 S.Y 方面的技术，他一贯倾向于肯定 Q 型，认为 G 型眼下虽成效显著但没有远大的发展前途。不过他这人性格内向，因为从上大学起就不断挨批，戴惯了"清高自大"的帽子，所以胆子很小。他从无数事例中得出了一条生活经验：凡事不要发表与众不同的见解，只有这样才可望被人们视为谦逊谨慎。实践这条生活经验的过程中，他常常陷于深深的内心痛苦之中，不过，他实在没有勇气再增加那"清高自大"帽子的分量了。他接到陶士铭电话，得知原定的碰头会推迟后，不禁敏感起来。是不是因为他所带来的那份报告，与陶士铭及部里领导们看重的马继程的报告明显相左，又构成了一种"标新立异"的"错误倾向"？他本人那"骄傲自满"、"孤芳自赏"的"老毛病"，是不是又一次形成了不自觉的"大暴露"？他前年的赴法进修，是不是构成了一种严重的污染？……如果不是这样，那为什么原定的领导小组碰头会要推迟，而紧急召开了党员会呢？如果党认为只有 G 型才代表着正确的方向，那么，我只恳请组织上理解，我倾向于 Q 型绝无任何反党意图，那充其量不过是世界观的问题而已……可 Q 型确也有它的道理呀……唉，这些猥琐而卑陋的想法啊，你们怎么老在我胸口淤塞着？真羞于向任何人公开……

叶子珍对潘伯安说："我也不知道怎么回事……总是党员们有事要先商量吧。伯安，你的想法也许反倒是有道理的哩，不过，你的一贯弱点，是到了关键的该下结论的地方，反倒模棱两可……"

潘伯安瞥视了一下写字台，那上头摊放着他那打印好的报告，是陶士铭让他再予校阅订正的；他刚才只是一般地校阅订正着……倘若情势有变化，他是不是该不仅订正打印中的错讹，而干脆把二十几份中关于 G 型的质疑，都一一加以删削呢？

叶子珍仿佛看出了潘伯安的局促不定，她对他说："其实你的意见也只不过是倾向于 Q 型罢了，蒋玉藻拿来的那篇论文，泼辣得不得了，人家是干干脆脆地宣告 Q 型必将取 G 型而代之，就像当年用晶体管取代电子管、用集成电路取代晶体管一样……蒋玉藻这会儿还马不停蹄地在翻译呢。"

潘伯安没有答话。他心里想：蒋玉藻毕竟不一样。她是无论发出怎样的怪论，传播怎样的观点，都不至于获罪的……自己怎能跟她相比呢？

他便把话题引开，谈子女升学问题。他的儿子刚刚考上重点高中，这是个谈来愉快、自豪的话题。叶子珍也便立即向他取经："你们是怎么辅导的呢？……"

小陆从半掩的门外急匆匆地闯了进来，问："李星呢？"

李星和潘伯安同室。他是 R 省来的。1968 届大学毕业生。1972 年入的党。

薛局长建议召开党员会，成立临时党支部，别人都去了 316 室，唯独他不见影儿。小陆只好遵命来找。

潘伯安说："刚才陶工来电话的时候他就出去了，一直没回来。"

小陆甩甩头发说："你看这事儿！"

叶子珍便问她："有什么紧急情况吗？"

小陆撇撇嘴说："整个情况原来就是紧急的嘛，不过……谁知道有的人急的是什么呢？"说着她便扭身往外走，走到门外又探进头来说，"李星回来，让他赶紧去 316 室！"

八

薛局长觉得他等了很久，其实，党员们陆续到达，前后不过十来分钟。

头一个到来的是工程师邹亦奇。他年龄与陶士铭相仿。薛局长头一眼就对他没有好印象。他属于那种任何时候总要把自己拾掇得整整齐齐、干干净净的知识分子——头发仿佛刚刚理过，脸皮白净光润，一副秀郎架眼镜闪闪放光，银灰的西装便服，雪白的衬衫领子，裤线笔挺，一双千层底布鞋底边雪白。他进到屋里只淡淡地同薛局长点头招呼了一下，便兴冲冲地同陶士铭谈起了什么 G 型、Q 型，满嘴里夹带着洋文，有几段对话他俩竟干脆完全用洋文进行，薛局长听了实在刺耳。这样的人怎么也拉进党内来了呢？薛局长实在想不通。

第二个进来的是位朴朴实实的中年妇女，名叫林宏，招呼中薛局长听出她仿佛是京东唐山一带的口音，这给了他一个良好的印象。他在一种亲近感中请她坐到对面的椅子上，同她交谈起来。

"你打哪省来的？"

"D 省。"

"那你早就离开老家啦？"

"可不。我们这一代的，有谁老恋着老家呢？不都是哪需要到哪儿去吗？"

"你怎么搞上这行了？"

"需要我搞我就搞呗。算起来也搞了二十几年啦！"

"你党龄有多长了？"

"比我干这行长上十年。"

"啊，你入党很早嘛！"

"那是抗美援朝的时候，在朝鲜前线入的哩！"

"你当过志愿军？"

"可不。原来是个中学生，初中没念完。打完仗又继续念书。先上工农速成中学，后上大学。学的还不是S.Y，那时候还没有这个专业，后来周总理亲自抓S.Y，我毕业以后就一直搞这S.Y，也算是这方面的创业者之一了，只是外语方面总力不从心——现在我闺女一天能记三十个新单词，我就顶多只能记五个，你看差得有多远！"

一扯到外语，薛局长便兴味索然了。中国人搞建设干什么要懂那"洋鬼子"话？虽说薛局长在主持局里工作时，也照着秘书拟好的稿子，在本系统的会议上宣读过包括"一定要学好外语"、"外语一定要过关"等内容的报告，可从他内心来说，他是一万个看不起那些满嘴滚钢珠的"洋鬼子"，他曾在一次作报告时离开讲稿愤激地说："外国有什么了不起的？美国我去过！左不过是狗屎、妓女、黑手党！不错，他们粮食打得多，农业技术先进，咱们可以学上那么一点，可我就不信，凭咱们十亿个脑袋瓜的聪敏，拼不过他们两亿个脑袋瓜的智慧……"说到最后他的逻辑完全混乱起来，这才不得不赶紧回到讲稿上去。这反映出了他内心的一种不可解决的矛盾：对于洋人及洋人的世界所创造出的许多物质成果，如皇冠牌小轿车、夏普牌收录机、德律风根大彩电、佳能牌照相机、雷达牌自动手表……他是又羡又爱，享用不疲；但对于洋人的粗毛孔、重汗毛，以及往往为香水掩盖不尽的腋臭，他是由衷地鄙薄、轻蔑，他觉得他们确是地地道道的"蛮夷"，自己背后有几千年的文明背景，"洋鬼子"们算什么东西！当然，这些沉淀在心的底层的思绪，他从未直截了当地向外宣泄过——包括自己对自己诉诸理智的沉思……

林宏还在对薛局长讲着什么，他在一种烦闷的心境中竟都没有听见。不知什么时候，小陆已经坐在了对面的床铺上，他只听小陆对他说："李星找不着。别的人都来啦！"

薛局长点点头，对小陆说："好，你休息去吧——我们这就开会。"

小陆冲他耸起双眉。陶士铭忙对他说："陆妮妮同志也是党员。"

薛局长一愣。她也是党员？这个知识分子扎成堆的 S.Y 战线，党员的质量太成问题了嘛！

小陆嘴角挂出冷笑。薛局长竟无视她这个党员的存在！她是早在成为"工农兵学员"之前，在参军不久便入了党。而且，在短短几个小时的接触中，她毫不含糊地认为，自己远比这位薛局长更有党性。

薛局长望了望在场的人，嗽了嗽嗓子，威严地说："为了把这次的会开好，我建议成立临时支部。支部要负起责任，把握好会议的大方向，安排好会议的各项工作……"

小陆不等他说完便快嘴快舌地说："会议已经有领导小组了，会务应该由领导小组掌握。成立临时支部，也成。但支部的任务只能是在党员之间开展批评和自我批评，互相监督，促使每一个党员在这次会议中发挥模范作用，比如，不争待遇，不讲条件，全心全意地投入关于 S.Y 的学术讨论……我选林宏同志担任临时支部的书记。"

邹亦奇立即表示赞成。陶士铭想了想，也说："林宏同志是应该多发挥发挥作用。"

薛局长没有想到他们竟会一致摆脱自己的领导。林宏不过是"跨江牌"党员，比起他这 1946 年入党的"解放牌"，资格可浅多了。他召集这个党员会，难道是为了这样一个结果吗？

那林宏却并不推辞，坦然地笑着说："我多尽点义务也是应该的。我看除了我们严格要求自己，必要的思想工作还是要做的。来以前，我也没预料到会有蒋玉藻的发现。今天晚饭的时候，你们听见大家都议论着什么？新资料引起了新波澜。我的想法，是在这种情况下，会不会有的同志反而会有顾虑，不敢在会议上畅所欲言，比如说，原来倾向 Q 型，现在反倒不好开口，怕人家觉得自己跟在洋人屁股后头凑热闹；原来坚决排斥 Q 型，现在也觉得不便开口，怕人家觉得自己孤陋寡闻……"

"是呀，"邹亦奇点头说，"原来大家基本上都倾向选择 G 型，Q 型的主张者不过起着提供一点对比的作用；现在局面变化了，大家都不能不更严肃地考虑这个问题：究竟是选择 G，还是 Q？"

陶士铭用手帕揩着脖颈下的汗水说："日程更见紧迫。部里等着我们的会议结果，作为决策的重要依据。确实，我们每个人都要起带头和发动这两种作用——带头畅所欲言，发动大家忠于真理。"

薛局长与他们没有了共同语言，只能闷闷地坐在沙发上抽烟。他从来没有像此刻这样，深刻地感受到他成为了一个多余的人。

有人匆匆地敲了敲门，匆匆地走了进来。那是一位很年轻的同志。薛局长以为他是李星，但小陆却跳起来迎接他，招呼着——"钱经理！"

这位圆脸大眼的年轻同志，显然同陶士铭一样，同属近半年才提拔起来的干部，薛局长不大习惯面对这样不像经理的经理。但钱经理却习惯于应付这类要求增加床位的局面。他进屋以后随便地往床头一坐，面对着陶士铭说："你们的困难我体谅，我的困难你们也体谅，咱们好商量——我也忙，你们也忙，咱们长话短说：我再拨给你们一个单间，五楼502……"

陶士铭不禁吁出一口气来，这下可好了！

但钱经理的话并没完，他接着说："……这502除了没有彩电，卫生间里只有淋浴没有澡盆，别的跟这316没什么区别。就这间，我把它匀出来还挺不容易的哩！"

陶士铭立即说："好！太好了！谢谢你！一会儿我就搬过去！"

小陆问："502有电话吗？"

钱经理说："啊，没电话。五楼的乙级房都没彩电，没电话，没澡盆。"

小陆便对陶士铭说："陶工，那你怎么能去呀！部里随时都要跟您联系，我们也不能凡有事都上五楼找您，您住的房间没电话怎么行呢？"说完便又对薛局长说，"薛局长，您搬过去吧，正经是个单间啊！"

薛局长愤怒地瞪着小陆，没吭声。那502的"三无"他无论如何是不能忍受的。没电话，怎么同亲友们联系？没彩电，晚上怎么消磨？没澡盆可怎么洗澡？——他已经养成了每天必在澡盆里热气腾腾地泡上一个钟头的习惯，他认为淋浴那简直不能算是洗澡！更何况最关键的是，他的资历、级别既然摆在那儿，怎么能住到乙级房去？

他发现大家都望着自己，不禁有点尴尬，"不行"这两个字他说不出来，"行"这个字他又实在不愿意说，便漱漱嗓子，表情格外严肃地说："先开会吧。住房子的事一会儿我跟陶工个别商量。"

钱经理真是个精明麻利的人。他一听这话,立即笑容满面地站起来,拿眼望望陶士铭和薛局长说:"好,你们商量吧。我不打扰了。到了五楼你们跟服务台一说,值班员就带你们去502。"说完转身走了,同来时一样,像一股轻风。

钱经理刚走,大家没说上几句话,三春汗涔涔地进屋来了,手里提着牛皮纸包住的一摞东西。他总算找到了二春,到火车站把那寄存的东西给取来了。

陶士铭见到三春手里的东西,仿佛见到一个渡过难产、脱离母腹的婴儿,心里一喜,脸上便忍不住笑成一朵花。薛局长此时与陶士铭感情共鸣。他觉得三春这小伙子煞是可爱,给他争了气,不禁怜惜地说:"三春呀,快坐下歇歇。喝茶不喝?先喝我的吧。瞧你那一头一身的汗,刚才的澡白洗了——你喝了茶,就再进那里头去洗洗吧,这宾馆啥时候都有热水哩!"

小陆听了这后两句,白了薛局长一眼,本想提醒他,宾馆有规定——不准带外面的亲友来洗澡,可想到马继程的报告总算取来了,大家都在兴头上,便没把那话说出来。三春浑然不觉,他喝完茶,大摇大摆地进卫生间,洗二遍澡去了。

陶士铭迫不及待地拆开了牛皮纸包,取出那一叠叠打印好的纸张来。他发现打印出的报告不但没有装订,而且也没有折页、配页,只是把一张张印好的八开纸笼笼统统地码成了一摞。

大家围在一旁看着。小陆不禁埋怨:"怎么搞的,连顺顺页码都不干,糊里糊涂地就这么给提来了,真不负责!"

薛局长忙解释:"是秘书处他们打的包。我回去一定批评他们。"

陶士铭宽厚地说:"关系不大,关系不大。打印得还是蛮清楚的,满清楚的。"

陶士铭急于要校阅这份报告,所以便发动在场的人一起折页、配页。人人便都动起手来。薛局长也学着配页。他时常弄错,不知哪页该接哪页。

窸窸窣窣一阵纸响。忽然,邹亦奇发现了问题:"怎么总没有 PG17—18?"林宏说:"也许在最底下?"可是等陶士铭发完了最后一页,摊在床上的三十份报告还是统统缺少 PG17—18。

陶士铭的心一下子凉了。他问薛局长:"是不是打印完以后,PG17—18 那一叠搁在一边,忘了打在包里了?"

薛局长惶恐起来。他不懂 PG 是什么意思,但他知道确实出了事故——一定是临行前给他打包的秘书马马虎虎,忘下了一叠打印好的篇子在打字室里。这些混账的，让他丢了这么大的丑！回去以后可得好好治治他们！

几个人的眼光最后都集中到薛局长的脸上。薛局长在这天里头一回失去了威严感。他不敢正视大家，他只觉得有无数根刺，嵌进了他的面颊。

九

"必须马上让小马来！马上！"陶士铭面对着满床残缺不全的报告，激动地说，"都怪我下午不坚决——如果那时候通知他来，他一定已经在火车上了！"

邹亦奇和林宏原来不太清楚为什么薛局长来了而马继程却并没有来，此刻他们不禁发问："马继程的报告最重要，怎么他倒不来呢？""难道原来忘记通知他了吗？"

小陆本想把憋了一下午的闷气统统在这时候向薛局长发作出来，又怕惹得陶士铭更加激动——她清醒地知道，她未能搞到硝酸甘油，而此时此刻要搞到它并不那么容易。她管束住了自己，变得格外冷静。她重重地坐到沙发上，拿起茶几上的电话，果断地对服务台说："要长途。"

薛局长的的确确感到理亏。他觉得卫生间里三春弄出的哗哗的水声格外刺耳。他走拢卫生间门前，对里头粗暴地吼了一声："你有完没完啦？"心里仿佛堵上了一块铁。事已至此，他不得不向陶士铭说明："小马不在市里了。打电话一时也找不着。我让他参加植树造林队，到东山义务劳动去了，要下星期才回所里。"

小陆"呱哒"把电话耳机一撂。陶士铭五官皱到一处。邹亦奇和林宏用异样的目光望着陶士铭，仿佛他是一个从未遇上过的怪物。

大家沉默了整整一分钟。

"我看，应当立即召开领导小组会，商量一下应急措施。"邹亦奇对陶士铭说。

"好，立刻去你屋里开。"陶士铭努力振作起来，又对林宏说，"林宏同志，你最好一起去，共同商量一下。"林宏点头。

他们便一齐走了。小陆最后一个离开，她临走时给了薛局长严厉的一瞥。

薛局长颓然地坐到沙发上。

三春洗完了澡，用毛巾擦着头发，走出卫生间，惊讶地望着大舅。

"你磨磨蹭蹭地干什么呢？"薛局长把一腔怒火都朝他倾泻了过去，"都是你们哥儿俩闹的！你们把我坑苦了！还不赶紧滚蛋！"

三春匆匆忙忙地穿好鞋，委委屈屈地朝屋外走。

"你回来！"

三春站住了。他实在是莫名其妙。

"你都听见什么啦？"

"没，什么也没听见呀！"他的的确确什么也没听见。卫生间里的水声盖住了其他一切声音。

"这儿是办正事的地方，你们以后少往这儿跑！"

"是。"

"去吧！"

三春一溜烟地跑了。

薛局长点燃了一支烟，却顾不得抽。他仰靠在沙发上，任手里的香烟冒出缕缕白烟，慢慢变成灰烬，掉到地上。

"您是薛局长吧？"

他听到一个陌生的声音，抬眼一看，屋门口站着一个年轻人。

他示意让他进来，坐在茶几那边的沙发上。

那年轻人恭敬地走过来，坐下了。

"是开党员会吗？"年轻人问。

"开过了。你是党员？"

"是。我叫李星。"

"你刚才哪儿去了？"

"我不知道晚上还有党员会。我出去了。"

"你是哪个省来的？"

"R省。"

"你入党多久啦？"

"我能有多久？你的党龄，大概比我的年龄还大呢！"

"我1946年在根据地入的。"

"嗬，您入党那会儿我还不会走路呢，我得好好向您学习！"

"不行啦！老啦！僵化啦！跟不上趟啦！"

"哪能这么说呢！"

"是实在话呀。"

"您可别这么说。现在有的人巴不得把老同志都贬成僵化分子哩！"

"人老了是难免僵化呀！"

"那不是马克思主义的观点。那是进化论的观点。社会达尔文主义，反动的。"

薛局长偏过头去望望，这李星长得眉清目秀，右脸颊上有颗圆圆的黑痣，挺招人喜欢。

"你搞这工作有几年啦？"

"跟着打杂呗，算来也有四五年了。"

"你喜欢这工作吗？"

"怎么说呢……"

"整天啃洋资料，你觉得那滋味怎么样呀？"

"怎么样？我也说不清……"

"洋人说的就都对？我看不能迷信。"

"可不。就是。干我们这行的，最容易崇洋媚外。"

"你有这个认识就好。"

"可在我们这个圈里，怎么说呢……"

"你说嘛。有什么想法就说什么想法嘛。"

"我们这个圈里，缺的是您这样的老同志，多的是光知道啃书本的知识分子……他们的价值观念，说实在的，我就有不同的看法。"

"你说说看！有不同的看法，就该大胆发表嘛！"

"他们衡量一个人，老把外语水平搁在第一位。外语好，他们就觉得高明。外语差，他们就瞧不起……"

"这叫什么观点！干脆比那鼻子高矮算了——是不是鼻子高就值钱，鼻子矮就不值钱呢？"

"深刻！您说得真深刻！要是他们也有您这样的水平，那就好了！"

两人越聊越投机。

薛局长觉得原有的失落感，得到了一定程度的弥补。他不由得顺着自己的心事往下聊："……现在你们还常下去吗？"

"下去？下基层去？也去……可跟您说实在的吧，现在是只重理论，不重实践……"

"啊，问题有那么严重么？"

"当然，各单位情况也不一样，反正，我有个感觉，现在业务上过硬就行，什么世界观，思想改造，没人提，提了也没人搭理，还说不定被扣上顶极'左'的帽子！"

"是呀是呀……你提出的这种倾向很值得注意……小李呀，你说说看，如果这时候派你们去参加义务劳动，比如说，去植树，造林，你们会怎么想呢？"

"我当然去啦！党员嘛，党让干什么就干什么。别的人我可不敢担保，有的党员——比如那些这几年入党的业务党员，我就不敢保证他们全愿意去。他们理由可多啦，什么现在是信息社会呀，我们搞情报的一天都不能松懈呀，一天不搜集、整理信息，就会误了大事呀……"

"信息社会？我们是社会主义社会嘛！"

"就是呀！他们就是舍不得办公室、办公桌、外国书……"

"情报工作不是不重要。可没有情报地球还不是一样转？"

"对对对，没有谁地球也一样转嘛！"

薛局长连连点头。心里熨帖得不行。他让马继程去植树造林有什么错？这次会议没有马继程来有什么了不起？他那报告又有什么不得了的？没有他来发言，地球就不转了吗？再说他的报告稿也拿来了嘛，一共三十六个页码，少了两个页码才十八分之一嘛，什么大不了的事！……

"小李呀，"薛局长欠过身去，极知心、极恳切地说，"你很清醒，好呀！明天这会就要开场啦，知识分子扎堆儿的会，咱们心里头可得揣杆子秤呀！……"

李星恭敬地望着薛局长，眼睛一眨一眨，认真地倾听着。听完了，仿佛深受启发似的说："今天晚上，各屋都在议论那个蒋玉藻带来新资料的事。蒋玉藻这个人我们当然要团结，统一战线。促进台湾回归嘛！可是我就不明白，怎么能光对她那资料本身感兴趣。她那资料究竟怎么来的呢？说是她的朋友给她带来的，什么样的朋友？为什么要带资料给她？……我看都应该弄明白了才行。"

"对呀！"薛局长觉得李星更加可爱，不由得连连赞许、鼓励说，"这才是一个共产党员应该有的警觉性嘛！明天一开会，你就该把这个问题提出来嘛——当然，要注意方式方法。对于那种见了洋人的资料就拜倒在地下的倾向，我们是该好好地反一反了嘛！"

"薛局长，我水平低，说不准确。要提，还是由您来提吧，我可以呼应。"李星说到这儿，看看手表，起立告辞，"耽误了您半天工夫，影响您休息了。"

薛局长破例地起立相送："小李呀，常来谈谈吧！"

李星乐呵呵地答应着："我一定常来，能向老同志学到不少东西嘛！就是怕影响您休息……"

"没关系没关系……"

薛局长在这一天里头一回同来客握别。

李星脚步匆促地回到自己的房间。他的朋友在等着他。

李星其实并没有离开过宾馆。晚饭后他的这位朋友来找他，他从前厅直接把他带到花园里去了，他们在那里一直聊到八点左右。后来李星才把他带到房间——因为李星知道同屋的潘伯安八点要到别的房间去开碰头会。他同朋友进到房间，便在茶几上发现了潘伯安留下的纸条，让他到316开党员会。结果他却同薛局长聊了那么一通。

他的朋友年龄同他相仿。在W城的一个机关已经升为了副处长。他们两是1967年"大串连"的时候在W城结识的。

李星一回屋便把门关严。他的朋友责备他："怎么才回来？开那么久的会？"

"屁会。"李星坐到沙发上，从茶几上拿起一只鸭梨，用手搓了搓便往嘴里送："人家早散了，就剩个姓薛的，跟他臭聊了一会儿。"

"什么人物，值当你耽误那么多工夫。高工？"

"屁。一个地地道道的科技官僚。"

"你跟他有什么好聊的？"

"就是。不过聊聊也没坏处。以备不时之需嘛！"

李星几口就把那梨吃得只剩一个核儿。他又拿起了一个来，问朋友："你不来一个？"

十

　　送走李星以后。薛局长舒舒服服地靠在沙发上，痛痛快快地吸了半支烟。他想今后如有机会见到 R 省或部里负责人事的同志，一定要向他们推荐李星这个人才。自己眼看要离休了，当个"伯乐"，为党的事业选定几匹"千里马"，也算是发挥"余热"嘛！

　　他忽然觉得身上刺痒。嗨，来了这么几个钟头，竟忙得顾不上洗澡！他把烟蒂捻灭在烟缸里，站起来伸了个懒腰，又顺势比了几下"鹤翔桩"功，定了定神，便打算去卫生间好好地泡一泡。可他一望屋里的凌乱景象，就不禁烦从心起。他想我怎么总这么倒霉呢！干了这么多年革命，直到这上半年，才从行政十四级升为了十三级。这可是盼望多年的一升呀！别的不说吧，原来靠行政职务配小车，十多年里头都是辆老"上海"，头两年才换了辆新"丰田"，真想坐那比"丰田"宽敞舒适的"皇冠"呀，可是一直分配不到那个型号。现在总算有资格要"皇冠"了——虽说局里登记了半年有余，有关方面还没下货，可想到有了这个资格，心里头原也是舒畅的……不过那回到 N 省去，他妈的"小喜子"就坐上了"皇冠"，他小子在村里的时候，打柴禾、掏鸟窝，什么事不屁颠屁颠跟在我后头？我在部队里都当上班长了，他才光着脚丫跑来参军，比我足足晚了两年；他年初才从十五级升到十四级，可他小子揽了个正职，一下子就享受到了"皇冠"的待遇——我让他用那新车子拉我逛鲤鱼山去，他捏酸假醋地跟我说什么："算了吧，有个影响问题哩！"扯淡！……不去骂他了，可叹我今天这个处境，连租辆"皇冠"专用车的事都没人给落实，住房子上头还受这么多的窝囊气！

　　薛局长真想叫个人来，把摊放在陶士铭床上的那些打印稿几下敛起来，把陶士铭带来的家什都给他收齐装好，赶快一打趸地都给搬到那 502 去。快九点了，该关起门休息了！

　　他走到窗前，把本来半开的窗户推至全开，一阵晚风扑面而来，使他为之一爽。离开窗户，他顺手把窗边的彩电打开，一阵令他难以接受的西洋古典交响乐先飘了出来，随即荧光屏上现出一个交响乐队演奏的场面——这就让他更难以容忍，他毫不犹豫地立即关掉了彩电，心想电视台今晚怎么也来跟我作对，放这让人腻歪的节目！他心中随即飘过一丝甜蜜的向往——要有一副麻将，三个牌友，凑成一桌，玩它个半宵，比看什么电视节目不强？

他取出待换的衣物，正往卫生间挪步呢，偏这时候陶士铭来了。

"老薛啊，"陶士铭进屋就跟他说，"刚才我们几个研究了一下，决定还是要让小马来。你现在就给你们局里打个长途吧，让值班的同志办三件事：一是把忘带来的那一叠打印件尽快找出来；二是无论如何要在今天夜里通知到小马，让他明天赶上午十点五十六分的那趟火车来这儿，另外，让人把你忘带来的那部分打印件，及时地交到他手里，让他带来……"

薛局长一听，脑袋就大了，身上更觉得刺痒难耐。他不能容忍陶士铭这么个知识分子这样向他发号施令！几个钟头以前，他曾几句话把陶士铭激得狂怒起来，此刻，陶士铭几句话又把他激得狂怒起来。他把手里的衣物往床铺上重重地一摔，脖子和额头上的青筋暴起老高，扬声抗议："有什么事你让你那个姓陆的办去！你没见着我正要洗澡吗？你才入几天的党？我把脑袋瓜别在裤腰带上，出生入死地为你们打国民党的时候，你在哪儿待着呢？你倒让我给你办起事来了，还轮不着你给我下命令！好家伙，你们这号知识分子，刚成了个预备党员，刚揽上了点权，就这么张牙舞爪起来了！你还得了呀！你？！……"

陶士铭愣住了。他估计到薛局长不一定能痛痛快快地按领导小组的决议行动，但没有想到他会这样强烈、这般粗鄙地向自己抗议。一种被伤害的痛苦感与一种面对丑恶的难堪感交织在一起，涌动在他胸中，使他几乎也要暴发出一阵狂怒来。但他很快便抑制住了自己。刚才的核心小组会给予了他一种超自我的力量，一种党性的神圣感，一种事业的责任感，一种时间的紧迫感，这几种感觉使他迅速地冷静了下来。面对着眼前的薛局长，他咽了口气，声调平和然而字字用力地说："薛局长，老薛，薛燕培同志，你这样不好。你对我个人的意见，以后我再来听取。现在我不是代表我个人，我是来向你传达会议领导小组的决定，我们领导小组是部党组任命的。我们都要对上级党组织负责，对工作负责。马继程同志必须到会。他的报告打印稿不能缺页。对这两件事你不能推卸自己的责任。"

薛局长一时语塞。毕竟他是多年的党员，也曾有过如陶士铭此刻这样的对工作认真负责的时候，也曾据理力争地面对过失去常态的同志……他自己也不清楚，何以在这新的时期，他懵懵懂懂地忽然成了陶士铭这样的同志推行工作的阻力？不过他的这些自省性的意识总是处于轻烟般的状态，他的心上仿佛长了一层壳——犹如铁壶中的水碱，他已经有若干年不能把那些飘荡的意识集聚成为一种自我约束的力量，需要怎样的一种消碱剂，才能去掉他心上的那层硬壳呢？

不能及时沉思省悟，而听任潜意识层上的某些"本能"指挥——结果是再糟糕不过了：薛局长瞪了陶士铭一眼，转身就往卫生间里走去，临进门时嚷了一声："我没什么责任！你们爱怎么负责任就负去！我这会儿要洗澡！"

卫生间的门"砰"地一声关拢了。

陶士铭心乱如麻。怎么办呢？他在屋里踱了几步，不知不觉来到了窗前。微风吹得他脸颊发凉。W城初秋的夜是最迷人的。陶士铭这才惊异地发现，原来窗外有一株好大的白玉兰树，大朵的白花在路灯照耀下仿佛丝绒剪就；透过那些枝丫望去，花园中有一个不小的湖，湖里一定开放着荷花，飘来阵阵淡雅的荷叶荷花的气息；不远处大概有一个旱冰场，可以听见圆舞曲的乐音和一阵阵旱冰鞋在水泥地面上滑动的声音——奇怪，陶士铭住进这间屋子好几天了，他竟在此刻才发现了窗外所存在的这一切，而这一切本是他最不应在此刻发现的……

薛局长拒绝打电话回去。怎么办？时间一分一秒都不能耽搁。小马明天上午一定要坐上那趟特快车才行！就是他坐上了，也要后天晚上才能抵达W城，而那时讨论已经展开了……G，还是Q？小马听了蒋玉藻的发言，会是什么反应呢？……

陶士铭毅然地从窗边走到茶几前，拿起了电话。他决定自己来给X省打长途。

十一

湖光宾馆里的生活在继续流动。

一些贴有花花绿绿签条的行李集中在前厅一隅。一个外国旅游团即将离馆赶赴火车站。一些身材矮小、其貌不扬的香港学生刚从"日野"大轿车上下来，走进前厅；仅仅是从火车站到这宾馆一路上所见到的夜景，已使他们对W城迷醉。

在蒋玉藻和叶子珍的房间里，蒋玉藻仍在俯案翻译资料。叶子珍倚在床上，就着壁灯看一本日本书；她的心神多少有些不定——女儿小薇今晚去补习物理了吗？她解力学题目能力提高了吗？

另一间屋里，邹亦奇两手托在脑后，坐在沙发椅上看电视——他沉浸在德沃夏克《b 小调大提琴协奏曲》的优美旋律中。潘伯安也在这间房里看电视——因为同屋的李星有客人，他觉得自己理应回避。与邹亦奇同住一屋的另一位工程师却泡在澡盆中看书——自然是一本 S.Y 方面的专著，英文版的，他也同时欣赏着电视里传出的音乐。

林宏在帮助同屋的一位女同志校阅打印好的报告。她刚洗过头，蓬松的短头上，插着一把琥珀色的梳子。

李星和他的朋友，仍在促膝密谈。他们时而回忆往事，时而评议时世，声音一时高，一时低，一会儿忍不住笑，一会儿不由得叹息。

陆妮妮行走在楼梯上。她到处找钱经理，还没有找到。她想请钱经理动员一下那位评论家，让他住进 502 去，反正他只是要求安静——没有彩电和电话，不是对他更相宜么？而陶工和薛局长却可以各得其所了。当然，她也没有忘记为陶工找硝酸甘油的事——她想，办妥了换房间的事，她干脆到街上药房买去——W 城的药房也总有夜间售药窗口的。除了这些浮在理智层上的意识之外，在她行走之时，她心灵中还有着仅仅属于她个人感情上的、心理上的、隐秘到她自己也不觉的潜流：一张撕碎的相片在月光下显得那般古怪，一个固执的声音在连续地说着："坐船、坐船、坐船"还有：一股烧煳了的刺鼻的葱味……

那位评论家把屋门关得紧紧的，而且从里面扣上保险。他把窗帘也都拉上，整个屋里只有写字台上台灯照出的一圈光明。他已经酣畅淋漓地论述完了近期优秀作品中所体现出的时代精神和新人风貌，而要转入对不良创作倾向的细致剖析了。

也许，全宾馆中此刻最苦恼最尴尬的还是陶士铭和薛燕培这两个人。

陶士铭挂通了电话，但薛燕培那值班的下属却怎么也听不懂他的意思——实在也难怪对方，事情本不易说清，而自己的身份又不能令对方信服，他真怕对方在说出了"明天领导来了再说吧"一句后便把电话挂上，他几乎是哀求地把嘴唇贴拢话筒："一定先别挂上电话，听我再跟你说说……"

薛局长横陈在澡盆中，热腾腾的洗澡水浸泡着他那赤条条的身躯。他头部枕着浴巾叠成的枕头，不禁随着双手抚摸着自己的身体。是呀，胸部的肌肉原来是多么刚硬，而今已化为了女人乳房般地松软；肚子高高地耸起来，当年弹片划出的伤痕活像一条赤红的蜈蚣，趴在肚皮左侧……不容易呀，从一个村子里喝野菜糊糊的穷小子，成了今天这样的一个共产党干部；经过的事多了，战场上的情景且不去提它，土改的时候，一进村就遇上个血案，那被害者的尸体靠在门背后，好吓人啊！"三反""五反"的时候，"老虎"攻不下来，自己不是急得拍桌子，把手腕子都拍肿了吗？……还有"文化大革命"，他妈的狗日的"造反派"，用什么东西做成"黑牌"给我挂在脖子上？不能提！还有"干校"，那"军宣队"的政委算个什么东西？连抗美援朝前线都没去过，根本不知道打仗是怎么回事，却在"围湖造田"的现场当着那么多人熊我……还有那不争气的老婆，你说你是假离婚，后来跪在我脚跟前求我，我踢你是踢重了，可你也该捧着心想想，那老王、老虞他们家里的怎么就都没丢过这份丑呢？……更不争气的是老二，你以为我为你弄那么个单元容易吗？你还嫌是六楼，不中意，带上你那个妖精媳妇来跟我闹……我把那一旅行包补发工资提回家的时候，你怎么不是这副嘴脸？……唉，这个姓陶的，你也太不给咱面子了，就算我刚才失态，你想我革命革了这么多年，交的党费比你家里全部家用电器的价码加起来还多，你说我能不给你挂那个电话吗？你怎么就自己给我那个局里挂起电话来了？我就不信你们这个技术情报上的事有那么紧急！紧急情况我经多了！当年我还给师部送过鸡毛信呢……不就是缺个小马吗？不就是缺那什么"派机"十七、十八吗？有那么不得了？少了鸡蛋，就做不成潮糟糕了吗？……

以往，薛局长在澡盆中一泡，起码得一个钟头，这回却只泡了十八分钟，便浑身不自在起来。他不知不觉地坐了起来，不知不觉地出了澡盆，不知不觉地擦干了身子……直到穿上了睡衣睡裤，他才清醒地意识到，他打破了常规——究竟值得，还是不值得呢？他内心里感情复杂。他既痛恨陶士铭他们的多事，却又也有着一种不能推卸的责任感；他既维系着作为老革命、老党员的威严，又充满着"美人迟暮"般的感伤；他既恋恋不舍那热气腾腾的洗澡水并且渴求着更多的享受，也毕竟习惯于意料之外的变故和必得忍受的艰苦……他就那么打开了卫生间的门，走到了仍在打电话的陶士铭面前。

陶士铭急得脑门上沁出一片汗珠。那边接电话的值班者虽然没有挂掉电话，并按陶士铭的要求做着电话记录，但不能理解为什么他们薛局长不亲自挂来电话，而且一再声明局里此刻没人，一切事宜都必须等到天亮大家上班后再说。

"怎么不坐下打呀？"陶士铭耳边忽然传来了薛局长的声音，他偏头一看，不禁一惊，又一喜。他没想到薛局长这么快就走出了卫生间，并且消了气。他不由得歪身坐到了沙发上，对着话筒昂奋地说："你等等，你等等，你们薛局长来了，让他跟你说说。"说完，把话筒递给了薛局长。

薛局长以不慌不忙的姿态接过了电话，庄严地坐到另一边沙发上，先嗽了嗽嗓子，这才与对方通话：

"谁呀？小魏你呀？刚才陶工跟你说的都听明白了吗？……你们就是那个臭毛病，别的庙的和尚你们就不给粥喝……你少废话！甭给我解释！你当值班就是看小说解闷吗？我还不知道你？……陶工是这儿会议的负责人，你当他说话是闹着玩儿吗？……多难，也得把小马找着。先给县里打电话，让县里连夜通知林场，让林场拿吉普车连夜把他送进城……对，那没捆进来的篇子八成在打字室里撂着哩，一早就得找齐，这回一根纸毛也不能给我拉下，一定要在小马上车以前交到他手里……什么？试试？该办的事就得办妥，都试试试试，那还行？……好，你落实了就给我回电话，我等着，告诉你，你小子别给我拖，要是一个钟头以内你不给我来电话，回去我就跟你算账——不用回去，我明天一早就打电话给党委，你等着党委找你吧！你们这些个人呀，真给娇惯坏了！……"

在通话中，薛局长逐渐找回了自我，他不禁隐隐有点后悔，刚才何必那么发火呢？"当然，"他又赶紧在心里对自己说，"都怪陶士铭那劲头不对，他要好好地跟我说，不摆出那么个领导小组组长的派头来，我能发火吗？还是他不对，臭知识分子，翘尾巴嘛！……"

陶士铭一旁听着，松出一口气来。他已经把刚才那不愉快的场面暂时抛在脑后。他心想：小马能赶来就好。忘带的论文篇页能补来就好。薛局长毕竟擅长于行政领导工作，看，几分钟里他就把那头的那位魏同志推动起来了……

陶士铭站起来，立即动手收拾自己的东西，并对薛局长说："老薛呀，我先往502搬，过一会儿我再来听消息吧！"

薛局长倨傲地靠在沙发上，点燃一根香烟说："好呀。你把窗户关上吧。"

陶士铭赶紧去把窗户关严。他此时愿为薛局长做任何使其舒适愉快的事情……

陶士铭提着行李走了。薛局长徐徐吐出一口烟来。

十二

电话铃猛地响了。

薛局长一把抓起电话，厉声询问："怎么样？都给我落实了吗？"

对方的声音不知怎么不对头。

薛局长发火了："我等了四十分钟，就不能得个干脆利落的回音吗？怎么哼哼唧唧的？说清楚点！……"

其实对方的声音一直很清楚。只是那电话并非由 X 省他们那个局的值班室打来，而是副部长从自己家里打来找陶士铭的。两个人都觉得对方的声音和话语古怪，所以就闹岔了。

"你究竟是谁呀？"薛局长不耐烦地问。

对方说出了名字，他一时还没意识到那是副部长。

"你究竟找谁呀？"薛局长只觉得对方讨厌。

"我找陶工，陶士铭同志。你那儿不是他的房间吗？"

"他搬走啦。"

"搬走了？为什么搬走？"

"搬走了就是搬走了嘛。他搬到 502 去了。"

"502？给他打电话就拨 502 分机吗？"

"502 没电话！"

"没电话？！怎么……？"

"你有什么事吗？没急事你明天打到五楼服务台吧……有急事？什么事？好，你跟我说吧，待一会儿他也许来我屋里，我转告他……"

对方连问了他几句，他这才终于弄明白对方是谁。当然，他首先感到尴尬，但他并不想马上变换语气。他知道那新升上去不久的副部长的资历，1948年才入的燕京大学地下党，没扛过枪，没打过仗，"文化大革命"前不过是个副处长，粉碎"四人帮"两年以后才当上副局长，有什么了不起的！不过仗着年龄优势，加上肚子里有那么点墨水儿，就暴发起来了。副部长他见多了，当年部里的老卢比他早两年参军、早一年入党，对他不也拍肩膀论战友吗？电话里遇上这么个起码晚他一"科"的"师弟"，他能气短么？

"……你是哪一位呀？"副部长还在问他。

他雄赳赳地报出了自己的名字。

"啊……你是哪个省的呀！"副部长显然在上报的与会名单中寻找着他的名字，没有找到……

"我是X省的。我是……"薛局长郑重地报出了自己的职务。

"啊，你是薛燕培，老薛同志，你好你好！"副部长毕竟还是能想起各省与S.Y方面技术有关的干部的名字，包括薛燕培在内。薛局长听了副部长下面的话心里更加熨帖："……啊，老薛你亲自来参加这个会，好哇。陶工业务上是个内行，行政上生疏一点，有你帮助他，这个会开好更没有问题啦！"

可是几句话过后，他便遇到了难以回答的问询："你跟马继程是今天下午到的吗？小马的那份报告准备得怎么样？听秘书小陈说，陶工有要紧的新情况要跟我说，陶工哪儿去了？他怎么搬走了呢？……"

薛局长声音这才疲软下来，他只好硬着头皮报告说："小马……他今天没来。没跟我一块来。他……"嗽了嗽嗓子，他再进一步硬硬头皮，接下去应付着，"……他出了点事，不是什么大事，不要紧的……他明天来，明天就来，误不了……他的报告？打印好了，能，能立即给你寄去……不用寄？明天有人来取？你打电话说定了？谁？啊啊啊，正好明天要从这儿飞回去的……行吧，行吧，没什么问题……我想没什么问题……陶工？他一会来，准来，对对对，说好了来，让他给你打电话？那好，一定一定……没什么，好……好，我挂了。"

挂上电话，薛局长忐忑不安地坐在沙发上，心里头发堵。他觉得浑身又都是汗，澡算白洗了。

电话铃又响了。他拿起电话，本能地问："是某某副部长吗？还有什么事要交代吗……"可这回不是副部长，而是他那姓魏的下属。他的声音立即严厉起来，"怎么搞的？！现在才回电话！你不知道日程紧迫吗？现在是一分一秒也不能耽搁，懂吗？事情落实得怎么样了？……"

对方一定急得满脸油汗，那声音是嘶哑而打颤的："林场回电话了，说马继程他……他不见了！晚饭后大家就没看见他，现在各个宿舍都找遍了，哪儿也找不着他……打字室刚才开锁细查了一遍，找着那叠印好的篇子了，页码是 17 和 18，可怎么给您送去呢"……"

马继程失踪了？怎么回事？怎么能出这种事？怎么竟出了这种事！

可是世界上偏就出了这么件事。人们可以作出各式各样的猜测，但此刻谁也无法证实，马继程究竟在什么地方。

薛局长被这消息摧垮了。他呆呆地坐在沙发上，电话仍握在手中，手却瘫在膝盖上。耳机里哗啦哗啦地响着对方焦急的话语，可是已经没有人听得清那都是些什么句子……

W 城。湖光宾馆。

蒋玉藻已经译出了一半还多的德文资料。叶子珍正为她用电热壶烧一壶新的咖啡。潘伯安在一种不安的心情下修改着他的论文。邹亦奇和同屋的工程师激烈地辩论着 Q 型的优劣。林宏和同屋的女伴已经校完了打印稿，两人絮絮地闲谈着，女伴已经开始向林宏倾诉她爱情生活中的波折与不幸。李星把他的朋友送到离宾馆很远的街口，却依然难舍难分。其他的与会者有的在看电视，有的在看书，有的在写信，而更多的是在看 S.Y 方面的技术书籍。小陆在宾馆的大厨房找到了潘经理。潘经理正在同食堂主任商量改进夜餐供应的问题。小陆的请求使潘经理为难。因为替那位评论家包下房间的杂志主编又亲自来过一次电话，请他务必不要干扰评论家的写作。评论家仍在挑灯夜战。他已经将目前创作中的第三种不良倾向批判得体无完肤了。一群兴高采烈的外国男人和若干重施脂粉的外国妇人乘电梯升到七楼平台，去那里的露天酒吧观赏 W 城夜色，并准备在音乐声中翩然起舞。陶士铭匆匆地洗了个澡，换妥了衣服，正下楼往 316 去，他满心满意以为等着他的将是个好消息……

而在北京，副部长正等着陶士铭的电话。地球辘辘转动，时间不息地推移。西方世界的股票市场正出现着新的起落。关于 S.Y 方面技术引进的谈判日期一分一秒地更加接近。外国有关方面的人士已订妥来北京的机票，那主要的一位人士已得到其夫人的指示——为她带回一匹中国蜡染蓝花土布。一张有关这次谈判的日程表已在部里打印。一位副总理已经为此同那位副部长面谈过两次……

可是与此有关的一个小而关键的环节——小马和他的学术报告，却一时松脱。

薛局长坐在 316 室的沙发上，一口接一口地抽烟。谁也无法形容他那复杂的心情。

陶士铭就要走进 316 室了，在那间平淡无奇的宾馆房间里，还将发生些什么事情呢?

窗外的白玉兰花，静静地开放着，送出淡淡的馨香。

1984 年春节于北京劲松中街

附录一 刘心武文学活动大事记

1942 年

6 月 4 日生于四川省成都市育婴堂街。

后在重庆度过童年。

父母兄姊均热爱文学艺术，深受家庭熏陶。

1950 年

随父母迁居北京，从此定居北京。

在隆福寺小学上小学，在北京 21 中上初中。

1958 年

在北京 65 中上高中。

给若干报刊投稿，屡被退稿。

8 月，在《读书》杂志发表《谈〈第四十一〉》一文，是投稿第一次成功。

1959 年

在《北京晚报》"五色土"副刊陆续发表一些儿童诗、小小说。

为中央人民广播电台少儿部《小喇叭》（对学龄前儿童广播）编写若干节目；其中快板剧《咕咚》经编辑加工、录制后大受欢迎；"文革"中录音带被销毁；1991 年重新录制播出。

1961 年

毕业于北京师范专科学校，分配到北京 13 中任教。

至"文革"前，在《北京晚报》《中国青年报》《人民日报》《光明日报》《大公报》《北京日报》《体育报》《儿童时代》《大众电影》等报刊上发表了约 70 篇小小说、散文、杂文、评论等文章。

1966—1976 年

"文革"中，因 1964 年曾发表过一篇关于京剧的文章，以"反江青"罪名被冲击。

1974 年后再试写作，曾写一关于"教育革命"的长篇小说，由出版社联系获准脱产修改，但终未达到当时出版要求。

1976 年

写出一个大院里孩子们同坏蛋斗争的中篇小说《睁大你的眼睛》并得以出版（北京人民出版社）。

又按照当时政治要求写出一些短篇小说、散文，有的到次年才收入多人合集中出版。

调到北京人民出版社（后恢复"文革"前社名：北京出版社）文艺编辑室当编辑。

1977 年

11 月，在《人民文学》杂志发表短篇小说《班主任》，产生重大影响——被认为是"伤痕文学"的开山作，也是"新时期文学"的发端；从此成名。

从《班主任》后，写作冲破懵懂，沿着认定的方向跋涉，穿越风云，锲而不舍。

1978 年

参加《十月》杂志（开始以丛书名义出版）创刊工作，在创刊号上发表短篇小说《爱情的位置》，经转载和广播，影响巨大。

在《中国青年》杂志上发表短篇小说《醒来吧，弟弟》，反应亦极强烈。

《班主任》《爱情的位置》《醒来吧，弟弟》均被改编为广播剧，由中央人民广播电台多次广播，《醒来吧，弟弟》被搬上话剧舞台；此年发表的短篇小说《穿米黄色大衣的青年》亦由电台播出。

1979 年

在首届全国优秀短篇小说评奖中《班主任》获第一名。颁奖会上，从茅盾先生手中接过奖状。

参加中国作家协会第三次全国代表大会，被选为中国作家协会理事。

成为中华全国青年联合会常务委员，至 1993 年卸任。

9 月，参加中国作家代表团访问罗马尼亚，此系"文革"后第一个作家出访团。

在《人民文学》杂志发表短篇小说《我爱每一片绿叶》，写作技巧有长足进步。

1980 年

调至北京市文联当专业作家。

《我爱每一片绿叶》获 1979 年全国优秀短篇小说奖。

《看不见的朋友》获 1954—1979 年第二届全国少年儿童文学创作奖。

在《十月》杂志发表中篇小说《如意》，其弘扬人道主义的追求引起争议。

出版《刘心武短篇小说选》（北京出版社）。

1981 年

在《十月》杂志发表中篇小说《立体交叉桥》，引出更大争议，一些评论家认为"调子低沉"是步入了写作上的歧途，另有评论家则认为此作标志着刘心武的小说创作在反映现实、探索人性及艺术工力上均达到了新的水平。

5 月，应日本文艺春秋社邀请访问日本。

1982 年

应导演黄健中之请，改编《如意》；北京电影制片厂拍成彩色艺术片《如意》。

1983 年

11 月，参加中国电影代表团赴法国，在南特"三大洲电影节"上，《如意》在开幕式上放映，获好评；后陆续在法国、西德电视台播出。

1984 年

冬，应邀访问西德，参加"中德大学生会见活动"，并在波恩大学、波鸿大学与威尔兹堡大学介绍中国当代文学。

年底，参加中国作家协会第四次全国代表大会，再次当选为理事。

在《当代》文学双月刊第 5、6 期连载长篇小说《钟鼓楼》。

1985 年

出版长篇小说《钟鼓楼》(人民文学出版社)，并获第二届茅盾文学奖。

因《钟鼓楼》获北京市政府嘉奖。

7 月，在《人民文学》杂志发表纪实小说《5·19 长镜头》，反响强烈。

11 月，又在《人民文学》杂志发表纪实小说《公共汽车咏叹调》，引起轰动。

1986 年

年初，应当代文艺出版社邀请访问香港。

6 月，调中国作家协会人民文学杂志社，任常务副主编。

在《收获》杂志设《私人照相簿》专栏，进行图文交融的文本尝试。

散文集《垂柳集》出版，冰心为之作序。

1987 年

1 月，被任命为《人民文学》杂志主编。

2 月，《人民文学》杂志 1、2 期合刊发表马建写的小说《亮出你的舌苔或空空荡荡》违反民族政策，承担责任，停职检查。

9 月，复职。

冬，应邀赴美国访问。参观美洲华侨日报；在哥伦比亚大学、三一学院、哈佛大学、麻省理工学院、康奈尔大学、芝加哥大学、旧金山大学、斯坦福大学、伯克利加州大学、洛杉矶加州大学、圣迭戈加州大学等处演讲，介绍中国当代文学，并参观耶鲁大学；参加爱荷华大学"作家写作中心"的纪念活动；游览华盛顿等地。

1988 年

3 月，应香港《大公报》邀请，赴香港参加五十周年报庆活动；在《大公报》安排的大型报告会上作关于改革开放与文学创作的报告。

5 月，应法国文化部邀请，参加中国作家代表团访问法国，除在巴黎活动外，还访问了西部港口城市圣·拉扎尔。

《私人照相簿》在香港出版（南粤出版社）。

《我可不怕十三岁》获 1980—1985 年全国优秀儿童文学奖。

以上数年中，若干小说、散文还分别获得过《当代》《十月》《小说月报》《小说选刊》《中篇小说选刊》《儿童文学》《北方文学》等杂志，《人民日报》《文汇报》等报纸副刊的奖；拍成电视剧播出的有《没工夫叹息》《熄灭》（电视剧名《火苗》）《今夏流行明黄色》《到远处去发信》《非重点》《公共汽车咏叹调》和八集连续剧《钟鼓楼》；若干作品被英国、美国、西德、苏联、日本、瑞士、瑞典、法国、意大利等国翻译为英、德、俄、日、法、意、瑞典等文字出版；自 1987 年起被世界上有威望的英国欧罗巴出版社《世界名人录》收入词条。

1989 年

春，应香港中文大学翻译中心邀请，与妻子吕晓歌赴香港访问。

1990 年

3 月，以任届期满，免去《人民文学》杂志主编职务。

香港中文大学翻译中心编译的英文小说集《黑墙与其他故事》出版。

秋，以"鱼山"笔名在《钟山》杂志发表中篇小说《曹叔》。

1991 年

出版小说集《一窗灯火》。

除小说外，开始发表大量散文、随笔。

1992 年

长篇小说《风过耳》在内地（中国青年出版社）、香港（勤＋缘出版社）分别出版，反响颇为强烈。

长篇小说《四牌楼》完稿，交上海文艺出版社出版。

《献给命运的紫罗兰——刘心武谈生存智慧》由上海人民出版社出版，受到读者欢迎。

在《收获》杂志发表中篇小说《小墩子》，后由中国电视剧制作中心改编拍摄为电视连续剧。

至该年，在海内外出版的个人专著按不同版本计已达43种。

在《红楼梦学刊》1992年第二辑上发表论文《秦可卿出身未必寒微》，在"红学"界和读者中均引起注意；另有若干《红楼梦》人物论和《红楼边角》专栏文章发表。

冬，应瑞典学院邀请（斯堪的纳维亚航空公司赞助）赴北欧访问；在挪威奥斯陆大学、瑞典斯德哥尔摩大学和隆德大学、丹麦哥本哈根大学和奥胡斯大学的东亚系汉学专业以《九十年代初的中国小说》为题作学术报告；12月7日，参加诺贝尔文学奖有关活动，听1992年得主德里克·沃尔科特发表受奖演说。

1993年

华艺出版社出版《刘心武文集》（1—8卷）。

出版长篇小说《四牌楼》。

1994年

1月，应台湾《中国时报》邀请赴台参加"两岸三地文学研讨会"。

《四牌楼》获上海优秀长篇小说大奖，到沪领奖。

1995年

出版随笔集《人生非梦总难醒》（上海人民出版社）。

出版小说集《仙人承露盘》（华艺出版社）。

1996年

出版长篇小说《栖凤楼》（人民文学出版社）。至此，由《钟鼓楼》《四牌楼》《栖凤楼》构成的"三楼"长篇小说系列竣工。

应《南洋商报》邀请赴马来西亚访问并顺访新加坡。

1997年

应日本文化交流基金会邀请，与妻子吕晓歌访问日本。其长篇小说《钟鼓楼》、儿童文学作品《我是你的朋友》、短篇小说《王府井万花筒》等此前已相继译为日文在日本出版。

1998年

建筑评论集《我眼中的建筑与环境》由中国建筑工业出版社出版，在建筑界产生影响。

应美国科罗拉多大学邀请，赴美参加金庸作品国际研讨会，在会上提交关于《鹿鼎记》的论文《失父：一种生存困境》。

1999 年

出版纪实性长篇小说《树与林同在》（山东画报出版社）。

出版《红楼三钗之谜》（华艺出版社）。

赴新加坡出席国际环境文学研讨会。

2000 年

应邀访问法国，并应英中协会和伦敦大学邀请，从巴黎赴伦敦讲《红楼梦》。

至此年底在海内外出版的个人专著（不含文集）按不同版本计达 101 种。

2001 年

出版包含建筑评论的随笔集《在忧郁中升华》（文汇出版社）。

在北京电视台录制播出《刘心武谈建筑》系列节目。

2002 年

出版小说集《京漂女》（中国文联出版社），自绘插图。

应澳大利亚雪梨华文写作协会邀请赴澳大利亚访问。

2003 年

以马来西亚《星洲日报》世界华人文学"花踪奖"评委身份赴吉隆坡参加相关活动。

台湾联经出版社出版小说集《人面鱼》。此前台湾已出版过刘心武多种作品，如皇冠出版社出版了《钟鼓楼》，幼狮文化事业公司出版了《四牌楼》《为他人默默许愿》（散文集）。

2004 年

赴法参加巴黎书展活动。书展上展出了译为法文的著作有小说《树与林同在》《护城河边的灰姑娘》《尘与汗》《人面鱼》《如意》与歌剧剧本《老舍之死》。

建筑评论集《材质之美》由中国建材工业出版社出版。

小说集《站冰》出版（人民文学出版社），自绘封面插图。

2005 年

出版集历年研红成果的《红楼望月》（书海出版社）。

应 CCTV-10（中央电视台科学教育频道）《百家讲坛》邀请，录制播出《刘心武揭秘〈红楼梦〉》系列节目 23 集，反响强烈，引出争议。

《刘心武揭秘〈红楼梦〉》第一、二部相继出版（东方出版社），畅销。

2006 年

应美国华美协会邀请，赴纽约在哥伦比亚大学讲《红楼梦》。

应邀参加香港书展。

出版《刘心武揭秘古本〈红楼梦〉》（人民出版社）。

2007 年

继续应邀到 CCTV-10《百家讲坛》录制节目，并出版《刘心武揭秘〈红楼梦〉》第三部、第四部（东方出版社）。

访问俄罗斯。

2008 年

出版随笔集《健康携梦人》（中国海关出版社）。

自 1986 年出版《垂柳集》，至此所出版的散文随笔集已逾 30 种。

2009 年

在《上海文学》杂志开《十二幅画》专栏，每期发表一篇写人物命运的大散文，并配发自己的画作。

4 月，妻子吕晓歌病逝，著长文《那边多美呀！》悼念。

2010 年

再应 CCTV-10《百家讲坛》邀请，录制播出《〈红楼梦〉的真故事》系列节目。至此在《百家讲坛》录制播出关于《红楼梦》的个人系列讲座累计达 61 集。

出版《〈红楼梦〉的真故事》（凤凰联动·江苏人民出版社），在争议声中畅销。

4 月，应台湾新地文学社邀请赴台参加"21 世纪世界华文文学高峰会议"。

出版《命中相遇——刘心武话里有画》(上海文艺出版社)。

加快《刘心武续〈红楼梦〉》的写作,次年完成推出。

至本年底,在海内外出版的个人专著,文集不算在内,重印亦不算,按不同版本计达182种(按不同书名计则为141种)。

年底,筹备编辑《刘心武文存》。

刘心武著作书目

　　只包括在中国大陆、台湾、香港和海外出版的书（同一著作每种版本单列）；不包括散发于报刊尚未出书的篇目，亦不包括多人合集中的篇目。第一个数字表示不同版本的排序；[ ]中的数字表示剔除同一书名的版本后的排序；注意：文集8卷不参加排序。

1976 年
1.[1]《睁大你的眼睛》[儿童文学·中篇小说]

北京人民出版社 1976 年 1 月第一版

1978 年
2.[2]《母校留念》[儿童文学·小说集]

中国少年儿童出版社 1978 年 7 月第一版

1979 年
3.[3]《小猴吃瓜果》[低幼读物·画册]

少年儿童出版社 1979 年 4 月第一版

1980 年 6 月第二次印刷

4.[4]《班主任》[短篇小说集]

中国青年出版社 1979 年 6 月第一版

1980 年
5.[5]《我是你的朋友》[儿童文学·中篇小说]

北京出版社 1980 年 7 月第一版

6.[6]《绿叶与黄金》[中短篇小说集]

广东人民出版社 1980 年 8 月第一版

7.[7]《刘心武短篇小说集》

北京出版社 1980 年 9 月第一版

1981 年

8.《这里有黄金》[中短篇小说集]

广东人民出版社 1981 年 4 月第二次印刷

有平装、软精装两种

9.[8]《大眼猫》[中短篇小说集]

浙江人民出版社 1981 年 8 月第一版

1982 年

10.[9]《如意》[中篇小说集]

北京出版社 1982 年 5 月第一版

1983 年

11.[10]《中国现代作家选（Ⅲ）刘心武〈我爱每一片绿叶〉〈深谷小溪默默流〉》

[日本] 东方书店 1983 年第一版

12.[11]《同文学青年对话》

文化艺术出版社 1983 年 10 月第一版

1984 年

13.[12]《到远处去发信》[中短篇小说集]

四川人民出版社 1984 年 4 月第一版

有平装、软精装两种

14.[13]《如意》[电影文学剧本]（与戴宗安联合署名）

中国电影出版社 1984 年 6 月第一版

1985 年

15.[14]《嘉陵江流进血管》[中篇小说集]

陕西人民出版社 1985 年 2 月第一版

16.[15]《日程紧迫》[中短篇小说集]

群众出版社 1985 年 5 月第一版

17.[16]《我可不怕十三岁》[儿童文学集]

新世纪出版社 1985 年 8 月第一版

18.[17]《钟鼓楼》[长篇小说]

人民文学出版社 1985 年 11 月第一版

有平装、软精装两种

1986 年 5 月第二次印刷

1986 年

19.[18]《公共汽车咏叹调》[纪实小说]

湖南文艺出版社 1986 年 1 月第一版

20.[19]《都会咏叹调》[小说集]

作家出版社 1986 年 3 月第一版

21.[20]《垂柳集》[散文集]

陕西人民出版社 1986 年 4 月第一版

22.[21]《立体交叉桥》[中短篇小说集]

人民文学出版社 1986 年 6 月第一版

有平装、软精装两种

23.[22]《巴黎郁金香》[访法散文集]

群众出版社 1986 年 11 月第一版

24.[23]《木变石戒指》[中短篇小说集]

青海人民出版社 1986 年 12 月第一版

1987 年

25. *Little Monkey Triesto Eat Fruit* [科学童话·英文]

海豚出版社 1987 年第一版

有平装、精装两种

26.[24]《斜坡文谈》[文学理论]

上海文艺出版社 1987 年 4 月第一版

27.[25]《王府井万花筒》[中篇小说集]

湖南文艺出版社 1987 年 9 月第一版

有平装、精装两种

28.[26]《5·19 长镜头》[小说自选集]

四川文艺出版社 1987 年 11 月第一版

29.げくけきの友たちだ [《我是你的朋友》日译本]

[日本] 福武书店 1987 年 12 月第一版

1989 年 3 月第二版

1991 年 2 月第三版

1988 年

30.[27]《她有一头披肩发》[中短篇小说集]

台湾林白出版社 1988 年 4 月第一版

31.《钟鼓楼》[长篇小说]

香港天地图书有限公司 1988 年第一版

1993 年第二版

32.[28]《私人照相簿》[纪实文学]

香港南粤出版社 1988 年 11 月第一版

33.[29]《刘心武代表作》

黄河文艺出版社 1988 年 12 月第一版

1989 年

34.《小猴吃瓜果》[科学童话]

开明出版社、海豚出版社 1989 年 3 月第一版

35.《钟鼓楼》[长篇小说]

台湾皇冠出版社 1989 年 4 月第一版

36.[30]《一片绿叶对你说》[文艺随笔集]

河北教育出版社 1989 年 12 月第一版

1990 年

37.[31]*BLACK WALLS AND OTHER STORIES* [小说集·英译本]

香港中文大学翻译中心出版社 1990 年第一版

38.[32]《王府井万花镜》[小说集·日译本]

[日本] 德间书店 1990 年 9 月第一版

1991 年

39.《母校留念》[小说]

[日本] 骏河台出版社 1991 年 4 月第一版

40.[33]《一窗灯火》[中短篇小说集]

华艺出版社 1991 年 10 月第一版

1993 年第二次印刷

1992 年

41.[34]《列奥纳多·达·芬奇》[传记]

江苏教育出版社 1992 年 5 月第一版

42.[35]《有家可归》[散文随笔集]

广东旅游出版社 1992 年 5 月第一版

43.[36]《风过耳》[长篇小说]

中国青年出版社 1992 年 6 月第一版

1992 年 12 月第二次印刷

1993 年 3 月第三次印刷

1995 年 8 月第五次印刷

1996 年 3 月第六次印刷

44.《风过耳》[长篇小说]

香港勤 + 缘出版社 1992 年 6 月第一版

45.[37]《献给命运的紫罗兰——刘心武谈生存智慧》

上海人民出版社1992年6月第一版

1992年11月第二次印刷

1995年第三次印刷

1996年12月第五次印刷

46.《刘心武代表作》

河南人民出版社1992年6月第二次印刷·精装本

47.[38]《蓝夜叉》[中篇小说集]

香港勤＋缘出版社1992年9月第一版

1993年

48.《北京下町物语》[长篇小说·《钟鼓楼》日译本]

[日本]东京恒文社1993年2月第一版

1994年第二版

49.[39]《为你自己高兴》[随笔集]

内蒙古人民出版社1993年3月第一版

50.[40]《杀星》[小说集]

香港勤＋缘出版社1993年6月第一版

51.《我是你的朋友》[儿童文学·中篇小说·增订本]

希望出版社1993年6月第一版

52.[41]《四牌楼》[长篇小说]

上海文艺出版社1993年6月第一版

1994年4月第二次印刷

1996年11月第三次印刷

53.[42]《我是怎样的一个瓶子》[随笔集]

成都出版社1993年9月第一版

54.[43]《沉默交流》[随笔集]

中国华侨出版社1993年11月第一版

55.[44]《富心有术》[随笔集]

群众出版社 1993 年 12 月第一版

1995 年第二次印刷

56.[45]《中国当代名人随笔·刘心武卷》

陕西人民出版社 1993 年 12 月第一版

☆《刘心武文集》[1—8 卷]

华艺出版社 1993 年 12 月第一版

☆《刘心武文集·〈钟鼓楼〉〈风过耳〉》(简装本)

☆《刘心武文集·〈四牌楼〉〈无尽的长廊〉》(简装本)

华艺出版社 1997 年 5 月第一版

1994 年

57.[46]《仰望苍天》[随笔集]

知识出版社 1994 年 1 月第一版

1995 年第二次印刷

东方出版中心 1996 年 7 月第三次印刷

58.[47]《男扮女妆与女扮男妆》[随笔集]

中原农民出版社 1994 年 2 月第一版

59.[48]《相对一笑》[小小说集]

中共中央党校出版社 1994 年 2 月第一版

60.[49]《秦可卿之死》[专著]

华艺出版社 1994 年 5 月第一版

61.《四牌楼》[长篇小说]

台湾幼狮文化事业公司 1994 年 8 月第一版

62.[50]《为他人默默许愿》[散文集]

台湾幼狮文化事业公司 1994 年 10 月第一版

63.[51]《中国小说名家新作丛书·刘心武卷》

海峡文艺出版社 1994 年 11 月第一版

64.[52]《红楼梦（缩写本）》

接力出版社 1994 年 12 月第一版

1995 年第二次印刷

1997 年 9 月第三次印刷

1995 年

65.[53]《人生非梦总难醒》[名人日记·随笔集]

上海人民出版社 1995 年 1 月第一版

1995 年 3 月第二次印刷

66.[54]《仙人承露盘》[中短篇小说集]

华艺出版社 1995 年 3 月第一版

67.[55]《女性与城市》[杂文集]

中国城市出版社 1995 年 6 月第一版

68.《我是你的朋友》[增订版·"小学生成才书架"系列之一]

希望出版社 1995 年 10 月第一版

69.《在胡同里转悠》[随笔集]

陕西人民出版社 1995 年 11 月第二次印刷

70.[56]《刘心武海外游记》

华文出版社 1995 年 12 月第一版

1996 年

71.[57]《刘心武小说精选》

太白文艺出版社 1996 年 2 月第一版

72.[58]《开发心大陆》[随笔集]

吉林人民出版社 1996 年 3 月第一版

1997 年 3 月第二次印刷

73.[59]《你哼的什么歌》[散文集]

湖南文艺出版社 1996 年 6 月第一版

74.[60]《刘心武张颐武对话录——"后世纪"的文化了望》

漓江出版社 1996 年 7 月第一版

75.[61]《边缘有光》[随笔集]

汉语大辞典出版社 1996 年 8 月第一版

76.[62]《刘心武怪诞小说自选集》

漓江出版社 1996 年 8 月第一版

有平装、精装两种

77.[63]《我是刘心武》

团结出版社 1996 年 9 月第一版

78.[64]《刘心武》[中国当代作家选集丛书]

人民文学出版社 1996 年 10 月第一版

79.[65]《刘心武杂文自选集》

百花文艺出版社 1996 年 11 月第一版

80.《秦可卿之死》[修订本]

华艺出版社 1996 年 11 月第二版

81.[66]《栖凤楼》[长篇小说]

人民文学出版社 1996 年 12 月第一版

1998 年 3 月第二次印刷

1997 年

82.[67]《封神演义（缩写本）》

接力出版社 1997 年 1 月第一版

1997 年 9 月第二次印刷

83.[68]《胡同串子》[中短篇小说集]

北京燕山出版社 1997 年 8 月第一版

84.《私人照相簿》

上海远东出版社 1997 年 9 月第一版

1998 年 2 月第二次印刷

2000 年换封面版权页称 2000 年 6 月第二次印刷

85.[69]《中国儿童文学名家作品精选丛书·刘心武作品精选》

河北少年儿童出版社 1997 年 8 月第一版

86.[70]《把嘴张圆》[随笔集]

上海远东出版社 1997 年 12 月第一版

1998 年

87.[71]《我眼中的建筑与环境》[建筑评论随笔集]

中国建筑工业出版 1998 年 5 月第一版

1999 年 5 月第二次印刷

2000 年 6 月第三次印刷

2001 年 6 月第四次印刷

88.《钟鼓楼》[茅盾文学奖获奖书系]

人民文学出版社 1998 年 3 月第一次印刷

1998 年 7 月第二次印刷

1998 年 8 月第三次印刷

1999 年 3 月第四次印刷

2000 年 1 月第五次印刷

2001 年 1 月第六次印刷

2001 年 8 月第七次印刷

2002 年 8 月第八次印刷

2003 年 1 月第九次印刷

1999 年

89.[72]《树与林同在》[非虚构长篇小说]

山东画报出版社 1999 年 3 月第一版

2006 年 7 月第二次印刷

90.[73]《八十六颗星星》(*The Eighty-Six Stars*)[儿童文学小说·汉英对照]

希望出版社 1999 年 6 月第一版

91.[74]《红楼三钗之谜》[刘心武红学探佚精品]

　　　　　　　　　　　　华艺出版社 1999 年 9 月第一版

92.[75]《蓝玫瑰》[中短篇小说集]

　　　　　　　　　　中国华侨出版社 1999 年 10 月第一版

93.[76]《过隧道的心情》[随笔集]

　　　　　　　　华东师范大学出版社 1999 年 12 月第一版

2000 年

94.[77]《一切都还来得及》[随笔集]

　　　　　　　　　　中国青年出版社 2000 年 1 月第一版

95.[78]《善的教育》[儿童文学]

　　　　　　　　辽宁少年儿童出版社 2000 年 2 月第一版

96.[79] Le Talisman (version bilingue)[《如意》中、法文对照版]

　　　　　　　　Librarie You Feng 2000 年 4 月第一版

97.[80]《作家刘心武〈班主任〉手迹》

　　　　　　　　　　　线装书局 2000 年 5 月第一版

98.[81]《楼前白玉兰》[小小说集]

　　　　　　　　中国广播电视出版社 2000 年 7 月第一版

99.[82]《刘心武侃北京》

　　　　　　　　上海文艺出版社 2000 年 10 月第一版

100.[83]《我爱吃苦瓜》[茅盾文学奖获奖作家散文精品]

　　　　　　　　　广州出版社 2000 年 10 月第一版

　　　　　　　　　　2002 年 10 月第二次印刷

101.[84]《了解高行健》

　　　　　　　　香港开益出版社 2000 年 12 月第一版

2001 年

102.[85]《亲近苍莽》

　　　　　　　　中国旅游出版社 2001 年 1 月第一版

103.[86]《在忧郁中升华》

文汇出版社 2001 年 2 月第一版

《刘心武谈建筑——在忧郁中升华》2007 年 8 月第二次印刷

104.[87]《人在风中》

作家出版社 2001 年 8 月第一版

105.《风过耳》

时代文艺出版社 2001 年 10 月第一版

有平装、精装两种

2002 年

106.[88]《京漂女》(自绘插图)

中国文联出版社 2002 年 1 月第一版

107.[89]《深夜月当花》

中国工人出版社 2002 年 1 月第一版

108.[90]《春梦随云散》

人民文学出版社 2002 年 4 月第一版

109.[91]《藤萝花饼》

台湾二鱼文化事业有限公司 2002 年 4 月第一版

110.[92]《刘心武自述》

大象出版社 2002 年 10 月第一版

2003 年

111.[93] L'arbre et la forêt [《树与林同在》法译本]

Bleu de Chine 2003 年 1 月第一版

112.[94]《人面鱼》

台湾联经出版事业股份有限公司 2003 年 2 月初版

113.[94] La Cendrillon Du Canal [《护城河边的灰姑娘》法译本]

Bleu de Chine 2003 年 4 月第一版

114.[95]《画梁春尽落香尘》["红学"专著]

中国广播电视出版社 2003 年 6 月第一版

2003 年 9 月第二次印刷

2004 年 1 月第三次印刷

2005 年 6 月第四次印刷

115.[96]《眼角眉梢》

新华出版社 2003 年 8 月第一版

116.[97]《钟鼓楼》[初中生语文新课标必读]

人民日报出版社 2003 年 9 月第一版

117.[98]《天梯之声》

中国青年出版社 2003 年 10 月第一版

2004 年

118.[99] Poussiêre et sueur [《尘与汗》法译本]

Bleu de Chine 2004 年 1 月第一版

119.[100] La mort de Lao SHe [《老舍之死》歌剧剧本法译本]

Bleu de Chine 2004 年 3 月第一版

120.[101] Poisson à face humaine [《人面鱼》法译本]

Bleu de Chine 2004 年 3 月第一版

121.《如意》[电影伴读中国文学文库·附电影光盘]

中国青年出版社 2004 年 1 月第一版

122.[102]《泼妇鸡丁》

台湾二鱼文化事业有限公司 2004 年 4 月第一版

123.[103]《在柳树臂弯里——刘心武随笔》

光明日报出版社 2004 年 5 月第一版

124.[104]《材质之美——刘心武城市文化酷评》

中国建材工业出版社 2004 年 5 月第一版

125.[105]《站冰——刘心武小说新作集》(自绘插图)

人民文学出版社 2004 年 6 月第一版

126.《四牌楼》

上海文艺出版社 2004 年 8 月第二版

127.[106]《大家文丛：刘心武》

古吴轩出版社 2004 年 8 月第一版

2005 年

128.《钟鼓楼》(中国文库・文学类)

人民文学出版社 2005 年 1 月第一版第一次印刷(平装)

2005 年 1 月第一版第一次印刷(精装)

129.《钟鼓楼》(茅盾文学奖获奖作品全集之一)

人民文学出版社 1985 年 11 月第一版、2005 年 1 月第一次印刷

2005 年 5 月第二次印刷

2005 年 7 月第三次印刷

2006 年 3 月第四次印刷

2008 年 4 月第七次印刷

2009 年 8 月第八次印刷

2010 年 1 月第九次印刷

2011 年 7 月第 15 次印刷

2011 年 9 月第 16 次印刷

2011 年 11 月第 17 次印刷

130.[107]《心灵体操》

时代文艺出版社 2005 年 1 月第一版

131.[108]《刘心武作文示范》

少年儿童出版社 2005 年 1 月第一版

132.[109] La Démone bleue (《蓝夜叉》法译本)

Bleu de Chine 2005 年第一版

133.[110]《红楼望月》

书海出版社 2005 年 4 月第一版

2005 年 6 月第二次印刷

2005 年 7 月第三次印刷

2005 年 8 月第四次印刷

2005 年 9 月第五次印刷

2005 年 9 月第六次印刷

134.[111]《刘心武揭秘〈红楼梦〉》

东方出版社 2005 年 8 月第一版

至 2005 年 19 月共十三次印刷

2005 年 11 月第二版

至 2005 年 12 月已第十八次印刷

至 2007 年 7 月已第二十八次印刷

2007 年 12 月第三十次印刷

2008 年 4 月第三十二次印刷

135.《红楼解梦——画梁春尽落香尘》

中国广播电视出版社 2005 年 9 月第二版第五次印刷

136.《楼前白玉兰——刘心武最新小小说集》

中国广播电视出版社 2005 年 9 月第二版第二次印刷

137.[112]《刘心武揭秘〈红楼梦〉》[第二部]

东方出版社 2005 年 12 月第一版

至 2007 年 7 月已第十五次印刷

2007 年 12 月第十七次印刷

2008 年 4 月第十九次印刷

138.[113]《刘心武解读人世情》

时代文艺出版社 2005 年 12 月第一版

139.[114]《刘心武感悟平常心》

时代文艺出版社 2005 年 12 月第一版

2006 年

140.[115]《刘心武自选集》

云南人民出版社 2006 年 1 月第一版

141.[116]《刘心武点评〈红楼梦〉》

团结出版社 2006 年 1 月第一版

142,《刘心武精品集·第一卷·钟鼓楼》

东方出版社 2006 年 1 月第一版

143.《刘心武精品集·第二卷·四牌楼》

东方出版社 2006 年 1 月第一版

144.《刘心武精品集·第三卷·栖凤楼》

东方出版社 2006 年 1 月第一版

145.《刘心武精品集·第四卷·献给命运的紫罗兰》

东方出版社 2006 年 1 月第一版

146.[117]《戴敦邦绘刘心武评〈金瓶梅〉人物谱》

作家出版社 2006 年 4 月第一版

147.[118]《红楼拾珠》

云南人民出版社 2006 年 5 月第一版

148.[119]《藤萝花饼》

云南人民出版社 2006 年 5 月第一版

149.《刘心武揭秘〈红楼梦〉》[第一部]

台湾好读出版有限公司 2006 年 6 月初版

150.《刘心武揭秘〈红楼梦〉》[第二部]

台湾好读出版有限公司 2006 年 6 月初版

151.《我是刘心武》

天津人民出版社 2006 年 8 月第一版

152.[120]《刘心武揭秘古本〈红楼梦〉》

人民出版社 2006 年 12 月第一版

同月第二次印刷

2007 年

153.[121]《四棵树》

二十一世纪出版社 2007 年第一版

154.[122]《用心去游》

上海三联书店 2006 年 12 月第一版

2007 年 1 月第一次印刷

155.[123] Dés de poulet façon mégère [《泼妇鸡丁》法译本]

Bleu de Chine 2007 年 4 月第一版

156.《一切都还来得及》

中国青年出版社 2005 年 5 月第一版

157.[124]《刘心武揭秘〈红楼梦〉》[第三部·黛玉之谜及古本之秘]

东方出版社 2007 年 7 月第一版

至 2007 年 8 月已第四次印刷

2007 年 12 月第六次印刷

2008 年 3 月第七次印刷

158.[125]《刘心武说世道人心》

中国青年出版社 2007 年 7 月第一版

159.[126]《刘心武说寻美感悟》

中国青年出版社 2007 年 7 月第一版

160.[127]《刘心武说草根情怀》

中国青年出版社 2007 年 7 月第一版

161.[128]《长吻蜂》

上海人民出版社 2007 年 8 月第一版

162.《私人照相簿》

华龄出版社 2007 年 10 月第一版

163.《善的教育》

华龄出版社 2007 年 10 月第一版

164.[129]《刘心武揭秘〈红楼梦〉》[第四部·宝钗湘云之谜暨红楼心语]

东方出版社 2007 年 11 月第一版

2008 年 3 月第三次印刷

2008 年

165.[130]《健康携梦人》

中国海关出版社 2008 年 4 月第一版

166.[131]《刘心武小说》

吉林文史出版社 2008 年 5 月第一版

167.[132]《刘心武散文》

吉林文史出版社 2008 年 5 月第一版

2009 年

168.《钟鼓楼》(共和国作家文库)

作家出版社 2009 年 4 月第一版

169.《四牌楼》(共和国作家文库)

作家出版社 2009 年 4 月第一版

170.[133]《人在胡同第几槐》

中国文联出版社 2009 年 6 月第一版

171.《钟鼓楼》(新中国 60 年长篇小说典藏)

人民文学出版社 2009 年 7 月第一版

172.[134]《刘心武短篇小说》

现代教育出版社 2009 年 8 月第一版

173.[135]《刘心武中篇小说》

现代教育出版社 2009 年 8 月第一版

174.[136]《刘心武散文随笔》

现代教育出版社 2009 年 8 月第一版

175.《刘心武揭秘〈红楼梦〉》上卷(共和国作家文库)

作家出版社 2009 年 8 月第一版

176.《刘心武揭秘〈红楼梦〉》下卷（共和国作家文库）

作家出版社 2009 年 8 月第一版

2010 年

177.[137]《人情似纸》

江苏文艺出版社 2010 年 1 月第一版

178.[138]《红楼梦八十回后真故事》

江苏人民出版社 2010 年 3 月第一版

179.[139]《刘心武小说精选集》

[台湾] 新地文化艺术有限公司 2010 年 4 月第一版

180.《红楼望月》

江苏人民出版社 2010 年 6 月第一版

2010 年 9 月第二次印刷

181.[140]《命中相遇——刘心武话里有画》

上海文艺出版社 2010 年 7 月第一版

182.[141]《红楼眼神》

重庆出版社 2010 年 9 月第一版

2011 年

183.[142]《刘心武续红楼梦》

江苏人民出版社 2011 年 3 月第一版

江苏人民出版社 2011 年 4 月第 4 次印刷

184.[143]《红楼梦》（曹雪芹著刘心武续）

江苏人民出版社 2011 年 3 月第一版

185.《刘心武续红楼梦》[繁体字竖排本]

香港明报出版社有限公司 2011 年 3 月初版

186.《刘心武揭秘〈红楼梦〉》精华本（一）

江苏人民出版社 2011 年 4 月第一版

187.《刘心武揭秘〈红楼梦〉》精华本（二）

江苏人民出版社 2011 年 4 月第一版

188.《刘心武揭秘〈红楼梦〉》精华本（三）

江苏人民出版社 2011 年 4 月第一版

189.《刘心武揭秘〈红楼梦〉》精华本（四）

江苏人民出版社 2011 年 4 月第一版

190.《刘心武续红楼梦》[繁体字竖排本]

台湾城邦文化事业股份有限公司商周出版 2011 年 4 月第一版

191.《〈红楼梦〉的真故事》

台湾人类智库数位科技股份有限公司 2011 年 6 月第一版

192.[144]《听刘心武说房子的事儿》

中国商业出版社 2011 年 8 月第一版

193.[145]《刘心武心灵随感》

时代文艺出版社 2011 年 11 月第一版

2012 年

194.[146]《刘心武种四棵树》

漓江出版社 2012 年 1 月第一版

195.[147]《风雪夜归正逢时——我是刘心武》

漓江出版社 2012 年 1 月第一版

196.《献给命运的紫罗兰》

漓江出版社 2012 年 1 月第一版

197.[148]《人生有信》

江苏人民出版社 2012 年 3 月第一版

198.Poussiêre et sueur [《尘与汗》法译本 folio 袖珍版]

Gallimard 2012 年 8 月出版

199.La Cendrillon du canal [《护城河边的灰姑娘》法译本 folio 袖珍版]

Gallimard 2012 年 8 月出版